L'ESPRIT
CHAUMET

L'ESPRIT CHAUMET

Gabrielle de Montmorin

SOMMAIRE

INTRODUCTION

Lorsque Marie-Étienne Nitot fonde à Paris en 1780 la Maison qui prendra plus tard le nom de Chaumet, il ignore le destin unique et fascinant qu'elle connaîtra. Installée vers 1812 place Vendôme, qui devient ainsi le symbole de l'excellence joaillière française, la Maison, qui a reçu de Joséphine, épouse de l'empereur Napoléon Ier, le titre prestigieux de « Joaillier ordinaire de l'Impératrice », est très tôt renommée dans toute l'Europe pour la légèreté et le mouvement de ses créations, à l'image du diadème épis de blé, un motif toujours représentatif de son style. Comme sa muse l'Impératrice, aussi célèbre pour son allure que pour ses connaissances botaniques, la Maison, devenue mythique, est multiple. Douze adjectifs faisant écho au 12, place Vendôme, son adresse historique, s'avèrent une évidence pour appréhender cette personnalité plurielle. PARISIENNE par essence, elle respire le chic de la Ville Lumière tout en cultivant l'ouverture sur l'Ailleurs dont elle embrasse la diversité. Cette facette COSMOPOLITE œuvre de concert avec une créativité AUDACIEUSE façonnée par une lignée ininterrompue de maîtres joailliers – depuis 1780, la Maison n'a en effet eu que treize chefs d'atelier. Grâce à leur exceptionnel savoir-faire, le diadème demeure l'une des pièces emblématiques dont la symbolique en matière de pouvoir ou d'amour vient coiffer les nouvelles reines et princesses, de l'économie ou des réseaux sociaux. COMPLICE des témoignages d'attachement depuis les commandes de Napoléon Ier pour ses proches, la Maison excelle dans les bijoux de sentiment reflétant l'intimité des liens tissés avec ses clients dans le monde entier. Entremêlant la petite et la grande histoire, ses créations pimentent leur temps d'une touche MALICIEUSE qui s'accorde admirablement à la subtile palette COLORÉE chère à la Maison. Réputée pour ses pierres d'exception, elle l'est également pour la délicatesse de ses appairages et la splendeur de ses contrastes. Fidèle à sa vocation UNIVERSELLE héritée de son fondateur qui se présentait comme « joaillier naturaliste », Chaumet a le don de saisir comme sur le vif les prodiges qu'offre la Nature, de la mer au ciel, en passant par la faune et la flore. CURIEUSE DE TOUT, la Maison crée au diapason de l'effervescence artistique de chaque époque, musique, lettres, architecture... VISIONNAIRE et SENTINELLE DU TEMPS, elle se dote de son propre laboratoire de photographie à la fin du XIXe siècle, enrichissant son extraordinaire patrimoine, l'un des plus importants de l'histoire du bijou au monde. Le conserver est un devoir ; le partager avec le plus grand nombre, une mission. Comme Marie-Étienne Nitot s'est investi en 1793 pour sauver les joyaux de la Couronne de France menacés par la Révolution, Chaumet a adopté une politique ENGAGÉE ancrée dans le XXIe siècle. Initiatrice d'expositions à son adresse historique parisienne 12, place Vendôme et à l'international, de Pékin à Riyad, de Tokyo à Monaco, la Maison est aussi à l'origine de projets didactiques inédits. Destinés à faire toucher du doigt la virtuosité et l'émerveillement qu'elle procure, ils ont également l'ambition de susciter des vocations. Car réinventer la joaillerie avec grâce et caractère comme Chaumet le fait depuis plus de deux siècles n'est possible qu'à travers des ressources INVENTIVES sans cesse renouvelées et un authentique esprit de transmission.

PARISIENNE

« AJOUTEZ DEUX
LETTRES À PARIS,
C'EST LE PARADIS. »

JULES RENARD

Tout commence à Paris au XVIIIe siècle lorsque Marie-Étienne Nitot débute son activité de joaillier. D'abord installée sur l'île de la Cité, sa maison de joaillerie, qui prendra plus tard le nom de Chaumet, est la première à déménager pour la place Vendôme – bientôt imitée par d'autres joailliers. Vers 1812, elle s'installe au numéro 15, puis, à partir de 1907, au 12. Elle ne l'a depuis jamais quittée.

PAGE 8
Diadème perles baroques, période Chaumet, 1963, argent, or jaune, perles fines et diamants. Paris, collections Chaumet.

LA PLACE VENDÔME : UN JOYAU ARCHITECTURAL

Alors qu'il s'apprête à débuter les travaux de la galerie des Glaces du château de Versailles, le Premier architecte de Louis XIV Jules Hardouin-Mansart est mandaté par le roi pour imaginer une place au cœur de Paris. Le chantier, commencé en 1677 durera plusieurs dizaines d'années. Au final, vingt-sept hôtels particuliers dessinent un octogone harmonieux. Comme un décor de théâtre, derrière ces façades en pierre de taille parfaitement alignées, les parcelles sont entièrement vierges. Chaque propriétaire faisant édifier sa demeure selon ses goûts, aucun hôtel particulier de la place ne ressemble à son voisin.

Témoin des grands épisodes de l'Histoire de France, la place prend son nom définitif en l'honneur de l'hôtel sur lequel elle s'est construite, celui du duc de Vendôme, le fils d'Henri IV et de sa maîtresse Gabrielle d'Estrées.

Inaugurée en 1810, la colonne qui s'érige au centre de la place rappelle les victoires de Napoléon Ier auquel François-Regnault Nitot, joaillier attitré de l'impératrice Joséphine et de la cour impériale, a lié son destin. Le monument demeure une source d'inspiration pour la Maison, à l'image de sa collection de Haute Joaillerie *Torsade de Chaumet*, revisitant sa frise en spirale (p. 14–15).

Place Vendôme, illustration adaptée d'un détail de la couverture de *Harper's Bazaar* (numéro de mai 1947) dessinée par Saul Steinberg.

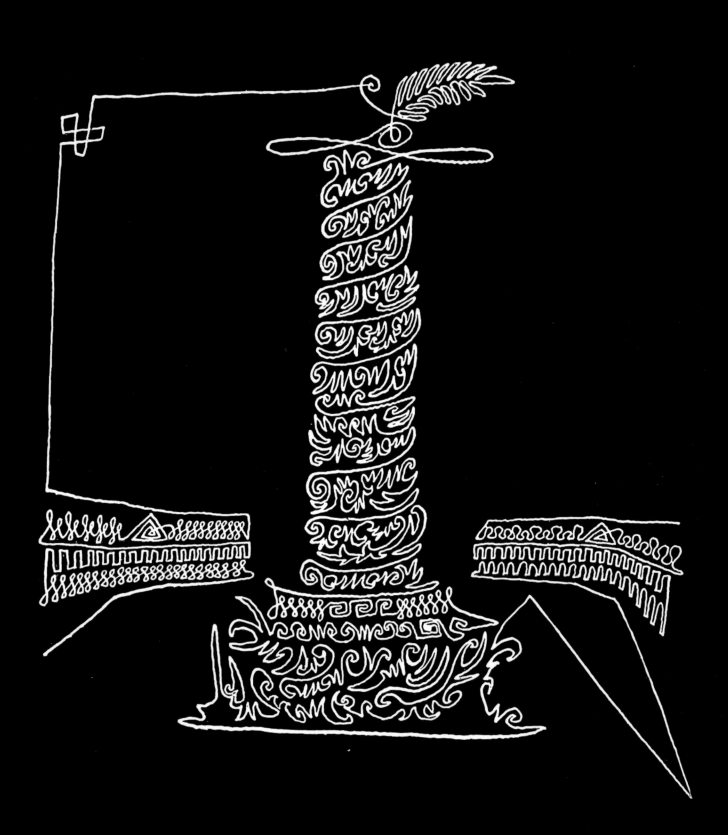

EN HAUT, À GAUCHE
Frise en spirale sur la
colonne de la place
Vendôme érigée en 1810 et
qui a inspiré la collection
Torsade de Chaumet.

EN HAUT, À DROITE
Collier négligé, boucles
d'oreilles et bagues
Torsade de Chaumet,
2021, or blanc et diamants.

CI-CONTRE
Diadème *Torsade de
Chaumet*, 2021, or blanc
et diamants.

PAGE DE GAUCHE
Collier et bague *Torsade
de Chaumet*, 2021, or
blanc et diamants.

LE SYMBOLE
DE L'EXCELLENCE
JOAILLIÈRE

Suivant l'exemple de Marie-Étienne Nitot qui y ouvre son commerce vers 1812, les joailliers investissent la place Vendôme qui devient, et demeure, l'épicentre de la Haute Joaillerie dans le monde entier. À cela, trois raisons : l'emplacement, la mode et la lumière. La beauté du lieu, avec l'élégance de son ordonnancement emblématique du « grand style », le rend d'autant plus attractif qu'il se situe idéalement entre l'Opéra, qui donne le ton en matière de divertissement dès le XIXe siècle, et le jardin des Tuileries.

Installé à deux pas, rue de la Paix, Charles Frederick Worth en fait le haut lieu de la mode. Maître ès robes de bal et de présentation à la cour, l'homme, qui se présente non pas comme couturier mais comme « artiste en robe » ou « compositeur de toilettes », habille le gotha, dont la cour de Russie, qui est grande cliente de Chaumet. On doit à Worth les premiers défilés avec des modèles présentés sur des mannequins en chair et en os, ainsi que le concept de collections saisonnières. Suivront Jacques Doucet et ses robes d'intérieur, les *tea-gowns* à motif d'hortensia qui font fureur aussi bien chez les aristocrates que les comédiennes ou les femmes de la grande bourgeoisie industrielle. Toutes adoptent les sautoirs, diadèmes et bracelets à lignes de diamants taille baguette à l'esprit Art déco que la Maison imagine pour sublimer ces nouvelles silhouettes. Avec le succès de la couturière Jeanne Paquin, Paris confirme sa place de capitale de la mode. Les riches clientes américaines et russes accourent, descendant au Ritz pour être au plus près du « grand style Paquin » avec ses fourrures travaillées en étoffe et ses somptueux manteaux kimono – pendant ce temps-là, leurs maris vont juste en face se faire tailler des chemises chez Charvet ou Hammond & Co.

La place Vendôme, c'est aussi une lumière unique, celle du nord, parfaite pour l'examen des pierres et la création joaillière. Tous les acteurs de la joaillerie s'accordent à le dire, à commencer par les vingt personnes qui œuvrent aujourd'hui dans l'atelier de Haute Joaillerie situé au troisième étage du *12 Vendôme*, joailliers, sertisseurs, polisseurs et apprentis.

Maquette de publicité :
diadèmes et bandeaux
portés « à la Joséphine »,
vers 1920. Paris, collections
Chaumet.

EN HAUT, À GAUCHE
Maquette de publicité mettant
en scène une Parisienne « New
Look » se tenant dans le Grand
Salon du 12, place Vendôme.
P. Bourlet, 1947. Paris,
collections Chaumet.

EN HAUT, À DROITE
Publicité Chaumet illustrée par
Pierre Mourgue, mettant en
scène l'intérieur du magasin
place Vendôme, 1946. Paris,
collections Chaumet.

CI-CONTRE
Catalogue commercial Chaumet,
1967. Paris, collections Chaumet.

« LES QUARTIERS DE PARIS PEUVENT ÉVOLUER,
LA PHYSIONOMIE DE LA VILLE PEUT CHANGER MAIS
LE MONDE ENTIER SAIT QUE, TRADITIONNELLEMENT,
ENTRE L'OPÉRA ET LA PLACE VENDÔME ON VOIT
DE PRÉCIEUX BIJOUX CHEZ LES JOAILLIERS ET DE
PRÉCIEUSES ROBES CHEZ PAQUIN. »

MARIE-CLAIRE, 10 SEPTEMBRE 1937

Deux esquisses en situation
d'une parure du soir en
diamants et émeraudes, atelier
de dessin Chaumet, vers 1920,
pastel sur papier teinté. Paris,
collections Chaumet.

VENDÔME EST
UNE FÊTE

Les 29 et 30 août 1739, Paris célèbre le mariage de Louise Élisabeth de France, dite Madame Élisabeth, l'aînée des dix enfants du roi Louis XV et de la reine Marie Leszczynska. À seulement douze ans, « Babette », comme la surnomme tendrement son père, devient « Madame Infante » en épousant Dom Philippe, infant et grand amiral d'Espagne. En leur honneur, les festivités comprenant feu d'artifice spectaculaire et bal somptueux seront inoubliables, au point d'être comparées à celles du Roi-Soleil. La place Vendôme ne dérogera jamais à cet esprit de fête.

En 1829, la place Vendôme s'illumine d'une première mondiale : l'éclairage public au gaz. Elle n'aura de cesse de faire briller la Ville Lumière, destination privilégiée des amoureux. À l'image d'Elizabeth II qui réserve à Paris sa première visite officielle à l'étranger en tant que reine. Comme son arrière-arrière-grand-mère, la reine Victoria, qui est cliente de la Maison, Elizabeth II est une romantique. À treize ans, elle a le coup de foudre pour son cousin issu de germain Philippe de Grèce qu'elle accepte d'épouser sans même consulter son père, le roi George VI. En l'honneur du couple, Paris est en liesse. Ses façades habillées de roses et d'œillets, Vendôme brille des flammes de cent torches saluant le cortège royal venu de l'Opéra, tandis que résonnent les thèmes les plus célèbres de Chopin.

Au 15, après avoir abrité sous l'Empire le commerce et la demeure du fils du fondateur de la Maison, François-Regnault Nitot, l'hôtel de Gramont entre dans la légende parisienne en devenant le Ritz. Ouvert par César Ritz, qui a fait ses armes au Grand Hôtel de Monte-Carlo et au Savoy à Londres, le palace parisien définit les critères du luxe moderne avec électricité, téléphone et salle de bain dans chaque chambre, mais aussi offre gastronomique « à la carte » et abat-jour abricot pour donner bonne mine aux clients. Des écrivains comme Marcel Proust, Scott Fitzgerald ou Ernest Hemingway aux figures de la mode telles qu'Anna Wintour et Kate Moss, des grands noms du septième art avec Charlie Chaplin et George Clooney à Maria Callas, Madonna et Lady Di, le Ritz possède un livre d'or qui coïncide très souvent avec les livres de visites et de commandes de Chaumet. On y trouve aussi bien le maharadjah d'Indore que Pablo Picasso, la princesse Youssoupoff ou encore la comtesse Greffulhe, la muse de Marcel Proust.

Diadème *Joséphine Valse Impériale*, 2021, or blanc et diamants.

EN HAUT, À GAUCHE
La reine Elizabeth II à Paris lors
de sa première visite d'État en
France, avril 1957.

EN HAUT, À DROITE
Publicité Chaumet, 1946. Paris,
collections Chaumet.

CI-DESSUS
Article de presse sur la collection
Le Cirque de Chaumet datant
du 28 novembre 1992. Paris,
collections Chaumet.

CI-CONTRE
L'écrivain Marcel Proust, 1900.

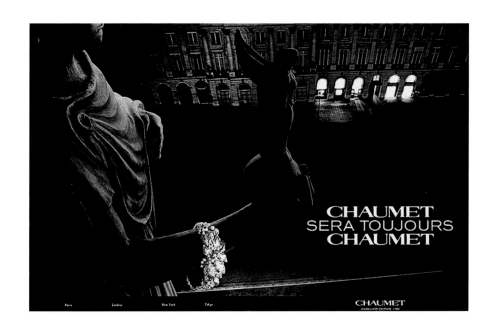

LE
12 VENDÔME

L'hôtel particulier construit à cette adresse doit son nom au baron de Sainte-James, qui l'achète en 1777 et écrit le premier chapitre de sa destinée joaillière. En effet, le nouveau propriétaire, qui a la charge de trésorier général de la Marine du roi Louis XVI, est richissime. Au point de prêter aux joailliers de la Couronne Boehmer & Bassenge 800 000 livres pour l'achat des 650 diamants qui seront sertis sur le célèbre collier qui créa le scandale autour de Marie-Antoinette. Familier de la cour, le baron Baudard de Sainte-James s'entoure des grands artistes de l'époque. Le peintre Lagrenée le Jeune signe les médaillons de Neptune et d'Océan qui dialoguent avec les boiseries sculptées par les frères Rousseau. Une proue de navire, des mâts, des tridents, des ancres, mais aussi des dauphins, des coquillages et des crabes sont dorés à l'or fin sur les portes, rappelant ainsi la charge du baron, tout comme la rose des vents rayonnant au centre du parquet (p. 32).

Hasard de l'histoire ou adresse prédestinée, le 12, place Vendôme accueille au début de l'année 1850 une beauté de vingt-six ans Eugénie de Palafox y Portocarrero, comtesse de Teba. Accompagnée par sa mère, la comtesse de Montijo, la jeune femme, qui deviendra impératrice des Français, vient de rompre ses fiançailles. L'empereur Napoléon III en tombe éperdument amoureux et lui fera la cour durant deux ans. Lorsqu'il la demande enfin en mariage, les anneaux nuptiaux seront réalisés par Jules Fossin, dont le père, Jean-Baptiste Fossin s'est vu transmettre la Maison des mains de Nitot (voir p. 176).

La façade de l'hôtel Baudard de Sainte-James, aujourd'hui le *12 Vendôme*.

LA MAISON CHAUMET

En 1907, Joseph Chaumet devient le locataire du prince de Broglie et de sa femme Marie Say, propriétaires, entre autres, du 12, place Vendôme, grands ordonnateurs des fêtes parisiennes et clients de Chaumet. L'hôtel particulier accueille l'ensemble des services de la Maison. Aux ateliers de dessin, d'orfèvrerie et de joaillerie s'ajoutent ceux de galvanoplastie, de mécanique et de fabrication des écrins, sans oublier un studio de photographie qui accueille la recherche scientifique en gemmologie et où passent toutes les créations joaillières de la Maison, ainsi que les pièces et pierres confiées ou démontées. Joseph Chaumet a défini les bases d'une grande maison de joaillerie parisienne moderne. Le *12 Vendôme* demeure depuis le cœur de Chaumet.

Dévoilé en février 2020, à l'occasion des deux cent quarante ans de Chaumet, le *12 Vendôme* entièrement restauré se réincarne en demeure contemporaine, tournée vers l'art de recevoir et de partager, renouant avec le faste de son décor XVIIIe. Pour son inauguration, sa façade se colore du bleu Chaumet (p. 23, à droite), tandis que l'atelier réalise une édition limitée de bagues qui célèbrent l'architecture des villes. Inscrit dans la tradition des bijoux de « sentiment » ayant fait la renommée de la Maison, un premier duo de bagues à secret miniaturise le toit du Grand Palais, quand deux propositions serties d'un cabochon pans russes d'œil-de-faucon ou de turquoise rappellent l'Arc de Triomphe, les lucarnes œil-de-bœuf des toits de la capitale malicieusement posées sur des bagues couronnées ici d'un saphir taille coussin de Madagascar de 6,51 carats, là d'une émeraude taille coussin de Colombie de 5,10 carats (p. 29).

Dix-huit mois de travaux de rénovation auront été nécessaires pour rendre au *12 Vendôme* sa triple vocation établie par Joseph Chaumet. Au rez-de-chaussée et à l'entresol, le magasin accueille les clients ; dans les étages, le département du Patrimoine et les salons historiques ont vocation à partager la culture de la Maison, mariant connaissance et émotion, notamment lors d'expositions temporaires permettant de découvrir les trésors issus des archives et de la collection patrimoniale de la Maison. Enfin, la virtuosité se déploie dans l'atelier de Haute Joaillerie.

Mener à bien une complète restauration d'un lieu protégé au titre des Monuments historiques est une aventure riche en rebondissements. Accompagnés de Florent Richard, architecte des Monuments historiques, les travaux ont ainsi pu relever un défi de taille, cultiver une vision patrimoniale avec un usage contemporain, que cela soit en matière de sécurité et de confort avec chauffage et éclairage dignes de ce nom, tout en sauvegardant l'authenticité des éléments historiques. Pour cela, une kyrielle de métiers d'art a été réunie. Un seul mot d'ordre : donner vie à l'hôtel particulier Chaumet du XXIe siècle en veillant à ce que chaque intervention ait du sens.

Le grand escalier de l'hôtel Baudard de Sainte-James, accès privilégié aux salons historiques.

EN HAUT
Bague *Artemisia*, collection
Trésors d'Ailleurs, 2020, or
rose, turquoise et diamants.

AU CENTRE
Bague *Isadora*, collection
Trésors d'Ailleurs, 2020, or
jaune, laque, saphirs blancs et
émeraude. Collection privée.

EN BAS
Bague à secret *Oriane*,
collection *Trésors d'Ailleurs*,
2020, or jaune, cristal de roche,
diamants, émeraudes et onyx.

PAGE DE GAUCHE
Médaille *Légende de Chaumet*,
2020, or rose.

L'HÔTEL
PARTICULIER

Dès le vestibule, le visiteur est accueilli par une statue de Joséphine, réplique à taille réelle de l'œuvre originale de Vital-Dubray, qui se trouve au château de Versailles. Depuis que Marie-Étienne Nitot, le fondateur de la Maison, a serti le diamant Régent sur l'épée consulaire de Bonaparte (voir p. 388-389), le destin du joaillier est étroitement lié à celui du couple impérial, qui sera un client très important.

Animée d'une vision patrimoniale, la restauration de l'étage noble lui permet de retrouver sa splendeur. La circulation initiale entre les pièces mais aussi leur fonction sont restituées. Le Salon des Perles (ci-contre) redevient une salle à manger, le Salon Vendôme accueille les grands clients, le Salon des Diadèmes (voir p. 80-81) présente plus de deux cents maquettes en maillechort – composées d'un alliage de cuivre, nickel et zinc – de diadèmes et d'autres pièces de joaillerie (les collections de la Maison en possèdent plus de sept cents). Deux autres salons répondent à l'esprit de partage et de transmission qui anime la Maison, toujours désireuse de faire découvrir son patrimoine historique joaillier, l'un des plus importants du monde. Plébiscitées pour leur qualité et leur parti pris, ses expositions attirent un public nombreux.

Situé au troisième étage, le tout nouvel atelier de Haute Joaillerie (voir p. 464-465) vit lui aussi sous le signe de la transmission. Là, Benoit Verhulle, treizième chef d'atelier de la Maison depuis sa création, veille sur les commandes spéciales et les nouvelles collections.

Le Salon des Perles
du *12 Vendôme*, qui
accueille aujourd'hui de
nombreuses réceptions.

LE SALON
CHOPIN

Après une série de concerts en Angleterre, où il a notamment joué devant la reine Victoria, qui est une cliente de la Maison, Frédéric Chopin rentre à Paris épuisé. Atteint de tuberculose, le célèbre musicien emménage au 12, place Vendôme en septembre 1849. C'est là qu'il travaille sur ses dernières œuvres, dont la *Mazurka en fa mineur, opus 68 n° 4*, restée inachevée. En sa mémoire, un salon, inscrit aux Monuments historiques en 1927, porte son nom.

Au plafond apparaît Euterpe, divinité de la musique et l'une des neuf muses qui présidaient aux fêtes dans la mythologie grecque. Depuis 2020, sur le parquet d'origine en point de Hongrie trône un piano de la manufacture Pleyel. Ami intime de Camille Pleyel, Frédéric Chopin qualifiait volontiers les pianos Pleyel de « *nec plus ultra* » des instruments. En sa mémoire, la Maison Chaumet a acquis et fait restaurer ce quart-de-queue en bois de rose pour continuer à faire résonner la musique lors d'événements très rares.

Grâce à ses fenêtres dans l'alignement de la façade – partout ailleurs sur la place, elles sont en retrait – et ses innombrables miroirs – y compris sur ses volets intérieurs –, le Salon prolonge l'émerveillement qu'offre la perspective sur Vendôme.

Le Salon Chopin, nommé en hommage au célèbre pianiste qui y composa sa dernière mazurka.

LE MAGASIN

Imaginé dans l'esprit d'une maison accueillant famille et amis, le nouveau magasin du *12 Vendôme* s'habille d'une esthétique déjà adoptée à Monaco, Taipei, Madrid, Tokyo, Dubaï ou encore Lee Gardens à Hong Kong. L'hôte y fait l'expérience d'un parcours symbolique ponctué d'emblèmes de la Maison. Tout en délicatesse, les références à la nature racontent son caractère naturaliste avec çà et là des murs d'albâtre gravés d'épis de blé et d'herbes folles, des graminées ou un bas-relief végétal peuplé d'oiseaux.

Au rez-de-chaussée se situe L'Arcade, du nom d'un lieu pionnier ouvert en 1970 (p. 36-37). Destiné à une clientèle jeune en quête de pièces décontractées, l'espace accueille alors les premières collections *Liens d'Or*. Dans sa version 2020, L'Arcade marie le charme des *seventies* aux collections dans l'air du temps, inscrites dans une créativité libre et prodigue. À l'image des médailles *Jeux de Liens Harmony* (voir p. 170) déclinées en nacre, cornaline, onyx et malachite, qui n'attendent que d'être gravées pour devenir des talismans quotidiens.

Deux escaliers s'élancent pour rejoindre les salons particuliers du premier étage, là où tous les rêves se réalisent. Un premier ouvrage majestueux est orné d'extraits de lettres d'amour signées Napoléon et Joséphine. Jalonné d'un décor d'écorces, de feuilles de chêne et de branches d'orme, le second escalier rappelle l'engagement de la Maison dont le fondateur signait ses écrits « Nitot, joaillier naturaliste ».

Toujours gracieuse et bienveillante, la nature entoure aussi les visiteurs du premier étage. Distillant une atmosphère feutrée, les salons intimes avec vue sur la place Vendôme se succèdent pour transformer chaque occasion en moment inoubliable, essayer une pièce d'exception, accueillir les futurs mariés, imaginer une commande spéciale…

L'escalier du magasin, dont les murs sont ornés de la correspondance de Napoléon et Joséphine.

L'Arcade, magasin
avant-gardiste de la
Maison, inauguré en
1970. Paris, collections
Chaumet.

CI-DESSUS
L'espace Arcade du
12 Vendôme, inspiré du
magasin des années 1970.

DOUBLE PAGE
SUIVANTE
À l'étage, Chaumet expose
ses collections de Haute
Joaillerie dans un décor
intimiste et raffiné.

LA RESTAURATION
DU *12 VENDÔME*

18 MOIS
DE TRAVAUX.

8 MOIS
DE TRAVAIL POUR
RÉALISER LES BAS-
RELIEFS À MOTIF DE
CHÊNE DE L'ARCADE.

PRÈS DE **20** MÉTIERS
DES ARTS DÉCORATIFS :
ÉBÉNISTERIE, MARQUETERIE
DE PAILLE, BRODERIE D'ART,
SCULPTURE SUR PIERRE,
FONDERIE, PASSEMENTERIE,
PEINTURE...

Le Petit Salon Vendôme,
réservé aux clients
privilégiés de la Maison.

EN HAUT, À GAUCHE
L'atelier AC Matière
retravaille les lettres de
Napoléon et Joséphine
pour l'escalier.

EN HAUT, À DROITE
Le plafond de l'un
des salons privés du
magasin, doré à la main
à la feuille d'or.

CI-DESSUS
Les boiseries de la
cheminée du Salon
des Perles, en cours
de rénovation.

« DANS L'ARTISTE,
IL Y A DEUX HOMMES,
LE POÈTE ET L'OUVRIER.
ON NAÎT POÈTE, ON
DEVIENT OUVRIER. »
ÉMILE ZOLA, LETTRE À PAUL CÉZANNE, 1860

EN HAUT
À l'Atelier L'Étoile, les
oiseaux de l'espace Arcade
sont peints à la main.

CI-CONTRE
Rehaussés à la feuille d'or,
les épis de blé prennent
vie sur les murs du
magasin.

AU CENTRE, À GAUCHE
Dans l'atelier d'ébénisterie
de Yann Jallu, un artisan
de marqueterie de paille à
l'œuvre.

AU CENTRE, À DROITE
Gravés à la main, les
bas-reliefs suggèrent une
canopée foisonnante.

« JOSÉPHINE ET NAPOLÉON – UNE HISTOIRE (EXTRA)ORDINAIRE »

En 2021, à l'occasion du bicentenaire de la mort de Napoléon Ier, la Maison ouvre au public le *12 Vendôme* pour une exposition de cent cinquante objets joailliers variés présentés dans plusieurs salons. Seul acteur privé invité à participer à la commémoration, Chaumet parvient à réunir de nombreuses pièces exposées pour la première fois : trône impérial, lettre brûlante d'amour de Napoléon à Joséphine, portrait de Joséphine dans les jardins de Malmaison, venues de collections privées, paire de boucles en perles poires prêtées par le Louvre, collier de perles dit « Leuchtenberg », bracelets acrostiches venus de la collection inaliénable de la Maison royale du Danemark… Unanimement saluée, l'exposition attire 12 500 visiteurs.

PAGE DE GAUCHE
Dans le vestibule de l'exposition, le couple impérial accueille les visiteurs, entourant l'un des trônes de Napoléon Ier.

CI-CONTRE
Portrait de Joséphine, Sophie Liénard, première moitié du XIXe siècle, porcelaine. Collection de Françoise Deville.

EN HAUT, À DROITE
Les dessins d'époque du glaive
impérial et de la tiare du pape
Pie VII dialoguent avec le collier
contemporain *Firmament
Apollinien* de 2016.

AU CENTRE
Boîte au chiffre N couronné,
Victoire Boizot, 1809–1819,
or, diamants et émail. Paris,
fondation Napoléon.

CI-CONTRE
Reproduction encadrée d'une
partie de l'œuvre du peintre
Anne-Louis Girodet *Portrait
de Napoléon Ier en souverain
législateur* lors de l'exposition
« Joséphine et Napoléon – Une
histoire (extra)ordinaire ».

CI-DESSUS ET EN HAUT,
À GAUCHE
Parure de micromosaïques,
attribuée à François-Regnault
Nitot, vers 1811, or, perles,
émail, mosaïques en pâte de
verre. Prague, musée des Arts
décoratifs.

EN HAUT, À DROITE
La salle dédiée aux atours de
l'impératrice Joséphine, lors
de l'exposition « Joséphine et
Napoléon – Une histoire (extra)
ordinaire ».

CI-CONTRE
Broche de la parure aux camées
de malachite de l'impératrice
Joséphine, attribuée à François-
Regnault Nitot, vers 1810, or,
malachite et perles. Paris,
fondation Napoléon.

CHAUMET
ET PARIS

DÉBUTÉE EN 1780, LORSQUE
MARIE-ÉTIENNE NITOT OUVRE
SON ATELIER JOAILLIER PLACE
DAUPHINE, L'AVENTURE DE CHAUMET
S'EST AUSSI ÉCRITE À TRAVERS SES
ADRESSES PARISIENNES D'HIER
ET D'AUJOURD'HUI.

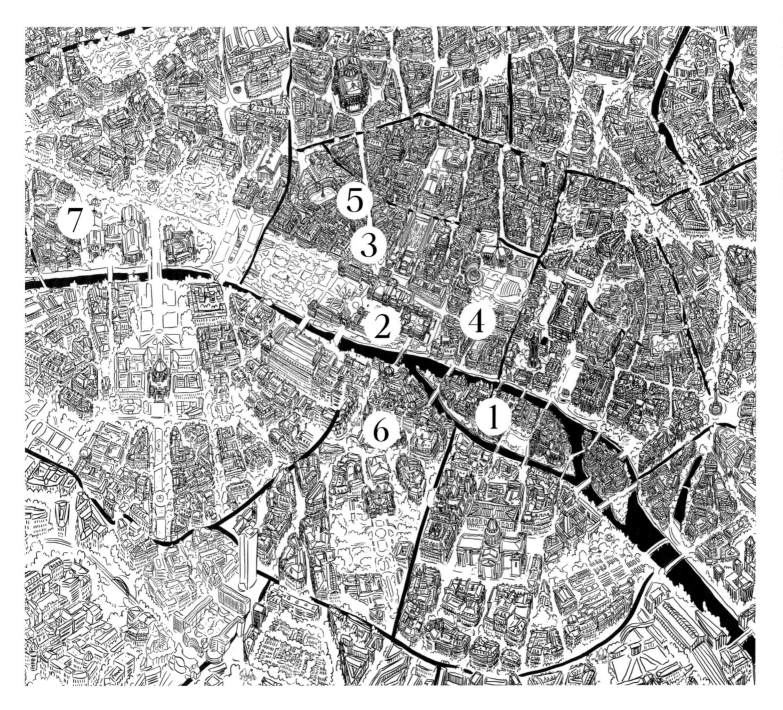

1
1783 :
place Dauphine

2
1806 :
36, place de la Couronne*

3
1812 :
15, place Vendôme

4
1831 :
62, rue de Richelieu

5
1907 :
12, place Vendôme

6
2019 :
165, boulevard Saint-Germain

7
2017, deuxième adresse à Paris :
56, rue François Ier

* ancienne place du Carrousel, près de la place Vendôme, qui deviendra le 2, rue de Rivoli.

AUDACIEUSE

« AVEZ-VOUS REMARQUÉ RÉCEMMENT
QUE LES DIADÈMES FONT RAGE ?
TOUTES LES FEMMES EN PORTENT
À LA MOINDRE OCCASION, ET ILS
LEUR VONT TELLEMENT BIEN. »

VOGUE, 1935

PAGE DE GAUCHE
En 2003, la Maison pare
le top model Stella Tennant
du diadème aux fuchsias,
mêlant sophistication et
affirmation de soi.

DOUBLE PAGE
PRÉCÉDENTE,
À GAUCHE
Diadème *Joséphine
Aigrette Impériale*,
or blanc, diamants et
perles, 2018.

L'histoire entre le diadème et Chaumet débute avec les premières pièces réalisées par Marie-Étienne Nitot, le fondateur de la Maison, pour l'impératrice Joséphine. Symbole de pouvoir, de féminité et d'amour, il représente l'élément central des corbeilles de mariage dans les cours européennes, les grandes familles de l'aristocratie, puis de la bourgeoisie. Réinventé avec audace au fil des siècles, le diadème Chaumet s'adapte à son époque, d'un dîner d'État au mariage d'une artiste suivie par plusieurs millions de followers. Chaque pièce souligne une attitude, mais aussi une personnalité parfois forgée à partir d'un rêve de petite fille.

LA TENDANCE
DIADÈME EN
12 SILHOUETTES

CI-DESSUS
Dans le sens des aiguilles d'une montre, à partir d'en haut à gauche: Diadème *Fougère*, collection *Le Jardin de Chaumet*, 2023 ; Grande Duchesse Charlotte de Luxembourg, 1926 ; Anne Gunning Parker, 1953 ; princesse Irina Youssoupoff, 1914 ; princesse Victoria de Suède, 2010 ; princesse Joséphine de Suède, 1836.

CI-DESSUS
Dans le sens des aiguilles d'une montre, à partir d'en haut à gauche: Diadème perles baroque, réalisé en 1963; princesse Caroline de Hanovre, 2004; Lady Edwina Mountbatten, 1937; marquise Kikuko Maëda du Japon, 1929; princesse Lalla Hasna du Maroc, 1994; impératrice Joséphine, 1807.

56

UNE SIGNATURE
DE CHAUMET

Grande cliente et première muse pour la Maison, l'impératrice Joséphine a fait du diadème un objet de pouvoir et un accessoire de mode. Complice des fastes impériaux, inhérent aux mariages princiers, il est aussi adopté comme symbole de réussite par les nouvelles dynasties bancaires, puis technologiques. Fabriqué depuis 1780 à Paris, dans les ateliers de Chaumet, il est surtout un objet d'amour et de transmission.

À travers les créations de la Maison, s'écrit un impressionnant exercice de style faisant rivaliser créativité, modernité et virtuosité. Emblématiques du début du XIXᵉ siècle lors de l'époque romantique, les pièces naturalistes convoquent volubilis, chèvrefeuille, feuilles de laurier, de chêne, de lierre, nénuphars, cerises, grains d'avoine, fleurs d'églantine, de pensée et de chrysanthème, autant de motifs plus saisissants de réalisme les uns que les autres. À partir du XIXᵉ siècle, le diadème danse au rythme effréné des bals. Des châteaux impériaux de Saint-Cloud et de Compiègne à l'Opéra, de l'hôtel Lambert, où reçoivent le prince et la princesse Czartoryski, au château de Groussay, où Charles de Beistegui, grand client de la Maison, convie le Tout-Paris. Pour accompagner ce tourbillon de robes haute couture ciselées dans les satins, failles et taffetas les plus raffinés, les ateliers de la Maison réalisent des joyaux, tels que ce diadème aux perles baroques de 1963 inspiré de la Belle Époque (voir p. 254, en bas) ou cet autre créé en 2017, *Valses d'Hiver* (p. 58, en bas). Ses perles des mers du Sud et d'Akoyas virevoltant sur des volutes de diamants invitent à s'élancer sur la piste pour tournoyer toute la nuit.

Diadème aux boutons
d'églantine, période
Chaumet, 1922, platine,
diamants et perles fines.
Collection privée.

CI-DESSUS
Dans la haute société parisienne
du XIXᵉ siècle, il était de coutume
pour les femmes de porter un
diadème lors des bals de haute
tenue ; détail de *Fête officielle
au palais des Tuileries pendant
l'Exposition universelle de 1867*,
Henri-Charles-Antoine Baron,
1867, aquarelle. Musée national
du Château de Compiègne.

EN HAUT
Diadème bandeau feuilles
de chêne transformable en
serre-cou, période Chaumet,
1913, platine et diamants.
Collection privée.

CI-CONTRE
Diadème *Valses d'Hiver*, collection
Chaumet est une Fête, 2017, or
blanc, diamants et perles.

Diadème *Passion Incarnat*,
collection *La Nature de
Chaumet*, 2016, or blanc et rose,
spinelle rouge, grenats rhodolites,
tourmaline verte et diamants.
Paris, collections Chaumet.

« HIER SOIR, CHEZ LES DOUDEAUVILLE,
OÙ, ENTRE PARENTHÈSES, ELLE ÉTAIT
SPLENDIDE SOUS SON DIADÈME D'ÉMERAUDES,
DANS UNE GRANDE ROBE ROSE À QUEUE,
ELLE AVAIT D'UN CÔTÉ D'ELLE M. DESCHANEL,
DE L'AUTRE L'AMBASSADEUR D'ALLEMAGNE :
ELLE LEUR TENAIT TÊTE SUR LA CHINE. »

MARCEL PROUST, *À LA RECHERCHE DU TEMPS PERDU*, 1913

CI-DESSUS
La comtesse de Bourbon-
Busset, en robe Lanvin et
diadème Chaumet, au château
de Groussay chez Charles de
Beistegui, Robert Doisneau, 1957.

PAGE DE DROITE
Diadème aux émeraudes de la
comtesse de Pimodan, période
Chaumet, 1924, platine, diamants
et émeraudes. Collection privée.

Diadème de la duchesse
de Leuchtenberg
transformable en broche
et ornements de cheveux,
période Fossin, vers
1830-1840, or, argent,
émeraudes, diamants.
Paris, collections Chaumet.

TROIS QUESTIONS
À STÉPHANE BERN

Homme de médias, ami de la Maison, auteur de nombreuses biographies historiques, il assure en 2019 le cocommissariat de l'exposition monégasque « Chaumet en Majesté – Joyaux de souveraines depuis 1780 ». Grand spécialiste des cours royales et impériales, son expertise est telle qu'il a été fait chevalier de l'ordre de l'Empire britannique.

Historiquement, le port du diadème était-il réservé à certaines catégories de personnes et à certaines occasions ?

Absolument, dans la mesure où le diadème est une version « allégée » de la couronne. Par exemple, au Royaume-Uni, le jour du couronnement, les membres de l'aristocratie composant la Chambre des lords portent le *coronet*, qui est une petite couronne de velours rouge avec une bande d'hermine. Leurs femmes coiffent un diadème – un certain nombre a d'ailleurs été créé par Chaumet. La tradition veut aussi que les femmes de l'aristocratie en portent un lors des dîners et des bals à la cour.

Avez-vous noté un regain d'intérêt des jeunes générations pour ce type de bijou ?

Bien sûr. Les jeunes princesses d'aujourd'hui, comme les jeunes filles au Bal des Débutantes le portent de façon plus moderne, parfois avec les cheveux détachés. Le diadème est redevenu tendance en étant moins strict.

Derrière ces nouveaux usages, trouve-t-on toujours sa fonction symbolique de pouvoir et d'amour ?

C'est une évidence. Un diadème, c'est un port de tête. Il rappelle la hauteur sociale, le statut et la valeur. Il incarne la majesté et le sacre. D'une reine aussi bien que d'une actrice. Il s'est ouvert à une nouvelle clientèle, notamment asiatique. Il demeure le complice des dîners d'État, par exemple à la cour de Suède, d'Espagne et des Pays-Bas. Dans la royauté, les cartons d'invitation précisent « frac et décoration » pour les hommes, « robe de gala et diadème » pour les femmes. Au mariage de l'héritier Romanov, auquel j'ai assisté à Saint-Pétersbourg en octobre 2021, la plupart des invitées portaient un diadème.

UNE DÉMONSTRATION DE VIRTUOSITÉ

Sans cesse réinventé pour mieux combler les clientes du monde entier, le diadème Chaumet doit aussi sa renommée à son extraordinaire légèreté. Pour cela, les joailliers de la Maison redoublent d'ingéniosité, relevant les défis que présente chaque nouvelle création. Le montage « en trembleuse » animant le motif à chaque mouvement de la tête grâce à de minuscules ressorts transforme ainsi le diadème aux fleurs d'églantine et de jasmin, dit « Bedford » (ci-contre), en couronne de fleurs fraîches. Lorsque Madame de Wendel commande à Joseph Chaumet un diadème pour le mariage de son fils en 1905, le joaillier fait éclore douze œillets autour d'un diamant de 19,56 carats sur une monture d'une souplesse telle qu'elle semble caressée par le vent (voir p. 276). Créé en 2020, le diadème *Lacis* couronne la silhouette d'une résille lumineuse (voir p. 99), quand le diadème *Chant de Sirènes*, créé en 2022, évoque les alizés effleurant une mer tropicale avec ses tourmalines aux nuances vert glaçon jaillissant sur les perles de Tahiti (voir p. 254, en haut).

Depuis près de deux cent cinquante ans, le diadème Chaumet est une ode à la vie et au mouvement. Quel que soit son motif, grecques, ailes, étoiles, rinceaux végétaux, écus comptés, la pièce possède son propre rythme, les artisans y veillent. Bien souvent, il faut repousser les limites techniques. Grâce à leur virtuosité, les entrelacs d'or blanc serti de diamants voltigent sur un diadème *Torsade de Chaumet* (voir p. 15, en bas, p. 69 et p. 242), quand le diadème *Déferlante* capture la vague qui se dresse dans une sculpture joaillière composée de quarante-quatre éléments scintillant de plus de mille diamants taille brillant et à degrés (voir p. 68 et p. 331, en bas).

La légèreté et le mouvement emblématiques des diadèmes de la Maison sont d'autant plus remarquables qu'il s'agit très souvent de pièces transformables. À l'image de ce diadème navettes de 1935 dont les éléments peuvent se détacher pour être portés en collier sur une double rivière de diamants (voir p. 70-71) ou ce diadème *Mirage*, offrant trois portés différents (voir p. 72-73), ou encore le diadème laurier *Firmament Apollinien* (voir p. 161). Serti d'un saphir de Ceylan de 14,55 carats, transformable en bandeau, il réunit les symboles de pouvoir et de féminité que possède la nymphe Daphné, triomphant des assauts d'Apollon en devenant un laurier.

Au-delà de la richesse du répertoire stylistique et de l'ingéniosité des artisans de la Maison, apparaît l'inaltérable modernité de Chaumet. L'exposition « Végétal – L'École de la beauté » qui s'est tenue au palais des Beaux-Arts, à Paris, en 2022 l'a illustré en faisant dialoguer les créations joaillières avec d'autres créations (voir également p. 302-305). La beauté du diadème épis de blé, réalisé par Nitot vers 1811 (voir p. 258) rejoint ainsi celle de cette veste du soir de la collection automne-hiver 1986-1987 Yves Saint Laurent en crêpe de laine noire brodée d'épis de blé.

Diadème aux fleurs d'églantine et de jasmin dit Bedford, période Fossin, vers 1830, or, argent et diamants. The Woburn Abbey Collection.

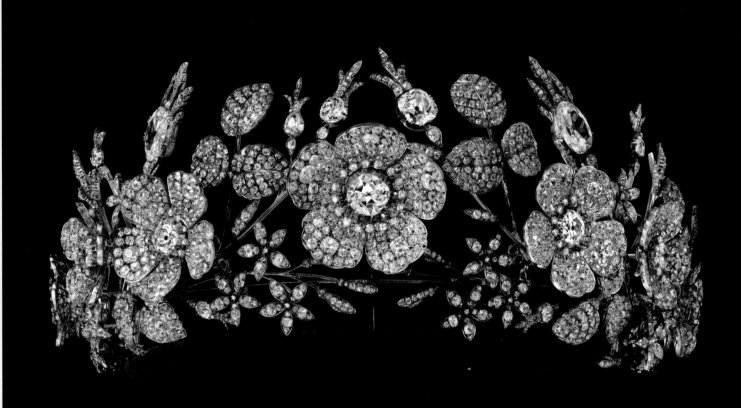

PAGE DE GAUCHE
Diadème *Déferlante*,
collection *Ondes et
Merveilles de Chaumet*,
2022, or blanc et diamants.

CI-DESSUS
Analyse scrupuleuse à
la lumière du jour du
diadème *Torsade
de Chaumet*, 2021.

PAGE DE GAUCHE
Photographie d'un collier
navettes transformable
en diadème, laboratoire
photographique Chaumet,
1935, positif d'après un
négatif sur plaque de
verre. Paris, collections
Chaumet.

CI-DESSUS
Diadème à motifs de
navettes transformable
en collier, période
Chaumet, 1935, platine
et diamants. Collection
privée.

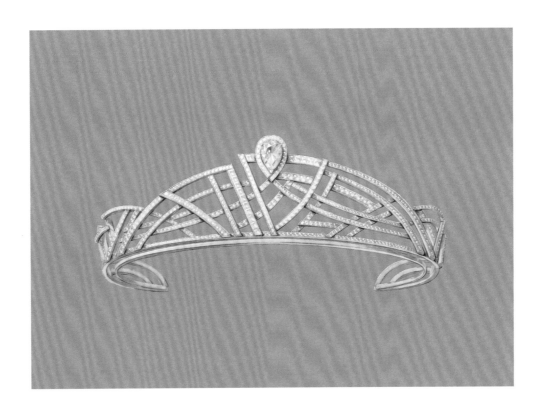

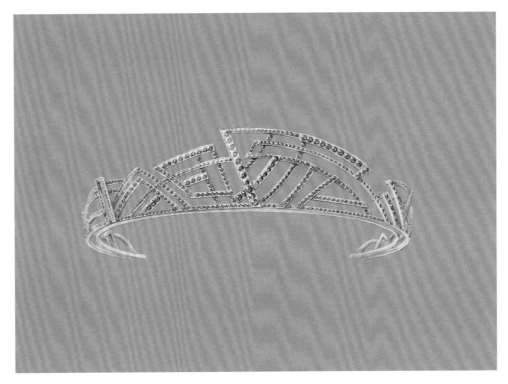

EN HAUT
Gouaché du diadème
transformable *Mirage*
dans sa version diamant,
collection *Perspectives
de Chaumet*, 2020, studio
de création Chaumet,
gouache et rehauts de
gouache sur papier teinté.
Paris, collections Chaumet.

PAGE DE GAUCHE
Diadème transformable
Mirage, collection
Perspectives de Chaumet,
2020, or blanc, diamants
et saphirs.

EN BAS
Gouaché du diadème
transformable *Mirage*
dans sa version saphir,
collection *Perspectives
de Chaumet*, 2020, studio
de création Chaumet,
gouache et rehauts de
gouache sur papier teinté.
Paris, collections Chaumet.

74

BANDEAU ET AIGRETTE

Utilisé par Joséphine comme instrument pour asseoir le règne de son mari Napoléon, le diadème devient aussi un accessoire de mode, à l'image des tenues de l'Impératrice qui donne le *la* en la matière, coordonnant ses bijoux non pas à sa toilette – qu'elle change au minimum trois fois par jour –, mais aux tonalités de la pièce où elle va se tenir, pour que l'on ne voie qu'elle.

De nombreuses clientes de la Maison contribuent à le rendre incontournable. Parmi elles, Béatrice de Rothschild raffole autant des perles roses, sa couleur fétiche, que des diadèmes, qui mettent en valeur la finesse de ses traits. Lady Mountbatten le porte aussi à ravir. Elle forme avec Lord Louis Mountbatten, descendant de la reine Victoria, qui fut cliente de la Maison, l'un des couples du XXᵉ siècle les plus en vue de Grande-Bretagne (voir p. 109, en bas à gauche).

Lorsque les coiffures courtes « à la Titus » font fureur à la fin du XVIIIᵉ siècle, les femmes adoptent le bandeau. Plus fin que le diadème, il se porte sur le front, à fleur de sourcils. Les ateliers du *12 Vendôme* en réalisent de nombreux, honorant leur réputation d'audace et d'habileté. Plus d'un siècle plus tard, livré en 1925 pour la corbeille de mariage de Madeleine Pillet-Will, la petite-fille du propriétaire de Château Margaux, qui entre dans l'aristocratie lorraine en épousant Georges de Pimodan, le bandeau en chute s'orne de palmettes et panaches coiffés d'une goutte d'émeraude (p. 61). Quatre ans plus tard, pour sa présentation à la cour d'Angleterre, la marquise Kikuko Maëda porte un diadème Art déco dont le centre peut se transformer en devant de corsage (voir p. 55, à droite, et p. 438).

Plusieurs décennies séparent la princesse de Ligne et Jacqueline de Ribes, mais chacune fut en son temps la reine de Paris. Toutes deux partagent une allure de cygne commentée et enviée par leurs contemporaines. L'aigrette y contribue. Inspiré du plumage des oiseaux, cet ornement de tête souvent fixé par un toupet de plumes inspire aux ateliers de la Maison moult propositions : chute d'eau, croissant de lune, papillon, ruban d'étoiles, colibri, fleurs, fruits et feuillages ou encore résille. Dandy amateur de faste, le comte Boni de Castellane, qui épouse – et ruine – l'héritière américaine Anna Gould est grand client de la Maison, à laquelle il commande notamment pour sa femme un diadème bandeau. Les réceptions que le couple donne jusqu'en 1906 au palais Rose, un hôtel particulier inspiré du Grand Trianon de Versailles construit au 40, avenue Foch, sont les plus courues de la haute société internationale. À l'image de cette soirée « Plumes et Aigrettes » restée dans les mémoires.

Aigrette Marie Stuart vers 1900, bandeau période Chaumet, 1924, or, argent, perles fines et diamants. Paris, collections Chaumet.

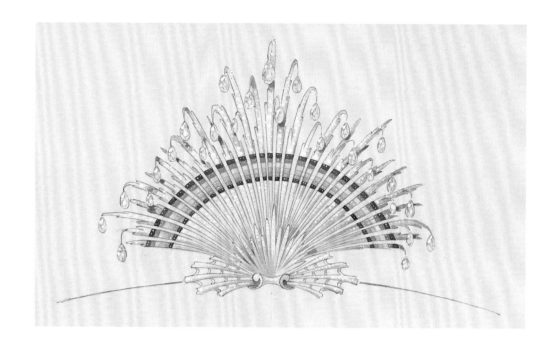

« POINT DE CHAPEAU MAIS UN DIADÈME QUI PARE LE FRONT »

JOURNAL DES DAMES ET DE LA MODE,
JANVIER 1804

EN HAUT
Projet d'aigrette chute
d'eau et arc-en-ciel,
atelier de dessin Chaumet,
vers 1900, crayon graphite,
lavis et rehauts de gouache
sur papier teinté. Paris,
collections Chaumet.

EN BAS
Projet d'aigrette soleil
rayonnant, atelier de
dessin Chaumet, vers
1910, crayon graphite, lavis
et rehauts de gouache
sur papier teinté. Paris,
collections Chaumet.

Diadème bandeau articulé,
période Chaumet, 1924,
diamants, perles, platine.
Collection privée.

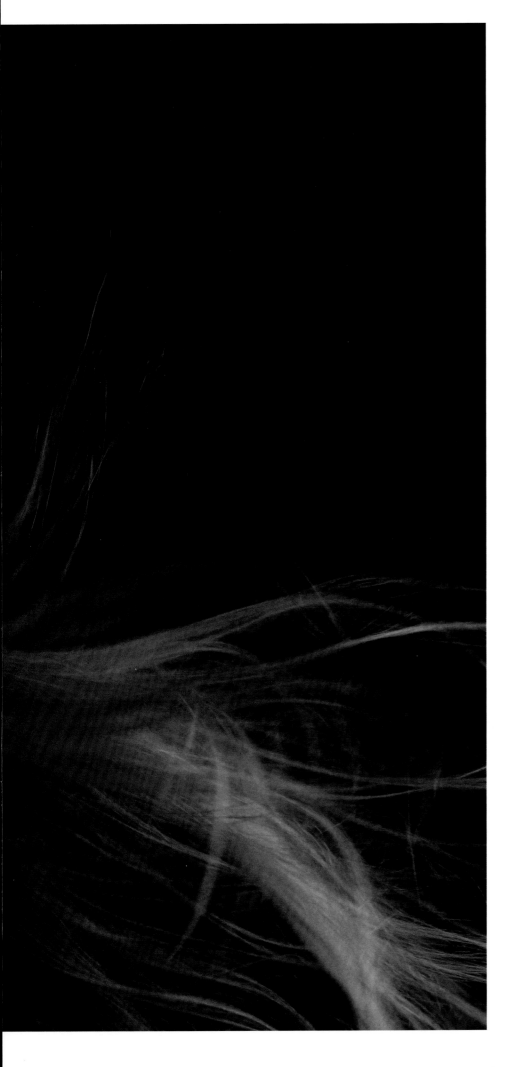

Aigrette Marie Stuart vers
1900, bandeau période
Chaumet, 1924, or, argent,
perles fines et diamants.
Paris, collections Chaumet.

LE SALON DES DIADÈMES

Situé à l'étage noble du *12 Vendôme*, où la Maison demeure depuis 1907, le Salon des Diadèmes offre à son visiteur un voyage dans le temps et dans les styles parmi les diadèmes. Habillés du bleu Chaumet, ses murs déploient plusieurs centaines de maillechorts. C'est-à-dire des maquettes des futurs diadèmes réalisées dans un alliage de cuivre, de nickel et de zinc, découpées, mises en forme et rehaussées de gouache aux couleurs des pierres choisies pour le modèle. Instaurée à partir de 1890 par Joseph Chaumet comme élément central du processus créatif de la Maison, la maquette en maillechort permet à la cliente d'essayer son futur bijou de tête pour régler les ultimes détails avant la réalisation de la pièce finale en pierres et métaux précieux. Les collections patrimoniales sont aujourd'hui riches de sept cent seize modèles.

À l'occasion de l'exposition « Joséphine et Napoléon – Une histoire (extra)ordinaire » qui a accueilli en 2021 douze mille cinq cents visiteurs dans les salons du *12 Vendôme*, l'atelier de Haute Joaillerie a donné vie à l'un des plus anciens dessins des archives, une étude pour un diadème du tout début du XIXᵉ siècle. Toujours désireuse de partager son patrimoine, inspirée par ce dessin, la Maison a ainsi réalisé une maquette à motif végétal faisant converser perles et roseaux et une corne d'abondance prodiguant fleurs de pêcher, grappes de groseillier et épis de blé (voir page suivante).

Gardienne d'un savoir-faire unique de plus de deux cent quarante ans, la Maison met aussi à profit les dernières innovations. C'est ainsi que l'atelier de Haute Joaillerie s'est équipé d'un scanner à douchette permettant de mesurer parfaitement la tête de la cliente afin de réaliser un moulage à échelle réelle. Utilisé pour les essayages, celui-ci permet de réaliser un diadème encore plus précis.

Détails du mur des maquettes en maillechort dans le Salon des Diadèmes du *12 Vendôme*.

PAGE DE DROITE
Projets de diadèmes, l'un à
motif de palmettes, le second
aux attributs de Diane et de
Cérès, atelier de dessin de
Marie-Étienne Nitot, premières
années du XIXᵉ siècle, encre
de Chine, lavis d'encre et
d'aquarelle. Paris, collections
Chaumet.

CI-DESSUS
Remodélisation à la manière d'un
maillechort d'un des plus anciens
dessins de Chaumet datant du
début du XIXᵉ siècle.

UNE VENTE
RECORD

En 2011, le diadème de la princesse Henckel von Donnersmarck mis en vente par Sotheby's a été adjugé 12,7 millions de dollars.

Appartenant à la deuxième plus grosse fortune de Prusse après les Krupp, Guido Henckel von Donnersmarck commande le diadème pour sa deuxième femme, Katharina Wassilievna de Slepzow – il a épousé en premières noces la célèbre courtisane française la Païva qu'il a couverte de bijoux. Posés sur une guirlande de laurier, onze diamants jaunes taille coussin alternés de muguet sont couronnés par onze émeraudes poire totalisant plus de 500 carats. Ces dernières viendraient de la collection privée de l'impératrice Eugénie, épouse de Napoléon III et grande cliente de la Maison. Contrainte à l'exil en Angleterre suite à la défaite de son époux à l'issue de la guerre franco-prussienne, celle-ci vend en 1872 chez Christie's cent vingt-trois lots, dont vingt-cinq émeraudes poire polies.

Conservé au Qatar, le diadème (ci-contre) appartient aujourd'hui à la collection du Qatar Museums, dont le propriétaire a accepté de le prêter pour l'exposition « Chaumet en majesté – Joyaux de souveraines depuis 1780 » présentée en 2019 à Monaco. Placé sous le haut patronage de Son Altesse Sérénissime le prince Albert II, l'événement a rassemblé deux cent cinquante créations joaillières, œuvres d'art et pièces historiques d'exception. Parmi elles, le diadème Art déco serti d'une émeraude d'environ 45 carats exceptionnellement prêté par les collections de la Maison grand-ducale de Luxembourg. Réalisé par Joseph Chaumet en 1926 pour la grande-duchesse Charlotte de Luxembourg, le diadème a inspiré le bandeau de Wonder Woman (page suivante).

Diadème de la princesse Henckel von Donnersmarck, période Chaumet, 1896-1897, or, argent, émeraudes et diamants. Doha, Qatar Museums.

DEUX CHIFFRES

UN DIADÈME CHAUMET
DEMANDE ENTRE
1 200 ET 2 000
HEURES DE TRAVAIL.

DEPUIS SA CRÉATION,
EN 1780, LA MAISON AURAIT
RÉALISÉ ENVIRON
3 500 DIADÈMES.

DOUBLE PAGE
SUIVANTE
Le diadème Chaumet,
signature de la Maison,
évolue au fil des époques
et des modes.

CI-DESSUS
Diadème *Firmament de
Minuit*, 2019, or blanc et
diamants.

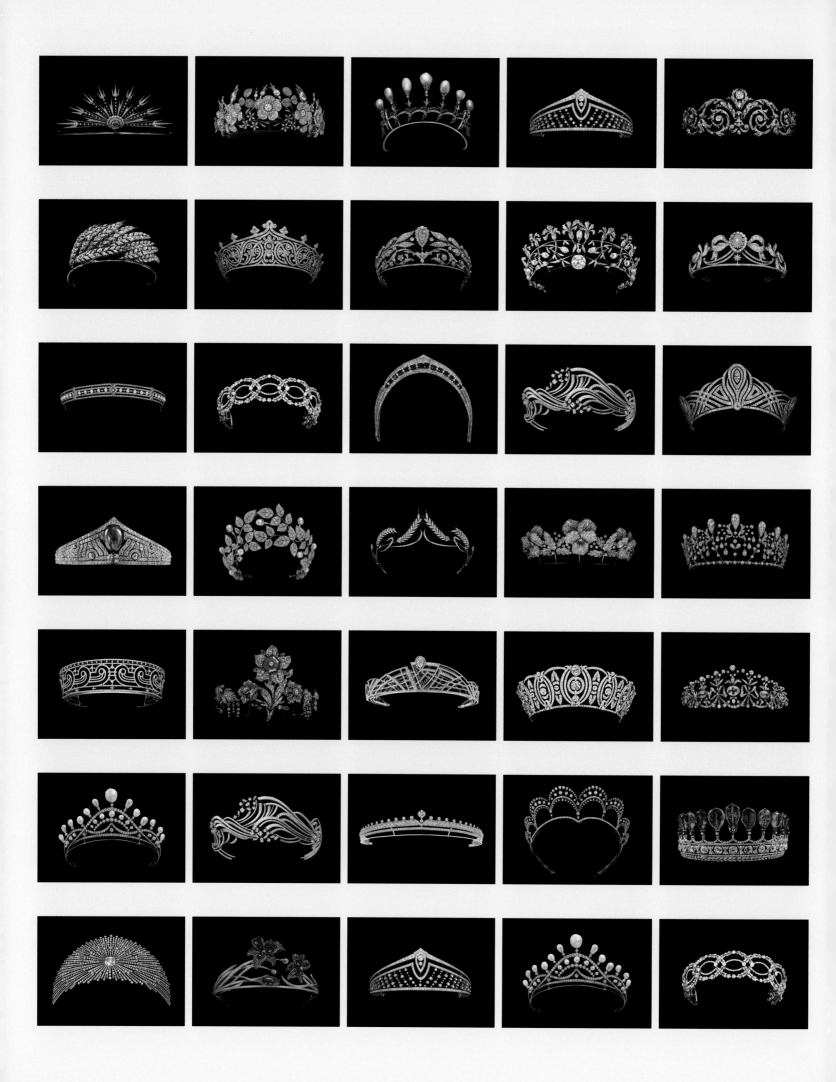

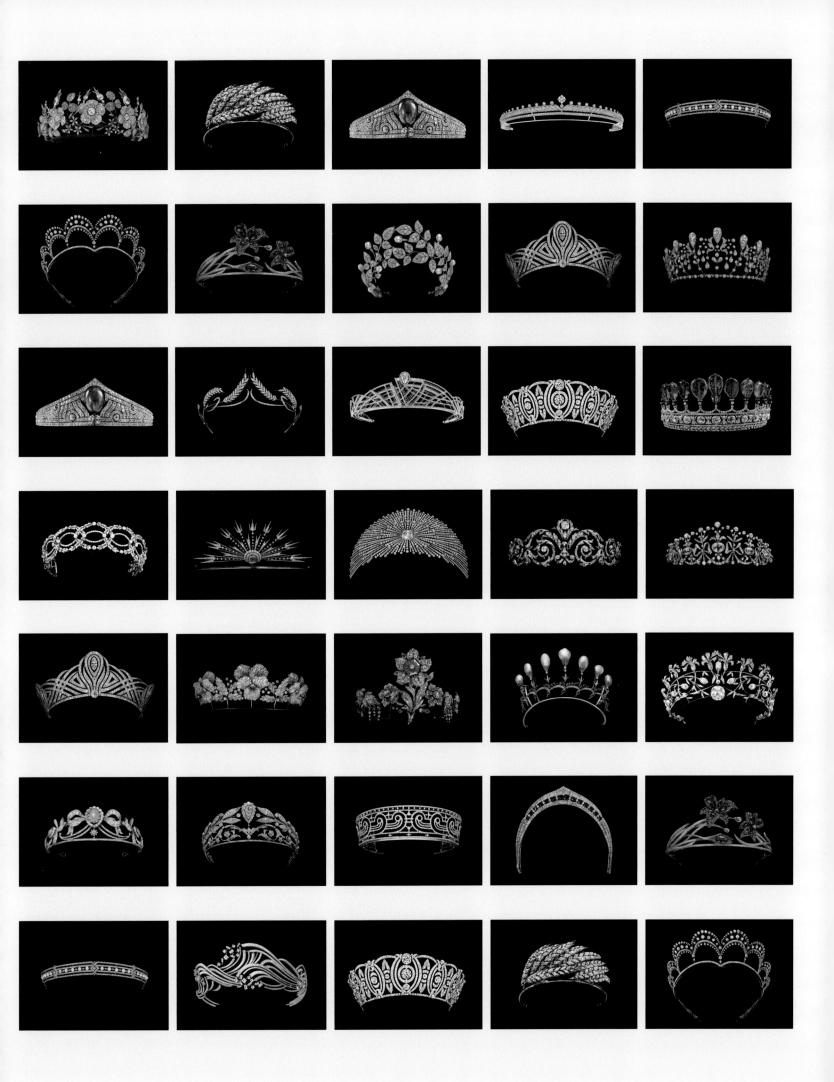

LA COLLECTION
JOSÉPHINE

Après avoir frôlé la mort pendant la Révolution, Joséphine devient impératrice des Français en épousant un homme de six ans son cadet. Botaniste, musicienne, mère de deux enfants, amante passionnée, cette personnalité hors du commun assume ses choix. Avec elle, le diadème devient un attribut de pouvoir et de féminité.

Détourné en bague, il devient en 2010 le héros de la collection célébrant cette femme de caractère. Ponctuées de diamants poire, la taille préférée de l'Impératrice, et de perles, les pièces se déclinent des puces d'oreilles à la broche unisexe *Joséphine Duo Éternel*, des bagues à empiler à la montre de forme sans fermoir ni boucle (voir pages suivantes). Le dessin en V emblématique de la collection *Joséphine* peut aussi venir se glisser en filigrane sur des pièces de Haute Joaillerie, à l'image de ce collier *Blé* de la collection 2023 *Le Jardin de Chaumet* (p. 269, en haut à gauche).

Diadème *Joséphine Valse Impériale*, 2021, or blanc et diamants.

EN HAUT, À GAUCHE
Diadème *Joséphine Aigrette Impériale*, platine, or blanc, diamants, perle.

EN HAUT, À DROITE
Solitaire *Joséphine Aigrette Impériale*, 2015, platine, diamant jaune et diamants.

AU CENTRE, À GAUCHE
Collier *Joséphine Aigrette*, or blanc, diamants.

AU CENTRE, À DROITE
Diadème *Joséphine Aigrette Impériale*, or blanc, saphir et diamants.

CI-CONTRE
Bague *Joséphine Aigrette*, or blanc, perles, diamants.

CI-DESSUS
Solitaire *Joséphine Splendeur Impériale*, platine et diamants.

CI-CONTRE
Bracelet *Joséphine Aigrette Impériale*, platine, or blanc, émeraude et diamants. Paris, collections Chaumet.

EN HAUT, À DROITE
Diadème *Joséphine Valse Impériale*, 2021, or blanc et diamants.

EN HAUT, À GAUCHE
Collier *Joséphine Aigrette Impériale*, or blanc, rubis et diamants.

UN PASSEUR
DE MÉMOIRE

Parmi la clientèle historique de la Maison, plusieurs membres de la lignée des Romanov ont favorisé le diadème en forme d'auréole reprenant un motif traditionnel russe, le kokochnik. La Maison en aurait réalisé notamment pour Anna Pavlova, la ballerine russe entrée dans la légende pour son interprétation de *La Mort du cygne* – l'Australie et la Nouvelle-Zélande revendiquant toujours l'invention du dessert meringué portant son nom. Pour Mrs Hope Vere (Lady Elizabeth Hay), la Maison imagine un exemple associant diamants et émail bleu ; il sera revendu ensuite au duc de Westminster. Le kokochnik est réinventé par Joseph Chaumet en diadème soleil rayonnant dont le centre est un diamant d'environ 10 carats pour la nièce du tsar Nicolas II, Irina Alexandrovna Romanov (voir p. 119).

En 2021, pour son union avec l'héritier des Romanov, le grand-duc Georges Mikhaïlovitch, la mariée – Rebecca Bettarini, devenue Victoria Romanovna – portait le diadème *Lacis*, une création exceptionnelle de Chaumet modernisant le kokochnik (voir pages suivantes).

Affiche promouvant la
Saison russe au théâtre
du Châtelet, en mai et juin
1909, avec Anna Pavlova.

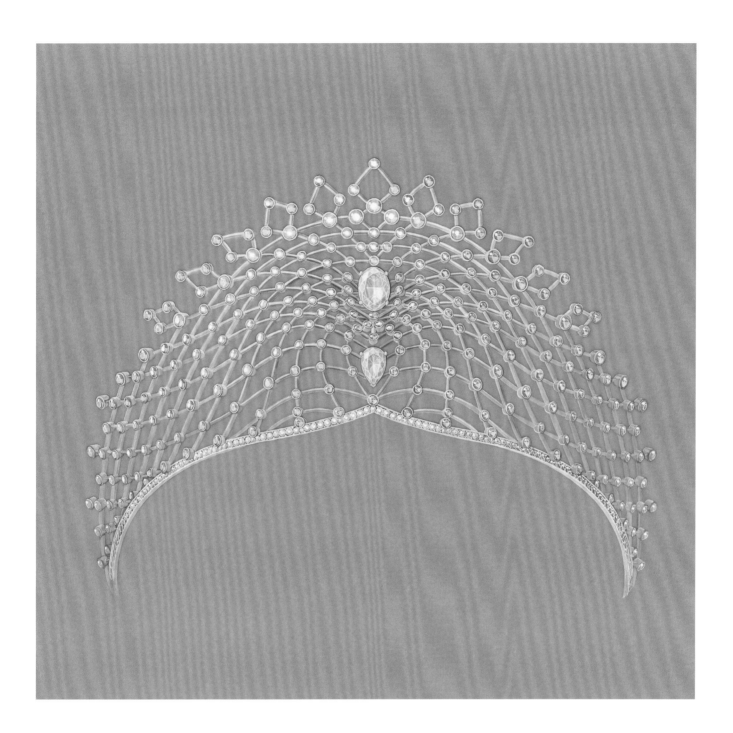

« [...] APRÈS LA BAGUE DE FIANÇAILLES,
LE DIADÈME EST LE SUJET DE CONVERSATION
LE PLUS EXCITANT NON SEULEMENT CONCERNANT
LA MONTURE, MAIS AUSSI LE CHOIX DES PIERRES,
SELON LE TYPE DE FEMMES. »

VOGUE, 1930

Gouaché du diadème *Lacis*,
collection *Perspectives de
Chaumet*, 2020, studio de
création Chaumet, gouache
et rehauts de gouache sur
papier teinté. Paris, collections
Chaumet.

T I A R A
D R E A M

À l'inverse d'une exposition nomade parcourant le monde, « Tiara Dream »
est un voyage entre imaginaire et réel ouvrant des passerelles entre le diadème
Chaumet et l'héritage culturel du pays dans lequel se tient l'événement.

Après l'exposition événement de 2017 dans la Cité interdite (voir p. 141) « Tiara
Dream » a investi en 2021 le quartier branché de Pékin Sanlitun. Mixant pièces
patrimoniales, projections holographiques et installations interactives,
le parcours immersif témoigne de la force symbolique du diadème d'hier
à aujourd'hui. En 1924, Wan Rong, l'épouse du dernier empereur Pu Yi, porte
une aigrette de style européen (voir p. 143). Un siècle plus tard, le chanteur
et ami de la Maison Lay Zhang, l'actrice Gao Yuanyuan et la chanteuse Nana
Ouyang s'émerveillent devant les créations de la Maison réunies à l'occasion
de « Tiara Dream ».

Première exposition patrimoniale de Chaumet au Moyen-Orient, « Tiara Dream »
a investi Riyad en 2022. Codéveloppé avec les talents du pays, l'événement
retraçant l'histoire du diadème faite de pouvoir et de rêves rapproche l'Arabie
saoudite et la France dans une communion autour de l'art et la beauté.

Des projections
holographiques en trois
dimensions de diadèmes
habillaient l'une des salles
de l'exposition « Tiara
Dream », en 2022.

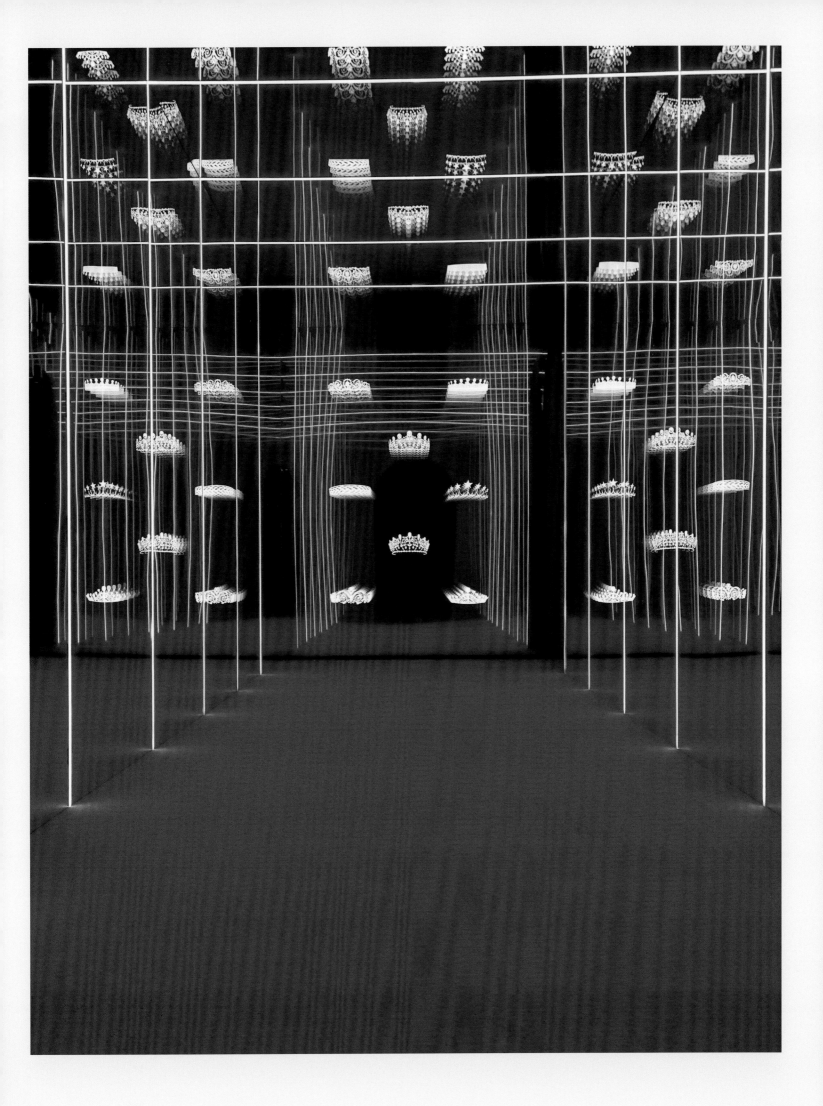

UNE MAISON...

COSMOPOLITE

« C'EST POUR MOI UN BONHEUR
INEXPRIMABLE DE VOIR
SE MULTIPLIER DANS MES JARDINS
LES VÉGÉTAUX ÉTRANGERS. »

LETTRE DE JOSÉPHINE BONAPARTE, 1804

PAGE DE GAUCHE
Projet d'un collier
torque orné d'une tête
de perroquet et d'une
grappe de fleur, atelier de
dessin Chaumet, vers 1980,
crayon graphite, gouache,
lavis et rehauts de gouache.
Collection privée.

DOUBLE PAGE
PRÉCÉDENTE,
À GAUCHE
Broche *Promenades
Impériales*, collection
Les Mondes de Chaumet,
2018, or blanc, diamants
et saphir padparadscha.

À l'instar de l'impératrice Joséphine curieuse de tout,
la Maison s'ouvre très tôt sur « l'Ailleurs » qu'elle fait vivre
dans ses créations. Née à la Martinique, une île à laquelle elle
reste viscéralement attachée, la future souveraine est une
passionnée de botanique. Au point de convier dans son parc
du château de Malmaison des plantes venues de Chine, du
Caucase, de Virginie ou d'Australie. Cette ouverture au monde
anime aussi la Maison. Une filiale est inaugurée à Londres en
1848, une autre s'ouvre à Saint-Pétersbourg en 1901 ; dès 1900,
elle est aussi présente à New York. Dès 1910, Joseph Chaumet
missionne ses proches collaborateurs en Inde, tandis que
la boutique parisienne tisse à la même époque des relations
privilégiées avec les grandes familles, des princesses russes aux
femmes de diplomates d'Amérique du Sud ou d'Asie, en passant
par les aristocrates françaises. Précieuse complice des riches
héritières et des artistes au fil des époques, la Maison embrasse
la diversité culturelle pour créer des parures singulières.
À l'image de ces bagues de Haute Joaillerie *Trésors d'Ailleurs*
dévoilées à l'occasion de ses deux cent quarante ans, en 2020
(voir p. 134-135, 139).

105

CHAUMET ET LA GRANDE-BRETAGNE

Les siècles changent, mais le calendrier du gotha international conserve ses incontournables. Venir en début d'année renouveler sa garde-robe et ses parures à Paris, capitale de la mode et de la joaillerie, en fait toujours partie. Filer à Londres pour la « saison » au printemps et en été est plus spécifique aux XIXe et XXe siècles. Jean-Valentin Morel, le chef de l'atelier de la Maison alors dirigée par Jules Fossin, y ouvre en 1848 une première boutique au 7, New Burlington Street, dans le quartier huppé de Mayfair. Les Anglais raffolent alors de tout ce qui est français, des toiles des Modernes proposées à la galerie d'Ernest Gambart sur Pall Mall aux créations de la Maison qui séduisent la reine Victoria en personne. Avec la complicité de la femme de chambre et de la dame de la garde-robe de Sa Majesté, Jean-Valentin Morel est en effet reçu au château de Windsor. Grande amatrice de bijoux, la souveraine devient cliente et ne tarde pas à accorder à la Maison le prestigieux brevet de fournisseur officiel, « By appointment to Her Majesty the Queen ». Victoria commande à Morel broches, croix, pendeloques et médaillons de deuil. Ce bijou de sentiment dans lequel la Maison est réputée prend une dimension autre à la mort du prince Albert de Saxe-Cobourg-Gotha, son mari, dont elle était follement amoureuse. Inconsolable, la reine ne quitte plus le noir. Incapable de renoncer à porter des bijoux, elle les commande dans cette couleur, lançant une tendance redevenue dans l'air du temps, comme l'illustrent les pendentifs, puces d'oreilles et bracelets habillés d'onyx de la collection *Jeux de liens*.

À l'instar de leur souveraine, les Anglais adoubent les créations de la Maison, se pressant dans la nouvelle boutique inaugurée au 154, New Bond Street en 1903. On y croise les duchesses de Marlborough et de Manchester, Lady Randolph Churchill ou encore Mary, Lady Paget. Riche Américaine qui a hérité de son père hôtelier de la coquette somme de 10 millions de dollars, elle épouse Sir Arthur Henry Paget, faisant de leur résidence de Belgrave Square le rendez-vous du Tout-Londres – y compris du prince de Galles.

Petite-fille d'Ernest Cassel, richissime banquier d'affaires et principal conseiller du roi Édouard VII, qui est d'ailleurs son parrain, Edwina Ashley épouse en 1922 l'un des hommes les plus influents d'Angleterre, Lord Louis Mountbatten. Femme moderne, ayant voyagé de la Sibérie au Pacifique, Lady Mountbatten est évidemment aux côtés de son mari lorsqu'il est nommé vice-roi des Indes, en 1947. Surnommée « Petite Sœur » par le Mahatma Gandhi, elle porte magnifiquement le diadème Chaumet, comme cette pièce aux fleurons, aux rinceaux couronnée de motifs trilobés de style indien (voir p. 55 et p. 109, en bas à gauche).

Ces liens tangibles entre Paris et Londres sont encore renforcés en 2017 lorsque la Maison donne aux étudiants de la Central Saint Martins une carte blanche pour imaginer le diadème Chaumet du XXIe siècle. La prestigieuse école de mode, par laquelle sont passés Stella McCartney, John Galliano ou Riccardo Tisci, honore sa réputation. Inspiré par l'œuvre du jardinier du roi Louis XIV, André Le Nôtre, l'Anglais Scott Armstrong sort lauréat avec une création pleine d'audace et de personnalité (voir p. 325). À peine diplômé, il rejoignait d'ailleurs le studio de création de Chaumet.

Broche nœud écossais, période Chaumet, vers 1900, or, platine, émeraudes, rubis, saphirs, saphirs de couleur et diamants. Collection privée.

Projet de broche nœud
écossais, atelier de dessin
Chaumet, vers 1900,
encre, lavis et rehauts de
gouache sur papier teinté.
Paris, collections Chaumet.

LA MAISON CHAUMET
EST AUJOURD'HUI PRÉSENTE
DANS 50 PAYS À TRAVERS
82 MAGASINS ET 200 POINTS
DE VENTE EXCLUSIFS.

EN HAUT
Diadème aux fleurons
de Lady Mountbatten,
1934, platine et diamants.
Collection privée.

CI-CONTRE
Lady Edwina Mountbatten
portant son diadème
aux fleurons lors du
couronnement du
roi George VI, 1937.
Photographie de Madame
Yevonde.

CI-DESSUS
Projet d'épingle : deux
croquis de la main
de la reine Victoria
accompagnés de la
mention «Exhibition
May 1, 1851», encre. Paris,
collections Chaumet.

CHAUMET
ET LES ÉTATS-UNIS

Petite-fille du « Commodore », l'Américain Cornelius Vanderbilt ayant fait fortune dans les bateaux à vapeur et les chemins de fer, Gertrude Vanderbilt Whitney est l'incarnation de la milliardaire du « Gilded Age », cette période de prospérité qui s'étend aux États-Unis de 1865 à 1901. Voulant dédier sa vie à la sculpture, elle s'installe à Paris pour suivre l'enseignement d'Auguste Rodin. Soutenant de jeunes artistes comme le peintre américain Edward Hopper, elle constitue une riche collection d'art américain conservée au Whitney Museum of American Art, qu'elle fonde à New York en 1931. Passionnée de bijoux parfois un brin extravagants, Gertrude Vanderbilt Whitney commande à Chaumet de nombreuses pièces, diadème ailes de chauve-souris, diadème soleil rayonnant (voir p. 112-113) ou encore diadème ailes transformable (ci-contre). Ce dernier, inspiré des heaumes ailés coiffant les Walkyries dans les opéras de Wagner, s'inscrit dans l'audace chère à la Maison dont il a rejoint les collections patrimoniales en 2017. Cette année-là, la comédienne germano-américaine Diane Kruger reçoit le prestigieux Prix d'interprétation féminine au Festival de Cannes. Devenue une amie de la Maison, elle tombe amoureuse de cette paire d'ailes qu'elle choisit de porter comme seul bijou, piqué sur les revers de sa veste de smoking, pour faire la couverture de *Rendez-vous*, le magazine annuel de Chaumet, en 2021.

Autre grande héritière américaine, Anna Gould épouse en 1895 le descendant d'une très vieille famille de la noblesse française, le prince Boni de Castellane. Loin d'être une beauté, elle lui apporte 15 millions de dollars, soit environ 440 millions actuels. Ce qui fait dire à son mari que « sa femme n'est pas mal, vue de dot ». Client de la Maison, le couple multiplie les mondanités, fréquentant aussi bien Pablo Picasso que le comte Youssoupoff, qui se fournissent eux aussi chez Chaumet.

Grandes amatrices des stations balnéaires françaises, les riches Américaines de la Belle Époque se pressent à Étretat, en Normandie. Biarritz et Vichy deviennent ensuite les nouveaux lieux de villégiature à la mode. Tout comme Cannes et Deauville, où la Maison ouvre des succursales au Carlton et au Royal. Elle y reçoit aussi bien la haute société que le demi-monde composé de jeunes femmes, belles, séductrices et libres comme les Dolly Sisters, grandes habituées des adresses cannoises et normandes. Nées en Hongrie, élevées à New York – où Chaumet s'installe au 730, Fifth Avenue en 1924 –, Rosie et Jenny Dolly deviennent de célèbres danseuses de music-hall et actrices du cinéma muet. Expertes dans l'art de faire tourner la tête aux hommes, de préférence riches, du roi d'Espagne au grand commerçant américain Harry Gordon Selfridge, elles honorent leur surnom The Million Dollar Dollies. Grandes clientes de Chaumet chez qui elles achètent bandeaux, sautoirs en perles, bague sertie d'un diamant de 51 carats (voir p. 114-115), les jumelles sont aussi d'incorrigibles joueuses. Au point de tenter d'échapper à la taxe française du luxe en se faisant livrer la bague de 51 carats pour 4 millions de francs à leur demeure londonienne de Quinn Street. Rentré en France dans la poche

Paire d'ailes transformables en broches et aigrette, commandée par Gertrude Vanderbilt Whitney en 1910, période Chaumet, platine, diamants et verre bleu. Paris, collections Chaumet.

CI-DESSUS
Photographie d'une broche
sertie de rubis, de diamants et
d'une perle grise, réalisée pour
Gertrude Vanderbilt Whitney,
laboratoire photographique
Chaumet, 1905, positif d'après un
négatif sur plaque de verre. Paris,
collections Chaumet.

CI-CONTRE
Photographie d'une broche
nœud (platine, perle grise,
diamants et rubis), réalisée pour
Gertrude Vanderbilt Whitney,
laboratoire photographique
Chaumet, 1905, positif d'après un
négatif sur plaque de verre. Paris,
collections Chaumet.

EN HAUT
Photographie d'une aigrette en
forme de soleil levant (platine,
diamants et rubis) réalisée pour
Gertrude Vanderbilt Whitney,
laboratoire photographique
Chaumet, 1905, positif d'après
un négatif sur plaque de verre.
Paris, collections Chaumet.

PAGE DE GAUCHE
Photographie de Gertrude
Vanderbilt, épouse de Harry
Payne Whitney, portant un
diadème soleil rayonnant,
plusieurs colliers et bracelets,
vers 1909.

de leur secrétaire ayant « oublié » de le déclarer, le bijou vaut à Jenny de comparaître en correctionnelle où elle est condamnée en 1929 à trois jours de prison avec sursis et 11 millions de francs d'amende. Un siècle plus tard, les riches clientes américaines appréciant plus que jamais cette audace propre au style Chaumet restent fidèles au *12 Vendôme* et à la Riviera – le succès de la boutique de Monaco inaugurée au sein du casino en 2019 l'atteste.

EN HAUT, À GAUCHE
Photographie d'une paire de pendants d'oreilles (platine et diamants), laboratoire photographique Chaumet, 1927, positif d'après un négatif sur plaque de verre. Paris, collections Chaumet.

CI-DESSUS
Photographie d'une paire de pendants d'oreilles (diamants et perles fines), réalisée pour Miss Rosie Dolly, laboratoire photographique Chaumet, 1928, positif d'après un négatif sur plaque de verre. Paris, collections Chaumet.

CI-DESSUS
Photographie d'un bracelet à anneaux d'onyx et appliques de diamants, réalisé pour la comtesse des Monstiers, laboratoire photographique Chaumet, 1927, positif d'après un négatif sur plaque de verre. Paris, collections Chaumet.

EN HAUT, À DROITE
Photographie d'une montre et d'un fermoir commandés par Miss Jenny Dolly, laboratoire photographique Chaumet, 1927, positif d'après un négatif sur plaque de verre. Paris, collections Chaumet.

CI-DESSUS
Photographie d'un bouton de chemise (platine, rubis et diamants) commandé par Miss Jenny Dolly, laboratoire photographique Chaumet, 1927, positif d'après un négatif sur plaque de verre. Paris, collections Chaumet.

Les Dolly Sisters portant
des colliers de perles
Chaumet, 1927.

CHAUMET
ET LA RUSSIE

Les liens unissant la Maison à la Russie s'inscrivent dans un profond héritage francophile initié par l'impératrice de Russie, Catherine II. Née en Prusse, devenue souveraine après avoir détrôné son mari, la Grande Catherine est passionnée de culture française – ses mémoires sont d'ailleurs écrits dans la langue de Voltaire avec lequel elle correspond durant quinze ans.

Les grands-ducs Alexis, Georges, Paul et Vladimir, les princesses Orloff et Bagration ou encore les princes Galitzine, Soltykoff et Koudacheff... la Maison a de très nombreux clients russes. Leurs généreuses commandes confirment l'opulence chère aux Slaves. Au risque parfois de surprendre comme Lady Granville, la femme de l'ambassadeur de Grande-Bretagne à Paris, qui, lors d'une réception donnée en 1836 décrit ses hôtes russes comme faisant « beaucoup plus grand étalage de vêtements et de diamants qu'aucune autre nation ». Amoureux de beauté, artistique et féminine, les comtes Demidoff trouvent ainsi auprès du joaillier un précieux complice. Tandis qu'Anatole couvre de somptueuses parures sa femme, la princesse Mathilde, nièce de Napoléon Ier et cousine du futur Napoléon III, Paul offre à la sienne le diamant Sancy, confiant la monture de la pierre de 55,23 carats à Fossin.

Les relations entre la Maison et la Russie se renforcent encore au début du XXe siècle grâce à la grande-duchesse Vladimir. Entrée dans la maison des Romanov par son mariage avec le frère de l'empereur Alexandre III et oncle du tsar Nicolas II, la grande-duchesse apprécie Joseph Chaumet qui le lui rend bien. Grâce à elle, le joaillier triomphe à l'Exposition franco-russe de 1899 à Saint-Pétersbourg où il ouvre une succursale dès 1901, bientôt suivie d'une autre à Kiev et à Moscou. Décoré du prestigieux ordre impérial russe de Sainte-Anne, là encore grâce à Marie Pavlovna, le joaillier réalise pour elle de nombreuses pièces : audacieux diadème *Chute d'eau* sur lequel jaillissent trois faisceaux faisant perler des gouttes de diamant (p. 121), œufs et cloches miniatures que la grande-duchesse porte sur plusieurs rangs à Pâques (p. 120, en bas), bandeaux, devants de corsage, dont un aux grandes armes de la Russie.

Considérée comme l'une des plus belles princesses d'Europe, la nièce du tsar Nicolas II Irina Alexandrovna Romanov épouse en 1914 le très beau et très riche prince Félix Youssoupoff. En l'honneur du mariage, sa mère, la princesse Youssoupoff, dont la fortune dépasse celle du tsar, confie à Joseph Chaumet des pierres et des bijoux de famille, à charge pour lui de réaliser la plus prestigieuse des corbeilles de mariage de l'époque. Mission amplement réussie comme le prince l'écrit dans ses mémoires : « Les cinq parures qu'il avait composées en diamants, perles, rubis, émeraudes et saphirs étaient toutes plus belles les unes que les autres. Elles furent très admirées à Londres, aux réceptions données en notre honneur. » Parmi les joyaux figure un diadème triple soleil couronné en son centre d'un diamant d'environ 10 carats (p. 119). Devant fuir la révolution bolchévique et interdit de territoire durant la période soviétique, le couple princier s'installe à Paris où il crée la maison de

Collier transformable et bague *Promenades Impériales*, collection *Les Mondes de Chaumet*, 2018, or blanc, or rose, saphirs padparadscha et diamants.

couture Irfé. Ses modèles font fureur auprès des femmes modernes ayant envoyé valser corset et autres harnachements qui faisaient écrire à Jean Cocteau, qui devient l'un de leurs grands amis, que « l'idée de déshabiller une de ces dames était une entreprise coûteuse qu'il convenait de prévoir à l'avance, comme un déménagement ».

En 2018, pour la plus grande satisfaction de ses clientes russes et russophones, Chaumet célèbre sa longue histoire avec la Russie avec la collection de Haute Joaillerie *Promenades Impériales*. Délicatement colorés de saphirs de Ceylan au bleu cristallin ou de saphirs padparadscha rose orangé, collier transformable, broches, boucles d'oreilles, bracelet et bagues boules en dentelle de diamant transportent dans un paysage féérique évoquant Saint-Pétersbourg et les rives de la Neva blanchies par l'hiver ou le parc du Grand Palais de Tsarskoïe Sélo sous la neige (voir p. 102, 117, 212-213 et 230, à gauche).

Expertise des joyaux de la princesse Irina découverts au palais Youssoupoff à Moscou en 1925, sur ordre du gouvernement soviétique. Des créations de Chaumet sont ici reconnaissables comme le collier de diamants « bâtons », le devant de corsage rubans et guirlandes de la parure d'émeraudes et le diadème triple soleil. Collection privée.

Photographie du diadème
triple soleil commandé par la
princesse Youssoupoff pour sa
belle-fille Irina Alexandrovna
Romanov, laboratoire
photographique Chaumet,
1913-1915, tirage d'après un
négatif sur plaque de verre.
Paris, collections Chaumet.

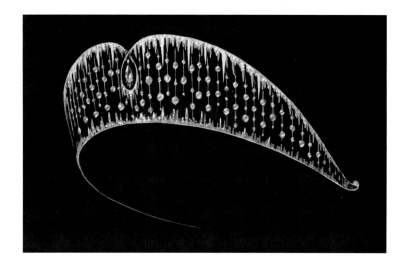

EN HAUT
Vue sur la rivière gelée Neva et la cathédrale Saint-Isaac en hiver, Saint-Pétersbourg.

CI-DESSUS
Projet de diadème à décor de stalactites et de gouttes de diamants sur fil couteau, atelier de dessins Chaumet, vers 1910, gouache et rehauts de gouache sur papier teinté. Paris, collections Chaumet.

CI-CONTRE
Photographie de broches diamants et pierres dures à décor d'ailes, laboratoire photographique Chaumet, 1911, positif d'après un négatif sur plaque de verre. Paris, collections Chaumet.

PAGE DE DROITE
Diadème à décor de chutes d'eau de la grande-duchesse Marie Pavlovna, laboratoire photographique Chaumet, 1899, positif d'un négatif sur plaque de verre. Paris, collections Chaumet.

DOUBLE PAGE SUIVANTE
Projet de diadème kokochnik à décor d'émail bleu, atelier de dessin Chaumet, vers 1910, crayon graphite, gouache et rehauts de gouache sur papier teinté. Paris, collections Chaumet.

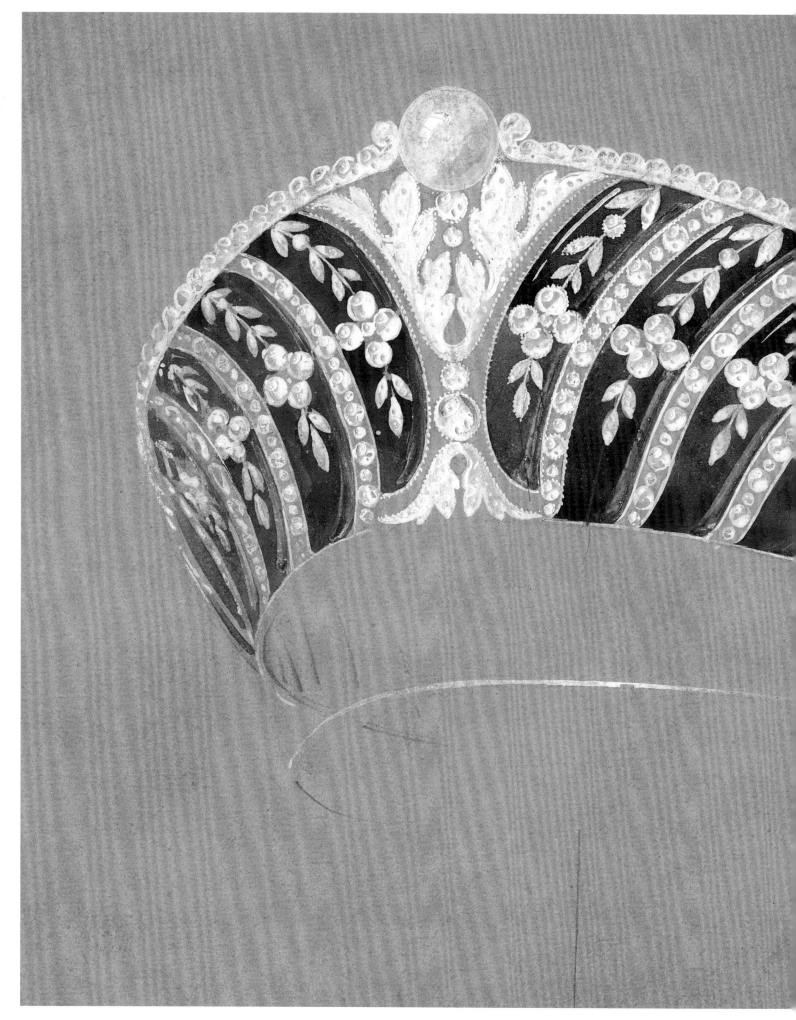

1–4

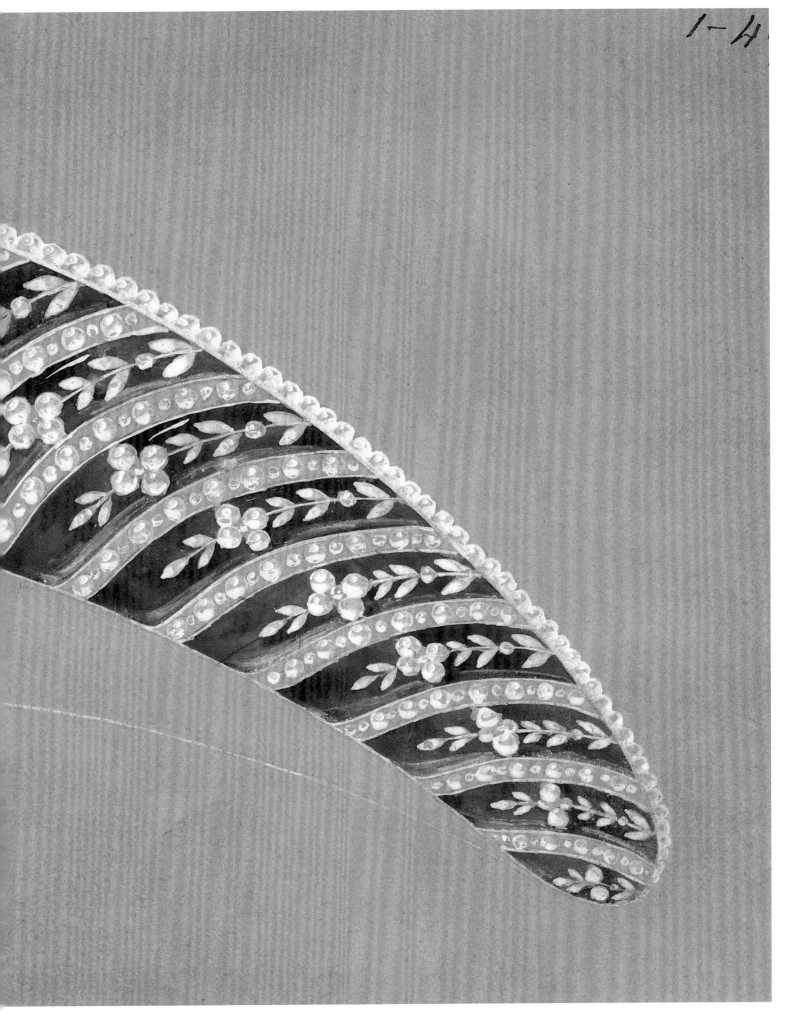

S.A.R. le maharadjah d'Indore,
Bernard Boutet de Monvel, 1933,
huile sur toile. Collection privée.

CHAUMET
ET L'INDE

À 6 000 kilomètres de Paris, à Baroda, aujourd'hui Vadodara dans l'État de Gujarat, le maharadjah Sayaji Rao III souhaite faire expertiser ses joyaux. En 1910, il s'adresse donc à la Maison dont il connaît la renommée en matière de pierres. Visionnaire et gemmologue, Joseph Chaumet fait autorité en dotant son entreprise de sa propre taillerie de diamants et en créant vers la fin du XIXe siècle un laboratoire d'études et de vérification des pierres et des perles pour lutter contre les pierres synthétiques et les fraudes. Il dépêche alors auprès du maharadjah ses proches collaborateurs qui découvrent les trésors de ce prince réformateur. Sous son autorité, l'enseignement devient gratuit, le mariage des enfants interdit et les femmes obtiennent le droit de vote en 1908, dix ans plus tôt que les Britanniques et trente-six avant les Françaises. Sayaji Rao III, qui possède des pierres historiques auxquelles sont même attachés des prêtres particuliers, est obsédé par les gemmes qu'il considère comme des talismans. Parmi eux, l'Étoile du Sud, un diamant taillé en coussin de 128,48 carats aux reflets rose pâle qui est alors la septième plus grosse pierre au monde et l'Eugénie, que Napoléon III a offert comme cadeau de mariage à l'Impératrice (le prédécesseur de Sayaji Rao III, Masher Rao, ayant fait l'acquisition de la pierre chez Christie's). Pour se déplacer entre ses deux palais de Lakshmi Vilas et de Makarpura, le souverain se fait conduire dans un carrosse d'argent, abrité sous une ombrelle en or. Lorsqu'il vient à Paris, il trouve toujours chez Chaumet des pièces à son goût, telles que pendants d'oreilles et collier serre-cou d'inspiration indienne ou montre-pendentif nichée dans une boîte pavée d'émeraudes et de diamants.

Au début du XXe siècle, l'Inde compte 629 princes régnants, et autant de trésors. Parmi ses clients, la Maison compte Raja Sri Brahdamba Dasa Raja Sir Martanda Bhairava Tondaiman, le maharadjah de Pudukkottai, et Jagatjit Singh, le maharadjah de Kapurtala. Ce dernier est un géant sikh haut de deux mètres, grand amateur de bijoux dont il couvre ses vingt femmes et quatre-vingt-sept enfants. Habitué du Ritz, il ne traverse la place Vendôme qu'en Rolls. En octobre 1913, le maharadjah d'Indore Tukoji Rao Holkar III est reçu chez Chaumet au 12, place Vendôme. Amoureux des paons – au point de décorer de figures stylisées de l'oiseau la salle de réception de son palais, considérée comme l'une des plus belles du Raj britannique –, le souverain ne peut qu'être touché par le style de la Maison – celle-ci a d'ailleurs créé en 1870 une délicate broche en saphirs et diamants montés sur une trembleuse figurant une plume de paon (voir p. 129, en bas à droite). Lors de sa visite, le souverain est émerveillé par la beauté de deux diamants poire de 46,70 et 46,95 carats et surtout par l'audace du dessin de collier qu'ils ont inspiré. Soit un lacet souple, dit « en négligé », sur lequel les pierres sont suspendues en décalé (p. 126, en haut à droite). Les diamants entreront dans la légende sous le nom des « poires d'Indore », immortalisés sur un portrait de son fils, le maharadjah Yeshwant Rao Holkar II, peint en 1933 (ci-contre). Le maharadjah du Cachemire Hari Singh sera également client de la Maison au début du XXe siècle, tout comme les maharadjahs de Cooch Behar Jitendra Narayan et Jagaddipendra Narayan, et le roi Nana du Népal Tribhuvan Bir Bikram Shah Dev.

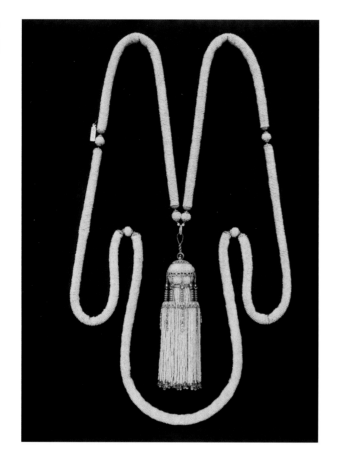

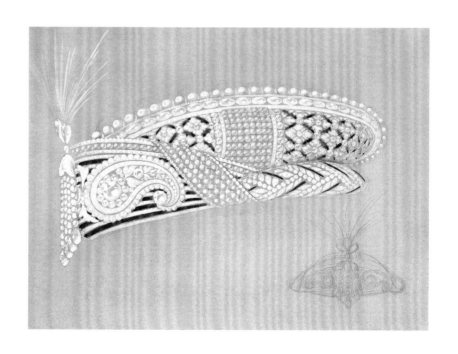

CI-DESSUS
Photographie d'un collier
bayadère (perles semences,
perles, saphirs et diamants),
laboratoire photographique
Chaumet, 1913, positif d'un
négatif sur plaque de verre.
Paris, collections Chaumet.

CI-CONTRE
Projet de turban pour un
maharadjah, en brocart semé de
perles, diamants et rubis, atelier
de dessin Chaumet, vers 1920,
crayon graphite, craie blanche,
lavis et rehauts de gouache.
Paris, collections Chaumet.

CI-DESSUS
Photographie d'un collier orné
de deux magnifiques diamants
taille poire, réalisé pour le
maharadjah d'Indore, laboratoire
photographique Chaumet, 1913,
positif d'un négatif sur plaque de
verre. Paris, collections Chaumet.

Collier *Maharani*, 2019, or
blanc, émeraudes, diamants.

Portrait de la maharani d'Indore,
Bernard Boutet de Monvel, 1933-
1934. Collection privée.

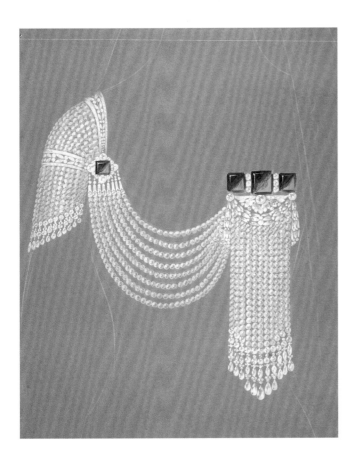

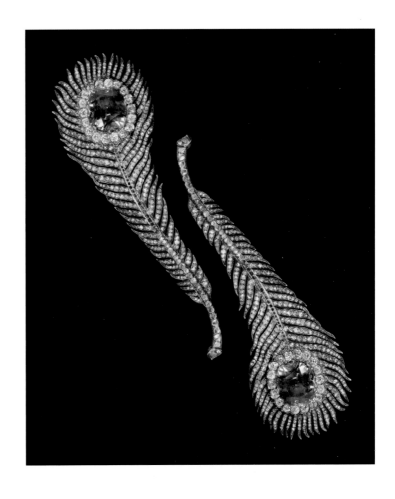

EN HAUT
Projet de diadème à décor
de plumes de paon, atelier
de dessin Chaumet, vers 1915,
crayon graphite, gouache,
lavis et rehauts de gouache
sur papier teinté. Paris,
collections Chaumet.

CI-DESSUS
Projet d'ornement d'épaule
et de corsage de style
indien (perles, émeraudes et
diamants), atelier de dessin
Chaumet, vers 1920, crayon
graphite, craie blanche, lavis
et rehauts de gouache. Paris,
collections Chaumet.

CI-CONTRE
Broche plume de paon
transformable en broche saphir,
période Morel, vers 1870, or,
argent, saphirs, rubis et diamants.
Collection Faerber.

La fascination mutuelle entre Paris et l'Inde nourrit le style Art déco que Joseph Chaumet s'approprie avec toute la créativité dont la Maison est coutumière. Les bandeaux s'ornent de perle poire détachable qui ne sont pas sans rappeler les turbans joailliers (« *peshwa* ») (p. 126, en bas). Les motifs *boteh* ou « cachemire » s'invitent eux aussi sur les ornements de tête, quand les longs sautoirs affichent des rubis et émeraudes gravées de tradition moghole. Inspirées des *bazuband*, ces bracelets traditionnels indiens portés haut sur le bras, les broches d'épaule se multiplient (voir p. 129, à gauche), comme celle offerte par le prince géorgien Alexis Mdivani à sa deuxième femme, la riche héritière américaine Barbara Hutton.

La pièce d'inspiration indienne la plus emblématique du savoir-faire de la Maison reste le collier bayadère, avec ses semences de perles fines ponctuées de cabochons de saphirs et de diamants taille rose (p. 126, à gauche). Nommé d'après le mot portugais *bailadeira*, signifiant « danseuse », son dessin évoque les longues chaînes à glands portées par les artistes hindoues. L'expertise de Joseph Chaumet dans les perles – il songe même en 1924 à exploiter des fermes perlières à Ceylan – contribue à la renommée de la Maison dans ce type de pièces (voir également p. 251). La restauration du *12 Vendôme* à l'occasion des deux cent quarante ans de la Maison a d'ailleurs permis de retrouver le Salon des Perles, ainsi désigné en l'honneur des enfileuses qui s'y tenaient au XXᵉ siècle (voir p. 31 et p. 464, en bas). Fidèle à cette tradition, la parure *Comètes des mers* de la collection de Haute Joaillerie *Ondes et Merveilles de Chaumet* offre un appairage exceptionnel de perles fines aux nuances inédites gris clair, mauve et olive, métamorphosant un collier couronné d'un saphir padparadscha en corps céleste surgi des flots (ci-contre). L'histoire entre Chaumet et l'Inde se poursuit également avec la collection de Haute Joaillerie *Maharani*. Colorées de rubis ou d'émeraudes, les pièces habillent les silhouettes contemporaines d'une touche de raffinement rappelant le collier asymétrique dessiné pour les poires d'Indore (p. 127).

CI-DESSUS
Projet de broche à deux paons affrontés, atelier de dessin Chaumet, vers 1900-1910, gouache, lavis et rehauts de gouache sur papier teinté. Paris, collections Chaumet.

PAGE DE DROITE
Collier et boucles d'oreilles *Comètes des mers*, collection *Ondes et Merveilles de Chaumet*, 2022, or blanc et or rose, saphirs padparadscha, saphirs de couleurs, perles fines et diamants.

CHAUMET
ET LE JAPON

En 2020, Chaumet dévoile *Trésors d'Ailleurs,* une collection de bagues inspirées des architectures du monde fêtant la richesse des cultures qui inspirent la Maison depuis toujours. Tel un hommage au dialogue créatif entre Orient et Occident, la bague *Sakura* en or rose, jade noir et laque sertie d'un diamant de deux carats (p. 135, en haut à gauche) raconte la poésie des cerisiers en fleurs. Inspirée du célèbre opéra de Puccini *Madame Butterfly* chantant l'amour entre une Japonaise et son mari américain, la bague à secret du même nom coiffe quant à elle la main d'une pagode d'onyx délicatement ajourée (p. 134).

La fascination qu'exerce le pays du Soleil levant sur la Maison remonte à ses origines. Collaborateur d'Aubert, le joaillier de la reine Marie-Antoinette, Marie-Étienne Nitot découvre alors – et contribuera plus tard à leur sauvegarde – les laques de la souveraine. Riche d'une soixantaine de pièces, aiguières, boîtes, animaux, éventails, la collection de Marie-Antoinette est, dit-on, aussi somptueuse que celle de l'empereur de Chine. Exposés dans le Cabinet doré, aussi appelé le Cabinet de laque, les objets rivalisent de raffinement. Parmi eux, une écritoire en laque décorée d'un jeu de go, de chrysanthèmes et d'une représentation de la poétesse Ono no Komachi. L'objet appartient aujourd'hui au département des Objets d'art du Louvre et côtoie la parure réalisée par la Maison pour le mariage de l'archiduchesse Marie-Louise d'Autriche avec Napoléon Ier.

Tandis que le Japon s'ouvre à l'Occident sous l'ère Meiji, à la fin du XIXe siècle, la Maison conjugue le style Chaumet au raffinement de la culture nipponne, elle aussi attachée à l'excellence du geste. La renaissance de la nature inspire ainsi en 2018 la parure *Chant du Printemps* faisant converser les diamants, spinelles noirs, rubis sang de pigeon et grenats rhodolites en bouquets (p. 135, en bas à droite). Un siècle auparavant, la réciprocité des inspirations s'illustre dans la broche *Raijin* convoquant opale, rubis, émeraude et diamant pour incarner le dieu japonais de la foudre, de la lumière et des tempêtes (p. 135, en haut à droite). Réalisée en 1916, l'aigrette soleil rayonnant fait quant à elle jaillir d'une émeraude sertie en pierre de centre des rayons de diamants (voir p. 222), tandis qu'un vanity case est décoré de motifs de fleurs et d'écailles.

Les nombreux clients japonais de Chaumet partagent le goût du beau auquel se consacre la Maison depuis 1780. Après avoir été en poste à Séoul, Londres, Pékin et aux États-Unis, le baron Matsui vient à Paris pour la conférence de la Paix qui s'y tient en 1919. Le diplomate en profite pour acquérir collier de perles, diadème, barrettes, broches et bracelets. Le marquis Toshinari Maëda est aussi un fidèle du 12 place Vendôme. En 1922, il commande notamment pour sa femme un diadème en prévision de la présentation du couple au roi George V d'Angleterre. Connaisseuse, la marquise de Maëda (p. 55) achète pour sa part un saphir étoilé monté en bague et un rubis, lui aussi étoilé, serti sur une épingle de cravate. Premier prince de l'Empire nippon à entreprendre

Projet de boîte à monture d'orfèvrerie et à écoinçons de style japonisant, atelier de dessin Chaumet, vers 1920, crayon graphite, gouache, lavis et rehauts de gouache. Paris, collections Chaumet.

un voyage en Europe, Showa Tenno – que l'Occident, ignorant le protocole, appelle de son nom personnel Hirohito –, se rend chez Chaumet en 1921. Il est alors investi depuis cinq ans du titre de prince héritier, mais ne montera sur le « trône du chrysanthème » qu'à la mort de son père, en 1926. Curieux de découvrir les récentes méthodes scientifiques de certification des pierres précieuses adoptées par Joseph Chaumet, le prince aurait profité d'une visite privée en sa compagnie avec démonstration dans la chambre noire où sont analysés les diamants et les rubis (voir également p. 235-237 et 463). Conquis, le futur empereur profite de sa visite pour commander des perles, des broches destinées à ses parents et un collier guirlandes de diamants à pendants.

Désireuse de cultiver les liens profonds l'unissant au Japon, la Maison y a organisé en 2018 une exposition au Mitsubishi Ichigokan Museum de Tokyo. Riche de 300 pièces, « Les mondes de Chaumet – L'art de la joaillerie depuis 1780 » a offert à ses 120 000 visiteurs un voyage joaillier inédit. Des joyaux de l'impératrice Joséphine à l'art du bijou transformable, des bijoux de sentiment aux évocations de la nature ou aux insignes du pouvoir, l'exposition a mis en lumière l'humble observation de la nature et la virtuosité séculaire transmise de chef d'atelier en chef d'atelier. Comme le Japon honore les personnes détentrices d'un savoir-faire du titre de « trésor national vivant », Chaumet célèbre ses artisans à travers l'initiative *Conversations virtuoses* (p. 136-137) et la série de podcasts qui lui est associée. Réunissant des experts passionnés, ces conversations engendrent des échanges autour de thématiques chères à la Maison, comme la légèreté, la couleur, la lumière ou le dessin, forgeant des liens entre la joaillerie, l'artisanat et l'art. L'ouverture au monde n'est jamais très loin. À l'image de cette rencontre autour de l'architecture entre Ehssan Moazen, le directeur du studio de création de Chaumet, et Aurélien Coulanges, bras droit de l'architecte Jean Nouvel. Deux esprits cosmopolites partageant le goût de la virtuosité.

Bague à secret *Madame Butterfly,* collection *Trésors d'Ailleurs*, 2020, or rose, onyx, grenats rhodolites, diamants et grenat Malaya. Collection privée.

EN HAUT, À GAUCHE
Bague *Sakura*, collection
Trésors d'Ailleurs, 2020, or
rose, diamants, jade noir et
laque. Collection privée.

EN HAUT, À DROITE
Broche japonisante *Raijin,
dieu de la pluie et du tonnerre*,
période Chaumet, vers 1900,
or, opale, rubis, diamants et
émeraudes. Paris, collections
Chaumet.

CI-CONTRE
Collier *Chant du Printemps*,
collection *Les Mondes de
Chaumet*, 2018, or blanc, onyx,
rubis, grenats rhodolites et
diamants. Paris, collections
Chaumet.

135

CI-DESSUS
Installation en bambou de
Chikuunsai Tanabe à l'occasion
de l'événement *Conversations
virtuoses* au Japon, en 2021.

CI-CONTRE
Installation de Masahiko Kimura
à l'occasion de l'événement
Conversations virtuoses au
Japon, en 2021.

CHAUMET
ET LA CHINE

La rencontre entre Chaumet et la Chine était écrite. Il suffit de se référer aux deux *hanzi* composant le nom de la Maison et signifiant « beauté avec majesté » pour en prendre conscience. Grande source d'inspiration pour la France du XVIII siècle – qui adopte notamment les cages à oiseaux richement ouvragées en ébène, ambre, jade et ivoire – l'Empire du Milieu s'invite dès 1923 dans les créations du joaillier. Il s'agit alors d'un pompon de perles fines souligné d'onyx et de jade proposé sur un cordon de soie (p. 141, en bas à droite). Très recherché, le jade impérial apparaît quelques années plus tard, sculpté en sampan voguant entre vagues et nuages sur une broche d'une infinie poésie (p. 141, en bas à gauche). En 2017, profitant de la grande exposition « Splendeurs impériales – L'art de la joaillerie depuis le XVIII siècle » présentée à Pékin, Chaumet dévoile la parure *Lumières célestes*. Puisant dans les codes philosophiques du Ying et du Yang, les pièces font dialoguer diamants blancs, diamants jaunes et perles en majestueux colliers et bagues. Inspiré des ornements de tête portés par les artistes de l'Opéra de Pékin, un diadème déploie un halo fascinant de légèreté grâce à la technique signature de la Maison, dite du « fil de couteau », semblant faire léviter les pierres (p. 140). Ce dialogue entre l'Orient et l'Occident se poursuit trois ans plus tard, en 2020, à travers les six bagues de la collection *Trésors d'Ailleurs*. Du nom de Qianlong, cet empereur du XVIII siècle de la dynastie Qing dont le règne prospère se distingue par des arts florissants, à commencer par l'architecture, un premier trio de bagues possède un corps de bague laqué dans une teinte minutieusement harmonisée à la pierre de centre, tourmaline rose ou verte, tanzanite au bleu-violet chatoyant (ci-contre). Responsable du harem de l'empereur Qianlong, Lady Wei donne son nom à un second trio à forme de pagode coiffée d'un généreux cabochon à pans russes de rubellite, grenat mandarin ou tourmaline verte.

En 2017, pour sa première rétrospective en Chine, « Splendeurs impériales – L'art de la joaillerie depuis le XVIII siècle », Chaumet a pu profiter d'une adresse exceptionnelle, le musée du Palais de Pékin, figurant sur la liste des sites du patrimoine mondial de l'Unesco sous le nom de Cité interdite (p. 141, en haut). Dans ce lieu d'histoire et de culture qui fut la demeure de vingt-quatre empereurs, les archives de la Maison, qui possède l'un des plus importants patrimoines au monde de l'histoire du bijou, ont particulièrement résonné. Inaugurée en la présence de nombreux membres de familles royales, la princesse Caroline de Hanovre, la princesse Camilla de Bourbon des Deux-Siciles, Natalia Grosvenor, la duchesse de Westminster, et Andrew Russell, le duc de Bedford, l'exposition a réuni 500 000 visiteurs. Le public a ainsi pu découvrir l'histoire passionnante et passionnée de la Maison fondatrice de la joaillerie parisienne dont les créations sont intimement liées à l'histoire de France. Ainsi l'épée consulaire de Bonaparte, portée le jour du sacre à Notre-Dame de Paris, le 2 décembre 1804, a quitté le pays pour la première fois depuis sa création par le fondateur de la Maison, Marie-Étienne Nitot. Les 300 œuvres, créations joaillières, tableaux, dessins et objets d'art réunis

Bague *Qianlong*, collection *Trésors d'Ailleurs*, 2020, or rose, laque, diamants et tourmaline rose.

« PLUS J'Y RÉFLÉCHIS,
PLUS JE TROUVE
QUE LA CHINE S'IMPOSE. »
FRANCIS DE MIOMANDRE, *LA GAZETTE DU BON TON*, 1914.

Diadème *Lumières Célestes*,
2017, or, diamants et perles.
Collection privée.

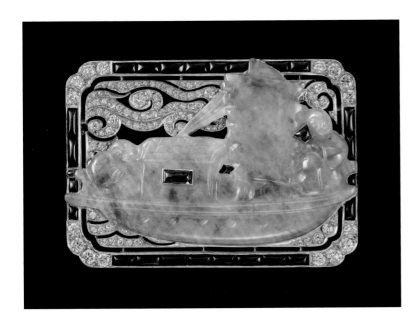

CI-DESSUS
Broche jonque chinoise, période
Chaumet, 1929, platine, jade
sculpté, rubis, diamants et onyx.
Paris, collections Chaumet.

EN HAUT
L'exposition « Splendeurs
impériales », au musée de la Cité
interdite à Pékin, en 2017, a attiré
de nombreux visiteurs.

CI-CONTRE
Pendentif d'inspiration chinoise,
période Chaumet, 1923, platine,
diamants, jade, onyx et perles
fines. Paris, collections Chaumet.

章馱

EN HAUT
Acteur de l'opéra de Pékin,
peinture sur soie, issu d'un
album de la dynastie Qing de la
fin du XIXᵉ siècle.

CI-DESSUS
Bague *Lumières Célestes*, 2017,
or, perle et diamants. Collection
privée.

CI-CONTRE
Bague *Lumières Célestes*, 2017,
or et diamants. Collection
privée.

pour l'événement ont offert un regard croisé entre les arts joailliers chinois et français, révélant les inspirations partagées. Cet esprit de partage est également à l'origine du projet « Tiara Dream » présenté à Pékin fin 2021. Mêlant l'imaginaire et la réalité autour des diadèmes historiques de la Maison, l'événement a offert au public jeune et nombreux venu vivre cette expérience inédite une kyrielle de surprises et de découvertes.

Wan Rong, l'épouse du dernier empereur de Chine, portant une aigrette, début des années 1900.

CHAUMET
ET LE
MOYEN-ORIENT

Toujours curieuse de l'Ailleurs, la Maison imprime son style à la tendance orientaliste débutée avec la campagne d'Égypte de Bonaparte, déjà client de la Maison avant de devenir l'empereur Napoléon Iᵉʳ. Les créations d'inspiration orientale ponctuent le XIXᵉ siècle avec épingles de burnous, pierres gravées de calligraphies arabes montées en bagues talismans, pièces damasquinées ou encore devants de corsage dignes d'une odalisque. Dans les salons et les loges de l'Opéra-Comique et des Italiens, l'Orient est partout. Paris s'enflamme pour ce nom enchanteur confondant avec autant d'enthousiasme que de fantaisie les esthétiques berbères, persanes ou mauresques. *L'Itinéraire de Paris à Jérusalem* de Chateaubriand est un succès d'édition et l'Exposition des arts musulmans de 1903 connaît une franche réussite.

Joseph Chaumet fournit à ses clientes bandeaux et aigrettes de circonstance pour faire sensation dans les bals orientaux, à l'instar de La Mille et Deuxième Nuit donnée en 1911 par le couturier Paul Poiret, chez lui, à Paris, rue du Faubourg-Saint-Honoré. Habile à moderniser les motifs traditionnels, tels que les dentelles d'or comme des moucharabiehs, les croissants et zelliges des marqueteries de céramique émaillée, la Maison fournit de nombreuses cours moyen-orientales. Passionné de photographie, le sultan du Maroc Moulay Abdelaziz est aussi grand amateur de bijoux qu'il commande à la fin du XIXᵉ siècle. Depuis, la famille royale reste une grande cliente de Chaumet, achetant volontiers bracelets, clips, bagues, colliers et ceintures de caftan. Le mariage de la fille aînée du roi Hassan II, Lalla Meryem engendre la commande d'une parure de diamants, quand un diadème évoquant l'architecture mauresque est réalisé pour les noces de Lalla Hasna (p. 148, en haut à droite, et p. 200, en haut). Lorsque leur frère, le roi Mohammed VI se marie à son tour, en 2002, son épouse la princesse Lalla Salma porte un diadème à motif de frise grecque qui n'est pas sans rappeler les créations Art déco de Chaumet. Imaginée en 2020 pour les deux cent quarante ans de la Maison, la bague *Shéhérazade* (p. 147) célèbre le recueil de contes persans, indiens et arabes des *Mille et une nuits* et l'œuvre du même nom composée par Rimski-Korsakov. Chorégraphié par Diaghilev pour les Ballets russes, le spectacle est ovationné pour la première fois à l'Opéra de Paris en 1910. Il apparaît depuis régulièrement dans les programmations du monde entier.

En 2022, pour sa première exposition patrimoniale au Moyen-Orient, « Tiara Dream », Chaumet a choisi Riyad. Comme le lieu accueillant l'événement, la Bibliothèque nationale du roi Fahd (King Fahad National Library) illustre le dynamisme du quartier d'Olaya, l'exposition traduit l'acuité avec laquelle la Maison perçoit les souhaits de ses clientes depuis deux cent quarante ans. Plongeant le visiteur dans une parenthèse enchantée faisant se rejoindre passé et présent, l'événement pose une nouvelle passerelle entre l'Arabie saoudite et la France.

Broche au guerrier égyptien, Rubel pour Chaumet, 1924, platine, rubis, émeraudes, diamants et onyx. Collection privée.

CI-DESSUS
Le Dormeur éveillé, Edmond
Dulac, illustration tirée de *Sinbad
le marin et autres contes des
Mille et une nuits*, 1914.

PAGE DE DROITE
Bague *Shéhérazade*,
collection *Trésors d'Ailleurs*,
2020, or rose, malachite,
laque et émeraude.

CI-DESSUS
Projet de broche de style orientaliste (or, émeraudes et diamants), atelier de dessin Chaumet, vers 1900, gouache, lavis et rehauts de gouache sur papier calque. Paris, collections Chaumet.

EN HAUT, À DROITE
La princesse Lalla Hasna du Maroc avec son père, le roi Hassan II, coiffée d'un diadème Chaumet lors de son mariage, le 8 septembre 1994.

CI-CONTRE
Georges Lepape, lithographie coloriée tirée de son livre *Les Choses de Paul Poiret*, 1911.

PAGE DE DROITE
Diadème *Firmament de Minuit* en or blanc avec diamants, Chaumet, photographié par Philipp Jelenska pour *Vogue Arabia*, mars 2022.

CHAUMET
ET L'AFRIQUE

En hommage à cette terre de poésie, de couleurs et de légendes jusque-là absente de la Haute Joaillerie, Chaumet présente la collection *Trésors d'Afrique* (page ci-contre et pages suivantes) qui fait partie de la collection *Les Mondes de Chaumet*. Dévoilées en 2018 au centre Pompidou, haut lieu parisien de l'art et de la culture contemporaine, les pièces ont fait l'unanimité auprès des invitées venues des quatre coins du monde, les mannequins Naomi Campbell, Liya Kebede, Natalia Vodianova et He Cong ou la comédienne Olga Kurylenko. Toutes s'accordent sur la force de la collection. Contrastés d'ébène et soulignés d'or tressé, bracelets et bagues sont sertis de pierres taillées à pans russes de malachite, turquoise, lapis-lazuli et chrysoprase. Les couleurs chères aux femmes massaï, peules et zoulous se traduisent aussi en rangs de billes de spinelles rouges et noirs, d'émeraudes et de grenats mandarins tressés en collier, créoles et bracelets couronnés de saphirs. Toujours sensible au croisement des cultures et des regards, la Maison profite de cette collection pour inviter le jeune artiste plasticien Evans Mbugua. Nées de ses rencontres avec les animaux de son pays d'origine, le Kenya, six histoires pleines de malice donnent ainsi naissance à six broches très logiquement réunies sous le nom d'*Espiègleries* (voir p. 165 et 167).

CI-CONTRE
Projet de bracelet en or à décor de têtes d'éléphants, atelier de dessin Chaumet, vers 1960-1970, crayon graphite, gouache et rehauts de gouache sur papier calque. Paris, collections Chaumet.

PAGE DE DROITE
Bague *Terres d'Or*, or blanc et or jaune, laque, saphirs jaunes et diamants. Bague *Terres d'Or*, or blanc et or jaune, laque, rubis, saphirs jaunes et diamants. Bague *Terres d'Or*, or blanc et or jaune, rubis, saphirs jaunes et diamants. Boucles d'oreilles *Terres d'Or*, or blanc et or jaune, perles de rubis, laque, saphirs jaunes et diamants. Bague *Terres d'Or*, or blanc et or jaune, rubis sang de pigeon et diamants. Collection *Les Mondes de Chaumet*, 2018.

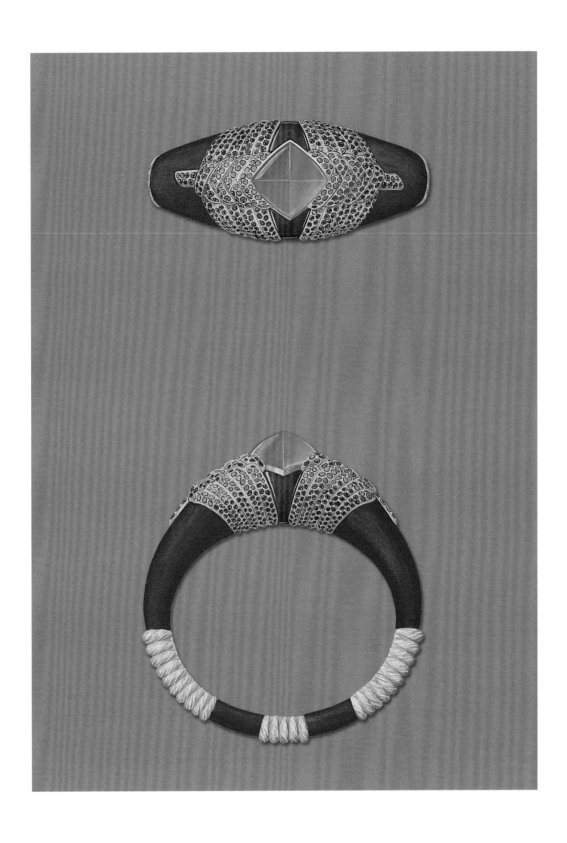

PAGE DE GAUCHE
Collier transformable, bague
et boucles d'oreilles *Cascades
royales*, collection *Les Mondes
de Chaumet*, 2018, or blanc
et or jaune, émeraude, onyx
et diamants.

CI-DESSUS
Gouaché du bracelet *Talismania*,
collection *Les Mondes de
Chaumet*, 2018, gouache
et rehauts de gouache sur
papier teinté. Paris, collections
Chaumet.

MALICIEUSE

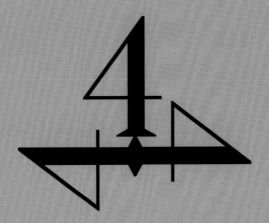

« J'AIMAIS SURTOUT SES JOLIS YEUX,
PLUS CLAIRS QUE L'ÉTOILE DES CIEUX,
J'AIMAIS SES YEUX MALICIEUX. »

VERLAINE, *ROMANCES SANS PAROLES*, 1874

Comme l'impératrice Joséphine, sa première inspiratrice qui fut une femme croquant la vie, quitte à bousculer les conventions, la Maison a fait sien cet esprit de liberté. Passée maître dans le pas de côté, elle pimente le quotidien d'une touche d'espièglerie qui pique la curiosité autant qu'elle fait sourire. Du diadème antennes de 1909 aux récentes broches de Haute Joaillerie *Encres*, inspirées des tatouages de marins (p. 158), la créativité et la virtuosité de Chaumet colorent ainsi les époques d'un brin d'inattendu toujours bienvenu.

EN HAUT, À GAUCHE
Broche *Encres*, collection *Ondes et Merveilles de Chaumet*, 2022, or blanc, jaune et rose, diamants, rubis, cristal de roche et émail Grand Feu.

EN HAUT, À DROITE
Broche *Encres*, collection *Ondes et Merveilles de Chaumet*, 2022, or blanc, jaune et rose, diamants, rubis, saphirs, grenats spessartites et émail Grand Feu.

CI-DESSUS
Broche *Encres*, collection *Ondes et Merveilles de Chaumet*, 2022, or blanc, jaune et rose, diamants, turquoise, onyx et émail Grand Feu. Collection privée.

CI-CONTRE
Broche *Encres*, collection *Ondes et Merveilles de Chaumet*, 2022, or blanc, or jaune et or rose, diamants, turquoise, saphirs jaunes, grenats et spinelles, émail Grand Feu et laque.

CI-DESSUS
Broche *Encres*, collection *Ondes et Merveilles de Chaumet*, 2022, or blanc, or jaune et or rose, diamants, émail Grand Feu, turquoise et nacre.

PAGE DE DROITE
Broche *Sonate d'Automne*, collection *Espiègleries*, 2019, or jaune et or blanc, diamants, œil-de-tigre et laque.
Broches papillons et escargot *Espiègleries*, 2019, or rose, grenat, or jaune et œil-de-tigre.

GRÂCE ET
CARACTÈRE

Déployée en triptyque pétillant d'espièglerie, la campagne Grâce et Caractère pose en 2018 les fondements d'une Maison plus que bicentenaire qui ne se prend pas pour autant au sérieux. Une Parisienne incarnant la légèreté de l'esprit et de la silhouette se transforme en Cendrillon du troisième millénaire, ses chaussures de vair devenues mules à talon en plexiglas surmontées d'un bijou de cheville. L'élégance innée de l'héroïne lui permet aussi de saluer en gants blancs ponctués de bagues de la collection *Joséphine* et de porter à l'envers le diadème *Firmament Apollinien* (ci-contre).

Coutumière des exercices de style devenus cas d'école, la Maison dédie en 2019 une exposition à l'art du décalage. Intitulé « Autrement », l'événement fait converser art et mode, les pièces adoptant des portés détournés hautement séduisants : un collier devient ferronnière, ce bijou chaîne porté sur le front, à moins d'être tressé dans les cheveux, un bracelet remonte en *bazuband*, ces joncs traditionnels de la dynastie moghole portés haut sur le bras par les maharanis, les broches quant à elles viennent se piquer dans la chevelure. Autant d'attitudes capturées par la photographe de mode suédoise Julia Hetta, les reproductions malicieusement présentées dans des cadres historiques remontant jusqu'au XVe siècle (ci-dessous).

CI-CONTRE
L'exposition « Autrement »,
au 165, boulevard
Saint-Germain.

PAGE DE DROITE
Diadème *Firmament
Apollinien*, collection
La Nature de Chaumet,
2016, or blanc, diamants,
saphirs. Collection privée.

FAUNE
ESPIÈGLE

Artiste atypique, le sculpteur René Morin retient l'attention de la Maison qui l'engage en 1962 et lui donne carte blanche. Ainsi naissent une série d'objets insolites, des animaux comme cette licorne taillée dans un bloc de lapis-lazuli, sa crinière faite d'or et de turquoise (p. 164). On lui doit aussi un sanglier en hématite, un hibou en quartz ou encore des broches et bracelets Minotaure qui font sensation dans la toute nouvelle boutique ouverte 12, place Vendôme, L'Arcade (voir également p. 34, 36-37 et p. 461). En 1970, la fantaisie de René Morin donne naissance à trente-sept animaux sculptés dans des chutes de cristal brut Baccarat – Chaumet pratique « l'upcycling » avant l'heure. La complicité entre la manufacture lorraine, dont les premiers fours ont été allumés en 1764, et le joaillier parisien, né en 1780, est immédiate. Présentée en 1971 à Paris dans le quartier historique du Marais, au musée de la Chasse et de la Nature, sous le parrainage du ministre chargé de la Protection de la nature et de l'environnement, l'exposition « Bestiaire fabuleux » fusionne l'Arche de Noé et les *Fables* de Jean de La Fontaine. Baptisé de noms plus ou moins symboliques, de la chèvre Amalthée en clin d'œil à l'animal mythologique qui allaite Zeus enfant, au dromadaire Resita, de l'aigle Vultur au taureau Vitellus, chacun affiche une forte personnalité. Tel le renard Filou, qui a rejoint en 2022 les collections patrimoniales de la Maison, avec ses moustaches dorées en vermeil aux aguets et ses yeux en œil-de-tigre et œil-de-chat presque taquins (p. 166).

Devenu son époux trois ans plus tôt, l'aristocrate britannique et grand défenseur des arts Sir Valentine Abdy, sixième baron d'Albyns, choisit en 1974 pour Mathilde de La Ferté un collier à la thématique insolite, une pieuvre (p. 299). Sculpté dans un cristal de roche opaque, le mollusque s'agrippe à une algue en jaspe pour symboliser l'attachement des époux – onze ans plus tard pourtant, Lady Abdy épouse Édouard de Rothschild, dont la famille est grande cliente de la Maison.

Fidèle à cet esprit facétieux, dans lequel Dame Nature n'est jamais très loin, Chaumet imagine des broches aussi bucoliques que rigolotes. Là, un escargot grimpe sur des bottes de jardinier à semelle de diamant (p. 159), ici, une tourmaline rubellite, une aigue-marine ou une tanzanite poire, la taille préférée de l'impératrice Joséphine qui lui rappelait les gouttes de rosée du matin, s'accrochent à un tuyau d'arrosage, une pelle de jardiner ou un épouvantail.

C'est au hasard d'une découverte dans le centre de la France, lors d'une exposition de jeunes artistes à l'abbaye de Saint-Savin, que la Maison, séduite par l'une de ses toiles, a invité le plasticien Evans Mbugua. De cette rencontre sont nées en 2018 six broches *Espiègleries* racontant avec humour et poésie le Kenya dont est originaire le jeune talent. En hommage aux familles de pachydermes croisées dans le parc national d'Amboseli, au pied du Kilimandjaro, un éléphant en opale rose aux yeux de saphir se rend à une fête

Paire de broches abeilles, période Chaumet, vers 1970, or jaune et diamants. Collection privée.

PAGE DE GAUCHE
Clip licorne, période Chaumet
(René Morin), 1965, lapis-lazuli,
turquoise, diamants, or et rubis.
Collection Diane Morin.

CI-DESSUS
Broche *Espiègleries*, collection
Les Mondes de Chaumet, 2018,
or blanc et or jaune, diamants,
saphirs, saphirs jaunes et roses.
Paris, collections Chaumet.

où il apporte un bouquet de fleurs calé dans sa trompe. Le singe paresseux profite de la gentillesse du zèbre pour grimper sur son dos, le lion s'étire après sa sieste (p. 165), les fourmis acrobates, qui peuvent être portées en boucles d'oreilles, s'affairent, quand la girafe a la tête dans les nuages (p. 167).

CI-DESSUS
Filou, collection
Le Bestiaire fabuleux,
collaboration entre
Chaumet (René Morin)
et Baccarat, 1971, cristal,
vermeil, verre et
œil-de-tigre. Paris,
collections Chaumet.

PAGE DE DROITE
Broche girafe *Espiègleries*,
collection *Les Mondes de
Chaumet*, 2018, or blanc et
or jaune, émail Grand Feu,
cristal de roche et onyx.
Paris, collections Chaumet.

UNE MAISON...

COMPLICE

« JE N'AI PAS PASSÉ UN JOUR SANS T'AIMER ;
JE N'AI PAS PASSÉ UNE NUIT SANS TE
SERRER DANS MES BRAS ; JE N'AI PAS PRIS
UNE TASSE DE THÉ SANS MAUDIRE
LA GLOIRE ET L'AMBITION QUI ME TIENNENT
ÉLOIGNÉ DE L'ÂME DE MA VIE. »
LETTRE DE NAPOLÉON À JOSÉPHINE, MARS 1796

PAGE DE GAUCHE
Médaille *Jeux de Liens
Harmony,* or jaune
et diamants.

DOUBLE PAGE
PRÉCÉDENTE,
À GAUCHE
Sautoir *Jeux de Liens,*
or rose, malachite,
nacre et diamants.

Complice des histoires d'amour, la Maison l'est depuis cette
première rencontre entre François-Regnault Nitot, le fils du
fondateur, et Joséphine qui le fait « Joaillier ordinaire de
l'Impératrice ». Au-delà du titre prestigieux, la Maison devient
la référence en matière de bijoux de sentiment, toujours
heureuse d'accompagner une histoire d'amour, qu'elle soit
scellée par un simple anneau d'engagement, une opulente
corbeille de mariage ou un précieux diadème.

171

LES DÉPENSES
DE JOSÉPHINE

L'IMPÉRATRICE DISPOSE
D'UN BUDGET ANNUEL DE
450 000 FRANCS
POUR « LA TOILETTE ET
LA GARDE-ROBE ». OR, EN 1805,
SES ACHATS ATTEIGNENT
1,4 MILLION
DE FRANCS.

EN 1809, SA GARDE-ROBE
COMPTE **49** GRANDS HABITS
DE COUR, **496** CHÂLES ET
FOULARDS, **785** PAIRES
DE SOULIERS ET **1 132**
PAIRES DE GANTS.

« ELLE NE SOLLICITAIT
PAS D'ARGENT, ELLE ME FAISAIT
DES MILLIONS DE DETTES. »
NAPOLÉON AU SUJET DES DÉPENSES DE JOSÉPHINE

*L'Impératrice Joséphine
devant sa psyché*, Jean-
Baptiste Isabey, 1808,
aquarelle. Paris, musée
du Louvre.

JOSÉPHINE ET NAPOLÉON, UNE HISTOIRE (EXTRA)ORDINAIRE

En 2021, à l'occasion du bicentenaire de la mort de Napoléon Ier, Chaumet présente au *12 Vendôme*, l'exposition « Joséphine et Napoléon – Une histoire (extra)ordinaire ». Racontant les grands moments de cette histoire d'amour passionnelle, elle s'attache surtout à en illustrer les aspects les plus émouvants à travers de nombreuses pièces jamais montrées jusque-là (voir également p. 44-47).

Lorsqu'ils se rencontrent, lui est un petit général timide venu de Corse, plus à l'aise avec les livres qu'avec les femmes. Elle s'appelle Marie-Joseph-Rose de Beauharnais, a obtenu la garde de ses deux enfants, ce qui démontre un tempérament hors du commun, et joue de son charme pour naviguer parmi tous les dangers de la période révolutionnaire qui vaut d'ailleurs à son mari d'être guillotiné. Bonaparte tombe fou amoureux d'elle. Il le restera jusqu'à sa mort. Pour se détacher de son prénom de mère et de veuve, le futur empereur lui donne celui de Joséphine. À peine sont-ils mariés, en mars 1796 – en ayant pris soin de mentir sur leur âge pour gommer les six années qui les séparent puisqu'elle a trente-deux ans, lui tout juste vingt-six –, qu'il part batailler en Italie. Les lettres qu'il lui écrit chaque jour sont des déclarations enflammées exigeant toujours plus de preuves d'amour.

Dans son île natale de la Martinique, une voyante avait prédit à la jeune fille qu'elle serait « plus que reine », mais finirait sa vie « seule et malheureuse ». Effectivement, sacrée impératrice des Français en 1804, Joséphine seconde magnifiquement Napoléon dans l'instauration du nouveau régime, avec la complicité de la Maison qui lui crée des parures en diamants, turquoises et émeraudes, des paires de bracelets, des camées en corail, des bandeaux et des peignes sertis de pierres précieuses, des girandoles en perles, qu'elle adore. Consciente de donner le ton en matière de mode, l'Impératrice maîtrise parfaitement son image. Mais, faute d'avoir donné un héritier à l'Empereur, elle doit accepter de divorcer. L'exposition montre sa lettre d'accord, cette bouleversante missive par laquelle elle accepte la séparation d'avec Napoléon pour raison d'État. À côté est présenté l'éventail qu'elle brise alors en entendant la terrible demande. Rien pourtant ne fera faiblir cet amour. Même remarié, Napoléon reste attaché à Joséphine jusqu'à son lit de mort, où ses derniers mots auraient été pour elle.

Parure aux camées de malachite de l'impératrice Joséphine, attribuée à François-Regnault Nitot, vers 1810, or, malachite et perles. Paris, fondation Napoléon.

EUGÉNIE ET
NAPOLÉON III

Comme Joséphine, Eugénie est une femme moderne ayant fait un mariage
d'amour. Ce qui ne l'empêchera pas d'exercer un réel pouvoir, défendant les
causes auxquelles elle croit. Née en Espagne sous le nom d'Eugénie de Palafox
y Portocarrero, comtesse de Teba, elle vient de rompre ses fiançailles avec
son cousin lorsqu'elle se réfugie à Paris avec sa mère, la comtesse de Montijo.
Les deux femmes logent dans l'hôtel particulier du 12, place Vendôme – où
Frédéric Chopin vient de s'éteindre – Joseph Chaumet y établissant la Maison
cinquante ans plus tard. Neveu de Napoléon Ier par son père et petit-fils de
Joséphine par sa mère, Hortense de Beauharnais, Louis-Napoléon Bonaparte
s'éprend de la belle Andalouse, aussi élégante qu'intelligente. Lors d'une
promenade à Compiègne, la jeune femme compare une feuille de trèfle sous
la rosée à un bijou. Il n'en faut pas plus au prince-président pour commander
à un joaillier une délicate broche trèfle en or, émeraudes et diamants.
Eugénie en fera exécuter une seconde en émail vert translucide ourlé
de diamants par Fossin, qu'elle portera toute sa vie en devant de corsage
(page ci-contre, à droite).

Devenu l'empereur Napoléon III, il trouve en elle sa jeune impératrice – elle
a dix-huit ans de moins que lui. Lui ayant demandé le chemin pour être convié
dans son lit, elle aurait rétorqué « Par la chapelle, Sire ! ». C'est chose faite
le 30 janvier 1853, les mariés se rendant à la cathédrale Notre-Dame de Paris
dans le carrosse utilisé par Napoléon et Joséphine lors du couronnement
de 1804. La Maison réalise les anneaux de mariage des deux futurs époux,
ainsi que les bracelets, broches de corsage et d'épaule pour la corbeille de
mariage. Les festivités, dignes de celles de Versailles du temps du roi Louis XIV,
placent le Second Empire naissant sous le signe de la prospérité. Ce qui
n'empêche pas la souveraine de demander à ce que les 600 000 francs de
cadeau de mariage votés par la mairie de Paris pour un collier de diamants
soient alloués à un établissement accueillant les jeunes filles pauvres. En
décembre 1856, l'Orphelinat du Faubourg-Saint-Antoine (devenu la fondation
Eugène-Napoléon), qui a pratiquement coûté le triple, est inauguré. Il est le
premier d'une longue liste d'institutions caritatives fondées sous son impulsion.
Désireuse d'asseoir son autorité et de diffuser les effigies officielles de la
nouvelle dynastie, Eugénie fait de nombreuses commandes au portraitiste
Franz Xaver Winterhalter, peintre officiel du roi Louis-Philippe Ier et de la famille
royale britannique. Rayonnante, la souveraine adopte les somptueuses robes
à crinoline du couturier Charles Frederick Worth qui peut confectionner jusqu'à
mille robes pour un seul bal – la profusion de dentelles, volants et rubans alors
à la mode doit beaucoup à l'invention de la machine à coudre. La Maison,
qui fournit régulièrement la mère de l'Impératrice, accorde ses créations aux
engagements de la souveraine en créant pour elle broches portrait, montre de
chasse, diadème ailes pouvant être portées en devant de corsage, bouquets
de coiffure, couronne de fleurs de jasmin... L'entente est si parfaite qu'Eugénie
aurait proposé à Jules Fossin de devenir son joaillier attitré, un honneur qu'il
aurait décliné par fidélité à la famille d'Orléans et à Louis-Philippe Ier qui avait
nommé « Fossin et Fils joailliers et bijoutiers du Roi ». La complicité de
la Maison avec ses clients s'exprime aussi dans la loyauté.

« ELLE […] EST BONNE ET
CHARITABLE AVEC GRÂCE,
ENFIN TOUT CE QUI FRAPPE
L'IMAGINATION, LES SENS,
LE CŒUR AU BESOIN.
VOILÀ TOUS LES HOMMES
AMOUREUX D'ELLE. »

GEORGE SAND AU SUJET DE L'IMPÉRATRICE EUGÉNIE
DANS *LE TEMPS*, 1871

CI-DESSUS
*L'Impératrice Eugénie
entourée des dames
d'honneur du palais,* Franz
Xaver Winterhalter, 1855,
huile sur toile. Musée
national du Château de
Compiègne.

CI-CONTRE
Broche trèfle de
l'impératrice Eugénie,
période Fossin, 1852,
or, argent, émail vert et
diamants. Paris, collections
Chaumet.

LE BIJOU
DE SENTIMENT

L'une des premières créations connues de Marie-Étienne Nitot, le fondateur de la Maison, est une petite boîte en or, écaille et émail. Commandée par son père, elle est ornée d'un portrait de sa fille, la marquise de Lawoestine, morte en couches (p. 180, en haut à gauche). En mémoire de cette ravissante jeune femme dont la reine Marie-Antoinette vantait « le visage de Vénus et la taille de Diane », le joaillier réalise cet émouvant bijou de sentiment destiné à conserver le souvenir d'un être aimé, au message sincère : « Ton père infortuné te regarde sans cesse, de te joindre bientôt, il attend le moment. » Soixante ans plus tard, en 1849, lorsque la reine d'Angleterre Victoria apprend la mort de sa chère tante, la reine douairière Adélaïde de Saxe-Meiningen, elle commande immédiatement à la Maison quatre médaillons de deuil en sa mémoire.

Objet de souvenir, le bijou de sentiment peut aussi prendre la forme d'un message, d'un mot d'amour, d'une date ou d'un prénom. C'est le principe du bracelet acrostiche dont était friand Napoléon Ier. Inspiré du type de poème du même nom dont les premières lettres de chaque vers lues dans le sens vertical forment un mot, cet objet jouant avec les initiales des pierres s'offre lors d'une occasion exceptionnelle, un mariage, une naissance, un anniversaire ou tout simplement comme témoignage d'amour. En épousant Joséphine, veuve avec deux enfants de quinze et treize ans, Napoléon se retrouve à la tête d'une famille recomposée. Il décide alors d'adopter Eugène et Hortense et commande à la Maison, en cadeau pour Joséphine, deux bracelets acrostiches à leurs prénoms, chaque pierre étant encadrée de fleurettes de diamants (p. 182) – les deux bijoux de sentiment appartiennent aujourd'hui à S. M. la reine Margrethe II de Danemark. Depuis, Chaumet perpétue cette tradition du bijou de sentiment, le revisitant au fil des époques. Pour ses deux cent quarante ans, la Maison a ainsi imaginé un bracelet acrostiche entièrement personnalisable. Montée sur une maille en or reprenant le motif du lien, chaque création permet de composer son propre message d'amour en piochant dans l'abécédaire de pierres fines et précieuses (p. 183).

Lancée en 1977, la collection *Liens d'Or* offre une réinterprétation contemporaine du bijou de sentiment. Tout comme les motifs de nœud et de ruban, hérités du XVIIIe siècle, le lien reprend un symbole cher à la Maison, celui de l'attachement sentimental. Signant de nombreuses créations, dont ce collier serre-cou transformable en diadème bandeau des années 1910, son dessin graphique se décline aujourd'hui en pièces talismans, faciles à porter en accumulation. Colorées de malachite, d'onyx, de turquoise, de lapis-lazuli, de cornaline ou de nacre, ou encore pavées de diamants, les collections *Jeux de Liens* (p. 168 et p. 181) et *Jeux de Liens Harmony* (p. 170) rivalisent de charme avec les colliers cravates et joncs enlacés de *Liens Séduction*.

Collier, bracelet et bague
Liens d'Or, Chaumet, 1977.
Paris, collections Chaumet.

CI-DESSUS
Projet de pendentif au chiffre
« LF », atelier de dessin
Chaumet, vers 1960, crayon
graphite, gouache, lavis et
rehauts de gouache sur papier
calque. Paris, collections
Chaumet.

CI-CONTRE
Projet de pendentif en forme
de cœur, atelier de dessin
Chaumet, vers 1960, crayon
graphite, gouache, lavis et
rehauts de gouache sur papier
calque. Paris, collections
Chaumet.

EN HAUT, À GAUCHE
Boîte souvenir de la marquise
de Lawoestine, Marie-Étienne
Nitot en collaboration avec
Adrien Vachette, 1789, or,
écaille, camées, coquilles,
émail, gouache. Paris,
collections Chaumet.

EN HAUT, À DROITE
Projet de pendentif en forme
de cœur, orné d'un chiffre en
son centre, atelier de dessin
Chaumet, vers 1960, crayon
graphite, gouache, lavis et
rehauts de gouache sur papier
calque. Paris, collections
Chaumet.

Pendentifs *Jeux de Liens*,
or rose, diamants et nacre.

LES BRACELETS ACROSTICHES D'EUGÈNE ET HORTENSE DE BEAUHARNAIS

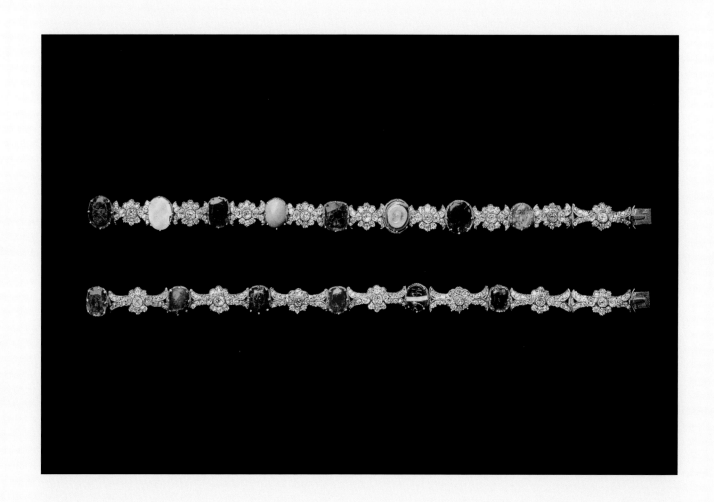

Paire de bracelets acrostiches de l'impératrice Joséphine aux prénoms d'Eugène et Hortense, période Nitot, vers 1806, diamants, pierres précieuses et fines. Collection de la Maison royale de Danemark - Det Danske Kongehus' Løsørefideikommis.

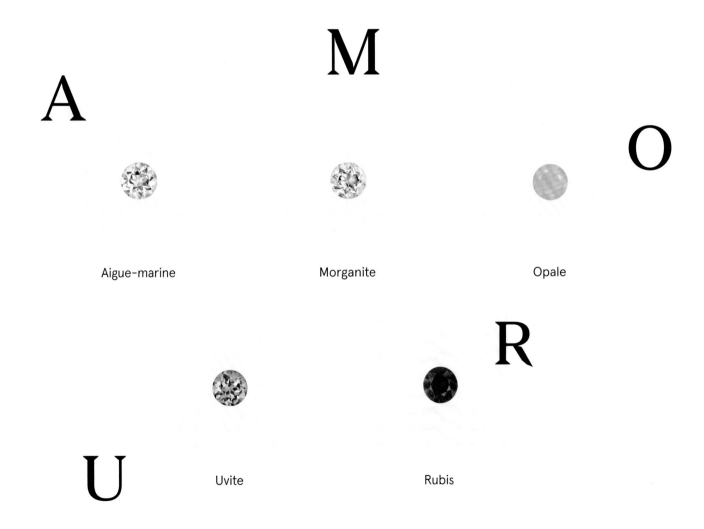

A — Aigue-marine

M — Morganite

O — Opale

U — Uvite

R — Rubis

Bracelet *Les Acrostiches Jeux de Liens* au message « amour », 2021, or et pierres précieuses.

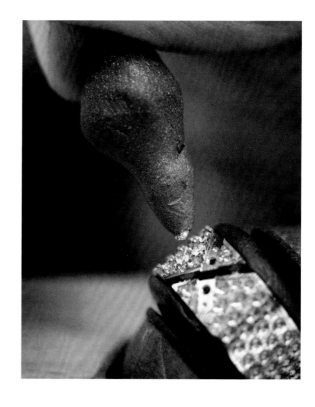

CI-DESSUS
La nouvelle bague
bandeau *Liens Évidence,*
en cours de sertissage.

CI-CONTRE ET EN
HAUT, À GAUCHE
Bague *Jeux de Liens,* or
blanc, diamants et saphirs.

PAGE DE DROITE
Gouaché du collier négligé
Liens Inséparables (or
blanc, diamants et saphirs),
2023, studio de création
Chaumet, gouache et
rehauts de gouache
sur papier teinté. Paris,
collections Chaumet.

184

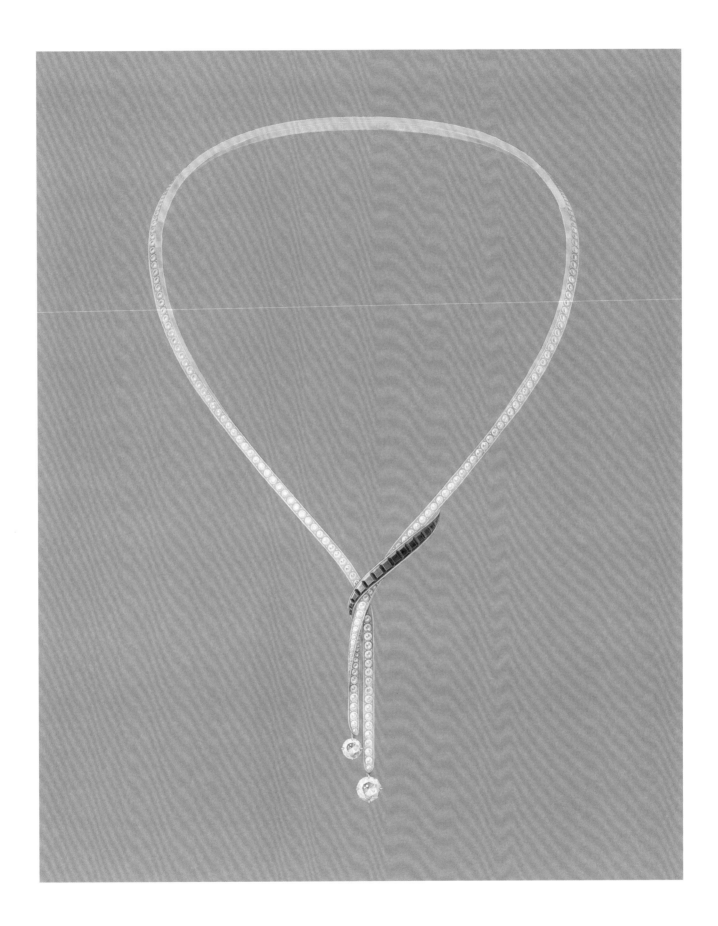

UNE ÉDUCATION
SENTIMENTALE

Après avoir été soutenu par l'impératrice Eugénie lors du procès pour atteinte aux bonnes mœurs qui suit la parution de son roman *Madame Bovary*, Gustave Flaubert publie *L'Éducation sentimentale* en 1869. Largement inspiré des souvenirs de jeunesse de l'auteur et de sa rencontre à quinze ans avec Élisa Schlésinger, qui restera l'amour de sa vie, le récit offre une peinture savoureuse de la société du Second Empire et de ses fastes auxquels la Maison contribue. Aussi, lorsqu'elle décide en 2015 de célébrer le bijou de sentiment à travers une exposition dédiée au *12 Vendôme*, l'événement est-il malicieusement intitulé « Une éducation sentimentale ». Dans un décor rouge comme la passion avec passage dans le trou d'une serrure au rythme des battements d'un cœur, les créations joaillières, dessins et photographies sélectionnés dans les très riches archives de la Maison racontent l'amour au fil des époques : fiançailles, corbeilles de mariage, « cadeau du matin » au lendemain de la nuit de noces, naissance, anniversaires de mariage.

Projet de devant de corsage nœud et cœur, atelier de dessin Chaumet, vers 1900-1910, encre et lavis d'encre sur papier teinté. Paris, collections Chaumet.

1 - 191.

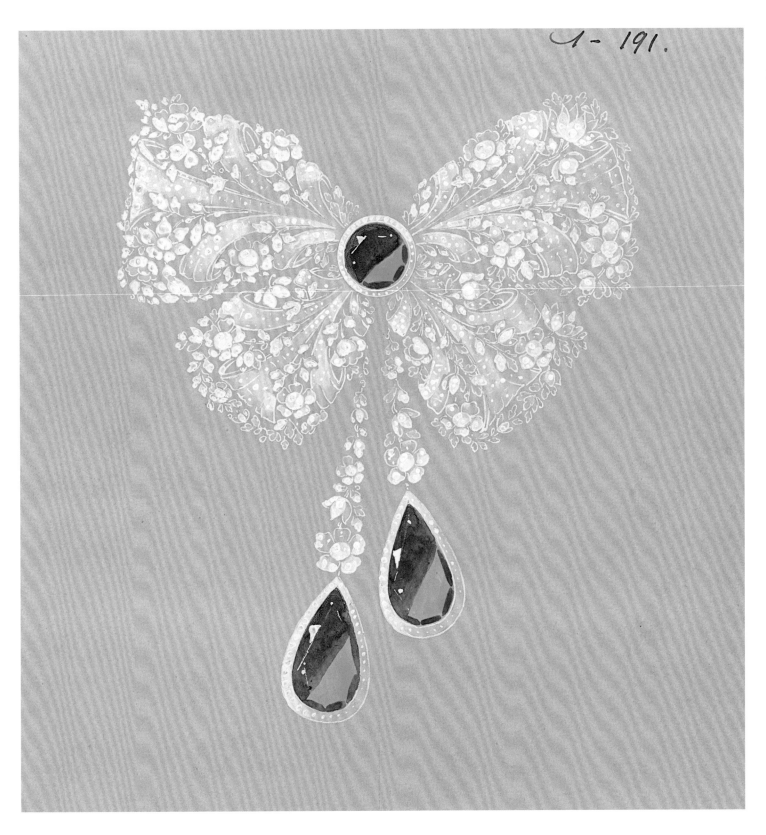

PAGE DE GAUCHE,
EN HAUT
Photographie d'un
diadème à décor de
ruban noué, laboratoire
photographique Chaumet,
vers 1900, positif d'après
un négatif sur plaque de
verre. Paris, collections
Chaumet.

PAGE DE GAUCHE,
EN BAS
Photographie d'un devant
de corsage en forme
de nœud, laboratoire
photographique Chaumet,
vers 1900, positif d'après
un négatif sur plaque de
verre. Paris, collections
Chaumet.

CI-DESSUS
Projet de devant de
corsage en forme de
nœud (diamants et
émeraudes), atelier de
dessin Chaumet, vers 1900,
gouache, lavis et rehaut de
gouache sur papier teinté.
Paris, collections Chaumet.

CI-DESSUS
Alliance, solitaire et bague
Joséphine Aigrette, or
blanc, diamants et perles.

PAGE DE GAUCHE
Solitaire *Joséphine
Aigrette Impériale*, platine
et diamants.

The
Guitrys
in
London

Yvonne Printemps,
the brilliant French
comédienne, and her
husband, Sacha
Guitry in "Mariette"
at His Majesty's

LES GRANDS
AMOUREUX

Tel Napoléon Ier incapable de s'opposer à la passion de Joséphine pour les joyaux qu'elle commande sans compter à la Maison, de nombreux hommes follement amoureux s'adressent au joaillier, certains de trouver là une écoute bienveillante et une audace créative capables de s'accorder à leurs souhaits. En 1852, l'atelier de Jules Fossin réalise ainsi avec le même enthousiasme la broche trèfle de la future impératrice Eugénie (p. 177, en bas) qu'une simple bague sertie de diamants d'une valeur de 220 francs, achetée par le compositeur et grand séducteur Hector Berlioz. Le hasard d'une répétition de *Hamlet*, le drame de Shakespeare, au théâtre de l'Odéon lui fait croiser la route de l'actrice irlandaise Harriet Smithson. C'est le coup de foudre. Elle est criblée de dettes, il l'épouse quand même – elle lui aurait inspiré sa *Symphonie fantastique*. Mais il succombe rapidement aux charmes d'une jeune pianiste nommée Camille Moke, avant de s'enflammer pour la cantatrice Marie Recio à laquelle est destinée la bague.

Contrairement à Berlioz, obligé de cumuler trois emplois pour assumer ses besoins et ses conquêtes, le comte Guido Henckel von Donnersmarck est richissime. Objet de toutes les convoitises féminines, l'aristocrate prussien tombe sous le charme d'une courtisane de onze ans son aînée, la Païva. Née dans le ghetto de Moscou, mariée à dix-sept ans à un tailleur français, Esther Thérèse Lachmann abandonne époux et enfant pour Paris, la ville de tous les possibles. Après s'être acheté un titre en épousant le marquis de Païva, un aristocrate portugais ruiné et fort épris, elle jette son dévolu sur Von Donnersmarck, le faisant courir après elle d'Allemagne en Angleterre, de Paris à Istanbul. Fou amoureux, le riche héritier des mines de Silésie dispense ses largesses. Il lui offre le château de Pontchartrain, à l'ouest de Paris, où elle galope dans le parc habillée en homme, ce qui fait jaser. Il lui fait aussi construire un hôtel particulier au 25, avenue des Champs-Élysées, le nouveau lieu de représentation sociale. Déployant un luxe étourdissant, l'hôtel, occupé aujourd'hui par le Travellers Club, possède notamment une salle de bain de style mauresque avec une baignoire en cuivre plaqué d'argent incrustée dans l'onyx dotée de trois robinets, un pour le lait d'ânesse, un pour le champagne et un pour l'eau tiède. Les bijoux dont le comte la couvre sont tout aussi généreux. À l'image de ce spectaculaire collier de trois rangs composé de 121 énormes perles. Offert au matin des noces, il est considéré comme l'une des plus belles pièces vendues par l'impératrice Eugénie durant son exil. Bien que remarié, Guido Henckel von Donnersmarck aimera sa femme au-delà de la mort, au point de conserver son corps embaumé dans un sarcophage de verre.

Après s'être écrit des poèmes d'amour durant plus de quatre ans, Edmond Rostand et Rosemonde Gérard se marient à Paris en avril 1890 et l'écrivain devient client de la Maison à laquelle il achète bagues et broches pour sa femme adorée, son plus fidèle soutien jusqu'à ce que la gloire n'arrive avec sa pièce *Cyrano de Bergerac*.

Le dramaturge et acteur Sacha Guitry avec Yvonne Printemps, 1929.

PAGE DE DROITE
Photographie d'un
bracelet de style Art déco
orné en son centre d'un
cabochon d'émeraude,
ayant appartenu à Yvonne
Printemps, laboratoire
photographique Chaumet,
1924, positif d'après un
négatif sur plaque de
verre. Paris, collections
Chaumet.

CI-DESSUS
La chanteuse et
comédienne Yvonne
Printemps en 1936, portant
des bijoux Chaumet dont
le fameux bracelet à
l'émeraude cabochon de
111 carats, offert par Sacha
Guitry en 1924.

Aussi brillant comédien qu'auteur ou metteur en scène, Sacha Guitry naît en 1885. Très tôt, il s'avère le digne fils de son père, l'acteur Lucien Guitry qui collectionne les liaisons. Dans ses conquêtes figure notamment la comédienne Sarah Bernhardt, que l'on dit à l'origine du « star-system », dont l'image, désormais photographiée, est diffusée dans le monde entier. Éternel amoureux, Sacha Guitry épouse cinq femmes, la première, la ravissante Charlotte Lysès, n'est autre que l'ex-compagne de son père. Durant trente ans, Guitry est un fidèle du *12 Vendôme*, ses achats couvrant pas moins de quarante pages dans les livres de factures archivées par la Maison. Sa deuxième femme, la diva de l'opérette Yvonne Printemps (ci-contre et p. 192) est aussi réputée pour son mauvais caractère que pour ses somptueux bijoux, incluant une manchette spectaculaire en or ouvragé serti d'une émeraude cabochon de 111 carats (ci-contre et ci-dessous).

Au printemps 1917, Pablo Picasso rejoint à Rome les Ballets russes, la compagnie montée par Serge de Diaghilev, installée entre Paris, Monte-Carlo et Londres. Introduit par son ami Jean Cocteau, le peintre découvre le monde du spectacle, créant durant plusieurs années les décors, costumes, rideaux de scène et même chorégraphie des créations de Diaghilev. À Rome, Picasso a le coup de foudre pour une ballerine russe, Olga Khokhlova qu'il épouse l'année suivante à Paris en la cathédrale orthodoxe Saint-Alexandre-Nevsky. Le couple s'installe Rive gauche, à l'hôtel Lutetia et Picasso n'a de cesse de la peindre – elle reste le personnage féminin le plus représenté de son travail, quelque cent quarante œuvres portant son prénom (p. 196, en haut). Amatrice de diamants, Olga possède notamment une broche-bijou de sac à ses initiales (p. 196, en bas) et un bracelet-montre aux anneaux de saphirs et diamants réalisés par la Maison.

Meneuse de revue au Casino de Paris dans les années 1920, Lili Damita apprécie particulièrement les créations de Chaumet auquel elle commande collier de perles fines et série de bracelets. Croqueuse d'hommes, elle a une liaison avec le duc Amédée de Vallombrosa, le réalisateur américain Michael Curtiz puis le prince Louis-Ferdinand de Prusse, avant de rencontrer Errol Flynn sur le paquebot qui l'emmène à New York en 1935 (p. 197). De cinq ans son cadet, le comédien n'est guère connu. Elle lui fait profiter de son succès, tournant avec les plus grands réalisateurs, George Cukor, Ernst Lubitsch et Max Ophüls, pour l'aider à grimper dans l'échelle hollywoodienne jusqu'à jouer aux côtés d'Olivia de Havilland, Bette Davis, Anthony Quinn, Humphrey Bogart et Ronald Reagan.

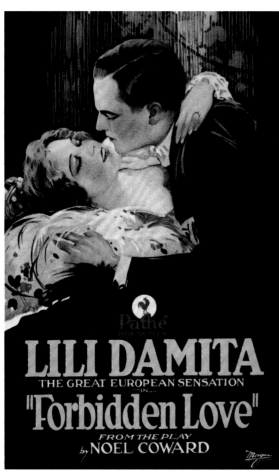

CI-DESSUS
Affiche du film *Forbidden Love*,
avec Lili Damita en actrice
principale, 1927.

EN HAUT, À DROITE
Un des nombreux portraits de
la femme de Pablo Picasso,
la danseuse étoile russe Olga
Khokhlova, *Portrait d'Olga dans
un fauteuil*, 1918, huile sur toile.
Paris, musée national Picasso.

CI-CONTRE
Photographie de la broche
monogramme aux initiales d'Olga
Picasso (platine et diamants),
laboratoire photographique
Chaumet, 1930, positif d'un
négatif sur plaque de verre.
Paris, collections Chaumet.

PAGE DE DROITE
Lili Damita et son époux Errol
Flynn à Los Angeles, 1936.

LES GRANDS
MARIAGES

Débutée avec Napoléon et Joséphine, l'histoire de la Maison s'écrit en affinité avec celles des grands mariages qui font vibrer le monde entier. En 1810, en l'honneur du deuxième mariage de Napoléon avec l'archiduchesse Marie-Louise de Habsbourg-Lorraine, la Maison réalise une splendide parure en perles composée de colliers, rangs à porter dans la chevelure, boucles d'oreilles et bracelet. Livrée en 1891, la corbeille de mariage du huitième duc de Montellano, Felipe Falcó y Ossorio, déploie quant à elle merveilleusement le motif du nœud en parure de diamants colorée de turquoises (p. 202-203). En 1906, Chaumet crée un diadème à fleur de lys, initialement en diamants, transformé plus tard avec des cabochons de turquoises (p. 201, au centre) pour la petite-fille de la reine d'Angleterre, Victoria de Battenberg, qui épouse le roi Alphonse XIII d'Espagne – l'actuel roi Felipe VI est leur arrière-petit-fils. Quelques années plus tard, la Maison réalise en un temps record la corbeille de mariage de Félix Youssoupoff et Irina de Russie, nièce du tsar Nicolas II par sa mère, la grande-duchesse Xénia de Russie, qui est cliente de la Maison. Ils forment l'un des couples superbes de ce début de XXᵉ siècle. Tout comme Sixte de Bourbon-Parme et Hedwige de La Rochefoucauld qui convolent en 1919, Chaumet, fidèle aux liens étroits l'unissant à la famille de la mariée, livre un délicat diadème à fleurs de fuchsias dont s'échappent des diamants en chute (p. 454-455).

Choyées par Joseph Chaumet et ses fidèles vendeurs, à l'image de Valentin et Maxime Vigier ayant fait quarante et trente-six ans de Maison, les familles ont l'assurance de trouver un allié au *12 Vendôme*. C'est le cas des parents de la comtesse de Frigiliana, María Cristina Falcó y Álvarez de Toledo, dont la corbeille de mariage comprenant un ravissant diadème à motif de rosaces est fournie par la Maison. Autre fidèle, la famille royale du Maroc s'adresse à Chaumet pour imaginer le diadème de la princesse Lalla Hasna lorsqu'elle épouse en 1994 Khalil Benharbit (p. 200, en haut). Pour le mariage royal entre la princesse Alice de Bourbon-Parme et l'infant d'Espagne le prince Alphonse de Bourbon-Siciles en 1936, Chaumet livre trois parures en saphirs, perles, et rubis et diamants. Le marié n'est autre que l'arrière-petit-fils du dernier roi des Deux-Siciles, Ferdinand II, dont Maria-Carolina de Bourbon-Siciles est aussi une descendante directe. En 2019, l'année de ses seize ans, la jeune duchesse de Calabre et de Palerme portait au Bal des Débutantes un diadème de la Maison. Tout comme l'actrice et chanteuse chinoise Angela Yeung, alias Angelababy, lors de son mariage avec l'acteur Xiaming Huang.

Célébré le 19 juin 2010, le mariage de Victoria de Suède avec Daniel Westling, son professeur de fitness titré pour l'occasion Son Altesse Royale le prince Daniel, prince de Suède, duc de Västergötland, a lieu trente-quatre ans jour pour jour, après celui des parents de la princesse héritière, le roi Charles XVI Gustave de Suède et Silvia Sommerlath. Comme sa mère, la mariée porte à cette occasion le diadème aux camées de l'impératrice Joséphine (p. 200, en bas, et p. 201, en haut), un bijou qui apparaît sur le dernier portrait de la

Réplique de la parure de rubis et diamants de l'impératrice Marie-Louise, fournie par Nitot en 1811, période Chaumet, 1929, or, argent, saphirs blancs, zircons et grenats. Paris, collections Chaumet.

« JE VIENS DONC, MESSIEURS, DIRE À LA FRANCE :
J'AI PRÉFÉRÉ UNE FEMME QUE J'AIME ET QUE
JE RESPECTE À UNE FEMME INCONNUE DONT
L'ALLIANCE EÛT EU DES AVANTAGES MÊLÉS DE
SACRIFICES. SANS TÉMOIGNER DE DÉDAIN POUR
PERSONNE, JE CÈDE À MON PENCHANT, MAIS APRÈS
AVOIR CONSULTÉ MA RAISON ET MES CONVICTIONS »

NAPOLÉON III DEVANT LES CORPS CONSTITUÉS, LE 22 JANVIER 1853

EN HAUT, À GAUCHE
Photographie du diadème
en or et diamants réalisé
pour la princesse Lalla
Hasna, fille du roi Hassan II
du Maroc, 1994, tirage
original. Paris, collections
Chaumet.

EN HAUT, À DROITE
La princesse Lalla Hasna
le jour de son mariage, le
8 septembre 1994, portant
le diadème Chaumet en or
et diamants offert par son
père, le roi Hassan II.

CI-CONTRE
Silvia Sommerlath portant
le diadème aux camées
ayant appartenu à
l'impératrice Joséphine
lors de son mariage avec
le roi Charles XVI Gustave
de Suède à Stockholm
en 1976.

CI-DESSUS
Photographie du
diadème aux fleurs de lys
(diamants et turquoise)
réalisé pour la reine
d'Espagne, laboratoire
photographique Chaumet,
1931, positif d'après un
négatif sur plaque de
verre. Paris, collections
Chaumet.

EN HAUT
La princesse héritière
Victoria de Suède portant
le diadème aux camées
ayant appartenu à
l'impératrice Joséphine
lors de son mariage avec
Daniel Westling, le 19 juin
2010.

CI-CONTRE
La fille unique du prince
Sixte et de la princesse
Hedwige de Bourbon-
Parme, la princesse
Isabelle, comtesse de
La Rochefoucauld, portant
le diadème aux fuchsias
ayant appartenu à sa mère
lors d'une réception à la
cour de Luxembourg,
vers 1950.

souveraine réalisé par le peintre et miniaturiste Fernando Quaglia, peu avant sa mort, le 29 mai 1814. Offert par Napoléon au début du XIXe siècle, il passe ensuite à Hortense de Beauharnais, la fille de Joséphine, qui l'offre à son tour à sa nièce, Joséphine de Leuchtenberg, lors de son mariage avec le prince Oscar de Suède, futur roi Oscar Ier. Depuis, le diadème n'a pas quitté les joyaux de la Couronne de Suède.

Premières noces impériales à Saint-Pétersbourg depuis plus de cent ans, le mariage célébré en 2021 en la cathédrale de Saint-Isaac entre le grand-duc Georges Mikhaïlovitch et Rebecca Bettarini, devenue Victoria Romanovna par son baptême orthodoxe, avait aussi pour complice Chaumet. Perpétuant la longue histoire l'unissant à la Russie, la mariée s'est en effet rendue au *12 Vendôme* pour choisir le diadème de ses rêves. L'heureux élu est le modèle *Lacis*, une résille d'or blanc scintillant de 438 diamants couronnée d'un ovale de cinq carats et d'une poire de deux carats. Revisitant la forme traditionnelle du kokochnik, le diadème offre un subtil écho aux armes de la famille impériale brodées sur la longue traîne de six mètres tenue par six demoiselles d'honneur (voir p. 98-99).

CI-DESSUS
Diadème provenant de la corbeille de mariage des ducs de Montellano, période Chaumet, 1891-1926, or, argent, diamants et turquoises. Collection privée.

PAGE DE DROITE
Collier provenant de la corbeille de mariage des ducs de Montellano, période Chaumet, 1891-1926, or, argent, diamants et turquoises. Collection privée.

UNE MAISON...

COLORÉE

« SI LA COULEUR EST LA LUMIÈRE
ORGANISÉE, NE DOIT-ELLE PAS AVOIR
UN SENS COMME LES COMBINAISONS
DE L'AIR ONT LE LEUR ? »

HONORÉ DE BALZAC, *LE LYS DANS LA VALLÉE*, 1835-1836

PAGE DE GAUCHE
Quand les pierres des
dessins de Haute Joaillerie
prennent vie : ici, le
spinelle de Tanzanie du
collier *Iris* de la collection
Le Jardin de Chaumet,
2023.

DOUBLE PAGE
PRÉCÉDENTE,
À GAUCHE
Broche plume de paon
transformable en broche
saphir, période Morel, vers
1870, or, argent, diamants,
saphirs et rubis. Collection
Faerber.

Telle une toile pointilliste chatoyante, l'histoire de la Maison
s'est écrite avec les couleurs. Les pierres sélectionnées par
les gemmologues de la Maison en combinant critères de qualité
draconiens et coups de cœur forment ainsi un arc-en-ciel
Chaumet dans lequel puise le studio de création. Les pierres
d'exception qui font la renommée de la Maison flirtent
volontiers avec les pierres fines ou ornementales, tout comme
les matières rares, issues de vieilles mines, côtoient des pierres
plus récentes, sélectionnées pour leur personnalité. La subtilité
des appairages donnant naissance à d'harmonieux mariages
de pierres n'a d'égal que le caractère des contrastes soulignant
une gemme exceptionnelle ou la force d'un dessin.

PROFESSION,
CHASSEUR
DE PIERRES

Conversation avec Françoise Roche, responsable des achats de pierres de couleur de la Maison depuis dix ans.

En quoi consiste votre métier ?

Je cherche, négocie, fais tailler et certifie les pierres de couleur de la Maison avant de les mettre à la disposition du studio de création.

Vous sillonnez donc la planète à la recherche de pierres ?

Absolument. Cela fait presque quarante ans que je vais sur les salons et dans les pays où se trouvent les pierres. Je suis ce que l'on appelle un « chasseur de pierres », toujours à l'affût de la perle rare, avec toute l'émotion que représente la rencontre avec une pierre. C'est ce qui rend ce métier passionnant.

Comment devient-on chasseur de pierres ?

Juste après mon baccalauréat, j'ai fait des études de gemmologie tout en travaillant pour un expert auprès des tribunaux et négociant en pierres. J'ai décroché mon diplôme – à l'époque 10 % seulement des élèves l'obtenaient et les femmes se comptaient sur les doigts de la main ! J'ai trié des pierres pendant un an pour me faire l'œil, puis j'ai commencé à fournir les petits ateliers et, à dix-neuf ans, on m'a confié la clientèle de la place Vendôme. Je suis ensuite entrée dans une grande maison comme bras droit de l'acheteuse de pierres de couleur – elle achetait les grosses pierres, moi les petites. Nous avons voyagé dans le monde entier avec des crédits illimités. Au bout de dix ans, j'ai monté ma propre société de négoce de pierres. Chaumet m'a contactée en 2013. La Maison faisait partie des rares joailliers avec un passé et des ambitions où je savais que je ne m'ennuierais jamais. J'avais raison !

Comment définiriez-vous ces pierres de couleur que vous achetez pour la Maison ?

Trois notions essentielles les définissent. La qualité, liée à un cahier des charges extrêmement élevé. L'audace, avec des partis pris créatifs inédits, comme ces saphirs padparadschas de la collection de Haute Joaillerie *Les Mondes de Chaumet* qui ont lancé une tendance (voir p. 212-213). Et bien sûr, l'art de la couleur avec des appairages d'une infinie subtilité, qui nécessitent parfois plusieurs années de recherches. Ce don de la Maison pour combiner les pierres en osant les alliances de tons chauds et froids, les contrastes les plus inédits ou, au contraire, les dégradés les plus délicats est l'une de ses signatures. Tout cela concourt à l'émotion que procure la pierre.

Une pierre viendrait-elle illustrer ces notions ?

Question difficile ! Je dirais la perle fine rose montée sur une bague dans la collection de Haute Joaillerie *Ondes et Merveilles de Chaumet*. Il s'agit d'une perle quasiment ronde d'un diamètre impressionnant de presque 12 millimètres pour un poids de 18,66 carats. Elle était sur un bijou très ancien. J'ai demandé à ce qu'elle soit dessertie. Elle n'était pas percée. C'était fabuleux, un vrai coup de foudre ! Jean-Marc Mansvelt, le directeur général de la Maison, l'a vue et a donné son feu vert. Dans toute ma carrière d'acheteuse pour la place Vendôme, je n'avais jamais vu une perle fine aussi exceptionnelle !

PAGE DE GAUCHE
La prodigieuse tourmaline Paraíba montée sur le collier *Chant de Sirènes* de la collection *Ondes et Merveilles de Chaumet*.

209

CAPE DIAMOND in Matrix.

CHRYSOBERYL CAT'S EYE, in the Rough (Part Polished).

ALEXANDRITE, in the Rough.

QUEENSLAND OPAL in the Matrix.

TURQUOISE in the Matrix.

SAPPHIRE in the Matrix.

Quelques exemples des nombreuses pierres de couleur composant « l'arc-en-ciel » Chaumet.
Ligne du haut, de gauche à droite : diamant du Cap, Chrysobéryl œil-de-chat, alexandrite, topaze du Brésil, diamant blanc du Cap, diamant jaune du Cap.
Ligne du bas, de gauche à droite : opale de Queensland, turquoise, saphir bleu, diamant du Brésil, diamant bleu, rubis de Birmanie.

CRYSTALS OF BRAZILIAN TOPAZ.

CRYSTAL OF WHITE CAPE DIAMOND.

CRYSTAL OF YELLOW CAPE DIAMOND.

BRAZILIAN DIAMOND in Matrix (Conglomerate).

1. TAVERNIER INDIAN ROUGH BLUE DIAMOND.   3. THE "BRUNSWICK" BLUE DIAMOND (Rose Cut).
2. THE "HOPE" BLUE DIAMOND (Brilliant Cut).   4. THE "PIRIE" BLUE DIAMOND (Brilliant Cut).
2, 3, 4. Cut from French Blue Brilliant.

BURMA RUBY.

Au Festival de Cannes
en 2022, le mannequin
Cindy Bruna portait la
parure *Promenades
Impériales* de la collection
Les Mondes de Chaumet
de 2018, en or blanc, or
rose, saphirs et diamants.

213

L'ARC-EN-CIEL
CHAUMET

Avant même que Joseph Chaumet ne positionne la Maison comme référence
en matière de gemmologie, soit la science des gemmes et de leur utilisation
en joaillerie, ses créations témoignent d'un don pour l'art de la couleur.
Ce dernier, nourri par un dialogue entre pièces historiques et créations
contemporaines, convie toutes les nuances des pierres pour former un
arc-en-ciel unique.

VIOLET

Déjà présentes dans une aigrette colibri transformable en broche (p. 216, en
haut à gauche) et un diadème nœuds de rubans (p. 420), tous deux de la fin du
XIXᵉ siècle, les teintes violines s'invitent depuis régulièrement dans les créations
de la Maison, d'une bague chevalière chauve-souris *c.* 1900 (p. 216, en bas
à gauche, et p. 301, à droite) à un diadème à fleurs de lys de 2016 en spinelles
et grenats rhodolites (p. 59). Comme un trait d'union entre une rhapsodie
ancienne au Carnegie Hall à New York ou un récital contemporain au Liuyen
Theater de Pékin, les saphirs violets habillent colliers, boucles d'oreilles et
bagues asymétriques de la collection de Haute Joaillerie *Chaumet est une Fête*
(p. 429). Soulignés par les tailles coussin et poire, les saphirs de Madagascar ou
de Ceylan offrent leurs nuances glycine mauve sur une bague *Lueurs d'Orage*
zébrée d'éclairs de diamants et d'onyx (p. 217, en bas à droite). Serti sur une
bague géométrisée rapprochant les lignes Art déco et le labyrinthe d'*Alice au
pays des merveilles*, un saphir de Madagascar de 5,95 carats passe quant à lui
de l'améthyste au rose pourpre (p. 216, à droite).

Collier *Lueurs d'Orage*,
collection *Les Ciels de
Chaumet*, 2019, or rose et
or blanc, topaze impériale,
spinelle, saphirs jaunes,
saphirs roses, saphirs
violets, onyx et diamants.
Collection privée.

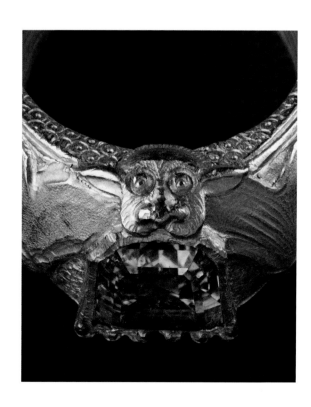

EN HAUT
Aigrette colibri
transformable en broche,
période Chaumet, vers
1890, or, argent, rubis et
diamants. Paris, collections
Chaumet.

CI-DESSUS
Bague *Labyrinthe*,
collection *Perspectives de
Chaumet*, 2020, or blanc,
saphirs roses, agate, et
diamants.

CI-CONTRE
Chevalière stylisant une
chauve-souris, période
Chaumet, vers 1900, or,
tourmaline rose. Paris,
collections Chaumet.

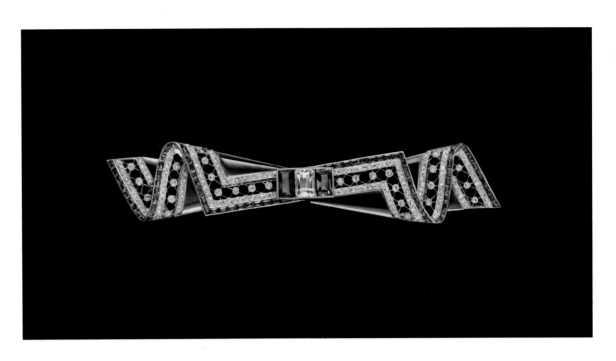

« Ô L'OMÉGA,
RAYON VIOLET
DE SES YEUX! »
ARTHUR RIMBAUD, *VOYELLES*, 1871

CI-DESSUS
Broche nœud, période
Chaumet, 1913, modifiée
en 1916, platine, cristal de
rose, diamants et rubis.
Paris, collections Chaumet.

CI-CONTRE
Bague *Lueurs d'Orage*,
collection *Les Ciels de
Chaumet*, 2019, or jaune
et or blanc, saphirs violets
et jaunes, spinelles, onyx
et diamants. Collection
privée.

BLEU

Indissociable de la nature avec ses mers et ses cieux qui représentent une source d'inspiration intarissable pour la Maison, l'infini des teintes bleues appellent une multitude de pierres, des saphirs aux tourmalines, du lapis-lazuli aux turquoises – comme ce collier créé en 1893 pour le comte Karol Lanckoroński dont les appliques dénombrent environ 130 carats de saphir. Ou ce pendentif de la collection de Haute Joaillerie 2020 *Perspectives de Chaumet* faisant graviter les disques d'aigues-marines, turquoises, diamants et topazes autour d'un cabochon de nacre rose ou de lapis-lazuli autour d'une opale de plus de 10 carats. Magnifiés par des tailles ovales ou coussin, les saphirs de Ceylan dévoilent des bleus veloutés à peine nuancés de violet et de turquoise. À l'image de cette pierre de centre de 14,55 carats couronnant le diadème laurier *Firmament Apollinien* (p. 161). Ses tonalités ne sont pas sans rappeler celles des gemmes serties sur le diadème feuillage et le collier de la duchesse Anne Mortier de Trévise, au début du XXᵉ siècle. Complices des jeux de pleins et déliés d'une bague de la collection de Haute Joaillerie *Torsade de Chaumet* offrant une ode au mouvement et à la vie (ci-dessous), les saphirs de Ceylan sont aussi convoqués pour raconter un ciel de nuit d'été dans les parures d'*Ondes et Merveilles de Chaumet*, dévoilées en 2022 (p. 220-221). Nichées au creux des vagues d'une bague à combiner avec une deuxième dans une réinterprétation du *toi et moi* signature de la Maison, les saphirs laissent la place à d'autres pierres lorsqu'il s'agit de plonger dans les lagons. Les spinelles bleus entrent alors en scène, tout comme les tourmalines du Mozambique avec leur pointe de vert caractéristique, celles de Namibie, découvertes il y a moins de dix ans, évoquant davantage une eau cristallisée.

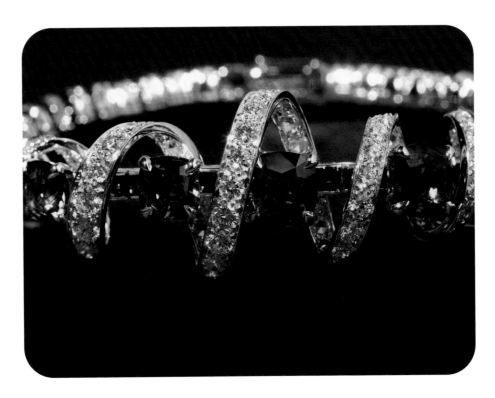

PAGE DE GAUCHE
Broche grappe de raisin, période Chaumet, 1938, or, platine, saphirs, rubis et diamants. Paris, collections Chaumet.

CI-DESSUS
Bracelet *Torsade de Chaumet*, 2021, or blanc, diamants et saphirs.

« CETTE GRANDE SYMPHONIE DU JOUR,
[...] CETTE SUCCESSION DE MÉLODIES,
OÙ LA VARIÉTÉ SORT TOUJOURS DE L'INFINI,
CET HYMNE COMPLIQUÉ S'APPELLE
LA COULEUR. »

CHARLES BAUDELAIRE, *SALON DE 1846*

PAGE DE DROITE
Bagues *Gulfstream*,
collection *Ondes et
Merveilles de Chaumet*,
2022, or blanc, diamants,
émeraudes, saphirs et
tourmalines Paraíba.
Bague *Chant de
Sirènes*, collection
*Ondes et Merveilles de
Chaumet*, 2022, or blanc,
tourmalines, perle de
Tahiti et diamants.
Bague *Chant de Sirènes*,
collection *Ondes et
Merveilles de Chaumet*,
2022, or blanc, tourmaline
verte et diamants.

EN HAUT, À GAUCHE
L'opale noire d'Australie
du collier *Gulfstream* de
la collection *Ondes et
Merveilles de Chaumet*.

EN HAUT, À DROITE
Une bague *Gulfstream*
de la collection *Ondes et
Merveilles de Chaumet*
prête à être sertie.

VERT

Difficile à obtenir car ses pigments traditionnels en teinture et en peinture sont chimiquement instables, le vert reste associé à ce qui varie, des tapis de jeu des casinos aux billets, qu'ils soient en dollars, yuans ou dirhams. Reine des pierres de cette tonalité, l'émeraude a donné son nom à une couleur et à une taille. Venues de mines historiques exploitées depuis des siècles telles que Muzo, les émeraudes colombiennes possèdent un vert velouté dense. En 1810, pour son mariage avec la petite-nièce de Marie-Antoinette, Marie-Louise de Habsbourg-Lorraine, Napoléon Ier choisit cette pierre et commande à la Maison Nitot, qui prendra plus tard le nom de Chaumet, une somptueuse parure. Le collier alternant les émeraudes ovales, losanges, poires et rondes soulignées de diamants, ainsi que les boucles d'oreilles ont été parfaitement préservés dans leur état d'origine et peuvent être admirés au musée du Louvre (voir p. 313).

Outre leurs nuances fascinantes, les émeraudes ont la caractéristique d'être habitées par de minuscules inclusions, appelées jardin, qui contribuent à leur authenticité. L'aigrette soleil rayonnant réalisée entre 1914 et 1916 fait ainsi resplendir les rayons de diamants autour d'une émeraude centrale animée d'un riche jardin (page ci-contre). Sertie en pierre de centre sur une broche étoile du début du XXe siècle, l'émeraude ponctue aussi de nombreuses créations de style Art déco, telles que ce bracelet de l'icône des Années folles, Lady Iya Abdy. Les créations de la collection de Haute Joaillerie *Perspectives de Chaumet*, en 2020, proposent une relecture contemporaine de l'esprit Art déco selon l'art du trait cher à la Maison. Les lamelles d'or jaune architecturé contrastent au contact du vert profond des émeraudes, l'une taillée en poire de 16 carats sur un collier, une autre en octogone de 7,29 carats dans un entourage de baguettes calibrées sur une bague (p. 224, à droite), sans oublier les boucles d'oreilles et broche possédant l'élan d'une sculpture d'Alberto Giacometti (voir p. 375). Avec la collection *Chaumet est une Fête*, la Maison pimente la Haute Joaillerie d'une touche *British*, et plus précisément du très couru festival de Glyndebourne, dans le Sussex, où *black tie* et pique-nique vont ensemble. En l'honneur de cette élégance un brin excentrique, les appairages virtuoses remettent au goût du jour le nœud. Noué sur un rang de 39 cabochons d'émeraudes de Zambie au vert vif traversé d'une pointe de jaune, le motif emblématique de la Maison se sophistique d'une émeraude colombienne en chute de 29,98 carats (voir p. 434). À moins de former une broche unisexe au chic fou.

Joaillier naturaliste, Chaumet pioche allègrement dans toutes les nuances de vert pour raconter la flore, du bracelet feuilles de lierre (p. 224, en bas à droite) ou de la broche trèfle de l'impératrice Eugénie (voir p. 177), tous deux en émail, à la bague *Surprises* sertie d'un péridot, une pierre aux tons de citron vert que les Romains de l'Antiquité appelaient « l'émeraude du soir ». Avec ses 35 pierres gravées dans la malachite, la parure aux camées de l'impératrice Joséphine réalisée par François-Regnault Nitot vers 1810 offre aux yeux contemporains un spectacle d'autant plus émouvant qu'elle représente l'un des très rares exemples de parures conservées intactes (voir p. 174) – elle appartient aux collections de la fondation Napoléon. Considérée comme une parure de jour, plus facile à porter, elle confirme le goût de la souveraine pour les pierres ornementales qu'elle met d'ailleurs à la mode.

Aigrette soleil rayonnant, période Chaumet, vers 1916, or, platine, émeraude et diamants. Paris, collections Chaumet.

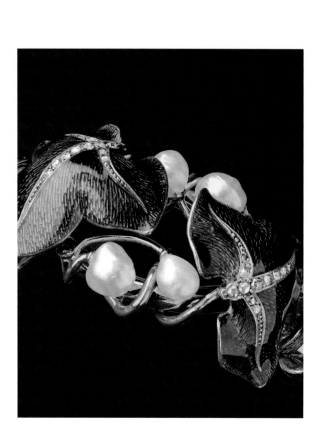

EN HAUT
Diadème *Torsade de Chaumet*, 2021, or blanc, diamants et émeraude.

CI-DESSUS
Bague *Skyline*, collection *Perspectives de Chaumet*, 2020, or jaune, diamants et émeraude.

CI-CONTRE
Bracelet feuilles de lierre (détail), période Fossin, vers 1847, or, diamants, émail et perles fines. Paris, collections Chaumet.

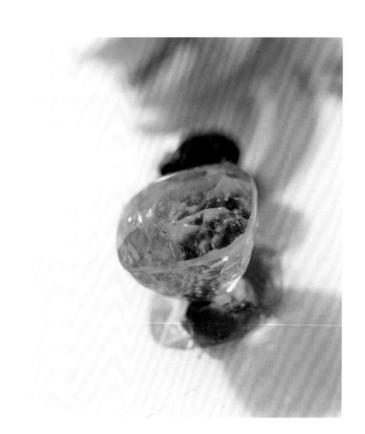

EN HAUT, À GAUCHE
Bague *Chant de Sirènes*,
collection *Ondes et
Merveilles de Chaumet*,
2022, or blanc, tourmaline
verte et diamants.
Collection privée.

EN HAUT, À DROITE
L'impressionnante
émeraude du collier
Gulfstream de la
collection *Ondes et
Merveilles de Chaumet*.

CI-CONTRE
Collier *Envol*, collection
Les Ciels de Chaumet,
2019, or blanc, or jaune,
diamants, grenats
tsavorites, saphirs jaunes
et verts, diamants.
Collection privée.

JAUNE

Couleur du soleil, réservée à l'Empereur en Chine, le jaune devient jonquille lorsqu'on parle d'un diamant aux teintes vives. Extrêmement rare puisque seul un diamant sur dix mille est coloré, il exige une taille doublement délicate qui doit à la fois démultiplier son éclat, mais aussi les jeux de nuances concentrées çà et là sur la pierre. Dans les années 1879, lorsque le comte Guido Henckel von Donnersmarck, un richissime héritier prussien, veut offrir un bijou à sa femme, l'ancienne courtisane entrée dans la légende sous le nom de la Païva, il se rend à Paris, chez Chaumet, 12, place Vendôme. Là, les ateliers montent un peigne décoré de onze diamants jaunes totalisant 93 carats. La pièce est facturée 675 francs. Par comparaison, un diamant jaune canari de taille coussin de 205 carats a été vendu aux enchères au profit de la Croix-Rouge internationale en 2022 pour 13,5 millions d'euros. Complices indispensables de la Maison pour raconter le soleil en gloire, les diamants jaunes colorent en 2019 la collection de Haute Joaillerie *Les Ciels de Chaumet*. Sertis sur une bague boule, des petites boucles d'oreilles créoles ou un collier transformable, ils s'associent aux diamants et aux cabochons de cristal de roche sur un diadème *Soleil Glorieux* (p. 227, en bas à droite) qui aurait fait fureur à la cour du Roi-Soleil (voir également p. 140 et p. 142) à Versailles.

Le fameux « diamant de la Croix-Rouge », diamant jaune de 205 carats, vendu aux enchères pour soutenir la Croix-Rouge Internationale en 2022 .

EN HAUT, À GAUCHE
Solitaire *Joséphine
Aigrette*, platine, saphir
jaune et diamants.

EN HAUT, À DROITE
Gouaché de la montre
à secret *Arum* (or
blanc, saphirs jaunes et
diamants), collection
Le Jardin de Chaumet,
2023, studio de création
Chaumet, gouache et
rehauts de gouache
sur papier teinté. Paris,
collections Chaumet.

CI-CONTRE
Diadème *Soleil Glorieux*,
collection *Les Ciels de
Chaumet*, 2019, or blanc
et or jaune, cristal de
roche, diamants et
diamants jaunes. Paris,
collections Chaumet.

ORANGE

Aujourd'hui conservée au musée national du château de Malmaison, la parure aux camées de corail de la reine Hortense (ci-dessous), du nom de la fille de l'impératrice Joséphine, illustre l'art de la couleur dans lequel Chaumet excelle. Il se confirme avec l'emploi des grenats mandarins de Namibie, aussi appelés spessartites, dont les teintes orangées ardentes leur valent d'être appelés par les négociants en pierres du nom d'un célèbre soda. Toujours prête à convier des pierres peu connues, la Maison lance une véritable tendance en 2018 avec la collection de Haute Joaillerie *Promenades Impériales* (p. 117 et p. 230, à gauche). Pour raconter la magie des paysages russes en hiver, les pièces en or blanc et rose convient les saphirs padparadschas. Signifiant « fleur de lotus » en sanskrit, la langue littéraire de l'Inde ancienne, ces pierres offrent de délicates nuances rose orangé. Trouvée sur un salon à Hong Kong, une poire de 16,31 carats répond à un cabochon serti dans un halo de diamants sur un collier transformable enchanteur ayant fait sensation sur les marches du Festival de Cannes en 2022 (p. 212-213). Cette année-là, les padparadschas s'invitent à nouveau dans la collection de Haute Joaillerie *Ondes et Merveilles de Chaumet* (page ci-contre et p. 231). Leurs nuances délicates, soulignées par un dégradé de spinelles roses, célèbrent une tourmaline, elle aussi rose, de plus de 21 carats qui vient couronner un sautoir. Pavés sur une manchette d'or rose, les saphirs conversent avec des morganites couleur fleur de pêcher pour évoquer les galets sur la plage. Montée en bague, une topaze impériale de 20,95 carats déploie des tonalités proche d'un padparadscha. Pour cela, elle a été retaillée « à la française », avec de très grandes facettes soulignant sa personnalité lumineuse comme une coupe de champagne rosé.

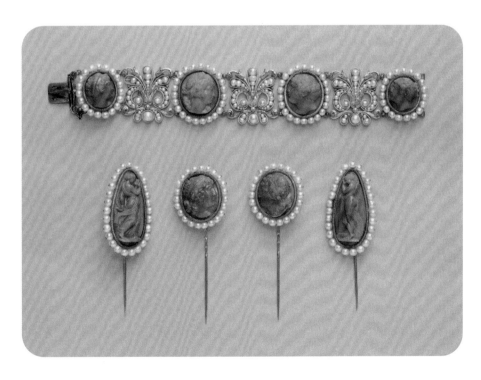

CI-DESSUS
Collier transformable
Promenades Impériales
(détails), collection
Les Mondes de Chaumet,
2018, or blanc, or rose,
diamants et saphirs
padparadscha.

EN HAUT
Bague *Exquises*, 2019,
or rose, morganite et
diamants.

CI-CONTRE
Boucles d'oreilles *Lueurs
d'Orage*, collection
Les Ciels de Chaumet,
2019, or blanc et or
jaune, topazes impériales,
morganites, saphirs, onyx
et diamants. Collection
privée.

PAGE DE DROITE
Collier *Escales*, collection
*Ondes et Merveilles de
Chaumet*, 2022, or rose
et or blanc, spinelles,
diamants, saphirs et
tourmalines Paraíba.

ROUGE

En 2017, la collection de Haute Joaillerie *Chaumet est une Fête* vibre
à l'unisson des grands opéras donnés à la Scala de Milan. Les œuvres majeures
de Giuseppe Verdi, Vincenzo Bellini et Giacomo Puccini y ont été créées.
Le grand chef d'orchestre Arturo Toscanini y a laissé un souvenir impérissable.
En l'honneur de ce lieu mythique où les divas ont fait infuser toutes les
couleurs dans leur chant, les rubis au rouge incandescent embrasent une
parure composée de boucles, bagues, broches, bracelet (ci-contre, en bas
à droite) et spectaculaire collier à huit rangs de perles de rubis sur lequel se
posent, tel un délicat petit vibrato, deux fleurs à pétales de grenats rhodolites
et rubis baguettes (voir p. 433). Figurant parmi les gemmes les plus convoitées
au monde, les rubis de plus de 4 carats flamboient dans la collection de Haute
Joaillerie de 2023, *Le Jardin de Chaumet*. Un rubis du Mozambique de 5,18
carats enflamme un collier racontant la vigne (p. 274), tandis qu'une pierre
de 4,25 carats de la même couleur est sertie sur une bague.

Les spinelles rouges de Tanzanie appellent les parallèles gourmands, entre
fraise et litchi. Régulièrement conviés dans les collections de la Maison, ils
rivalisent avec les rubellites du Mozambique, comme cette pierre de 22,18
carats sertie en chute sur un sautoir de la collection de Haute Joaillerie
Ondes et Merveilles de Chaumet, dont les tonalités rappellent autant un
sorbet au fruit du dragon qu'une confiture de framboises.

Bague *Escales*, collection
*Ondes et Merveilles de
Chaumet*, 2022, or rose
et or blanc, spinelles,
tourmalines Paraíba,
saphirs et diamants.
Collection privée.

EN HAUT, À GAUCHE
Bague *Torsade de
Chaumet*, 2021, or blanc,
diamants et rubis.

EN HAUT, À DROITE
Sautoir *Torsade de
Chaumet*, 2021, or blanc,
diamants et rubis.

CI-CONTRE
Bracelet *Aria Passionata*,
collection *Chaumet
est une Fête*, 2017, or
rose, grenats rhodolites,
tourmalines rouges et
roses, rubis et diamants.

233

JOSEPH CHAUMET, PIONNIER DE LA GEMMOLOGIE

Initié à l'art de la joaillerie par la famille de sa mère, Joseph Chaumet commence sa carrière en étant courtier en joaillerie, avant d'entrer comme chef d'atelier chez Morel. C'est là que débute son aventure avec la Maison à laquelle il va donner son nom. En 1875, en épousant Blanche Marie Morel, la fille de Prosper Morel qui la dirige alors, le jeune homme de vingt-trois ans est déjà bien décidé à faire de Chaumet le grand joaillier parisien de référence, par son style et son expertise.

Soucieux de réglementer l'univers du négoce des pierres, ses travaux permettent de codifier une science qui ne l'est pas encore, la gemmologie. Pour cela, il ouvre dès 1890 un laboratoire d'études et de vérification des perles et des pierres. Son dessein est double, traquer imperfections et fraudes. Il utilise pour cela tous les nouveaux procédés, que sont la radiographie, la microphotographie et la spectroscopie. Précurseur, il dote aussi la Maison de sa propre taillerie de diamants et de lapidaireries pour les pierres de couleur. Sa renommée est telle que le maharadjah de Baroda Sayaji Rao III s'adresse à lui pour faire expertiser ses joyaux (voir p. 125). Quelques années plus tard, en 1921, lorsque Showa Tenno, futur empereur Hirohito, vient à Paris, il demande à visiter les laboratoires de gemmologie de la Maison. Joseph Chaumet lui en fait les honneurs. Le prince héritier ne cache pas son admiration.

Vers 1900, le joaillier met au point un procédé scientifique permettant de distinguer les pierres naturelles des pierres synthétiques de couleur qui apparaissent alors sur le marché. Son expertise est unanimement saluée, notamment dans le domaine du rubis et des perles. Le monde joaillier est en effet en émoi car un Japonais nommé Kokichi Mikimoto vient d'inventer la perle de culture, d'ailleurs consacrée par un brevet, le premier reconnaissant un objet naturel. À côté des perles fines, spontanément fabriquées par une huître sécrétant des anneaux de nacre pour recouvrir un corps étranger ayant pénétré sa coquille, apparaissent ainsi des perles dites *akoyas*, nées d'une intervention humaine. Joseph Chaumet n'a de cesse d'informer le public sur leurs différences, sans jamais proscrire les perles de culture. Référence pour les perles fines, la Maison emploie alors un nombre considérable d'enfileuses, ces femmes aux mains expertes capables d'enfiler les rangs de perles. C'est d'ailleurs en leur honneur que la rénovation du *12 Vendôme* pour les deux cent quarante ans de Chaumet, en 2020, a dévoilé le Salon des Perles (p. 31 et p. 464, en bas).

L'expertise et l'intégrité de Joseph Chaumet lui valent d'être régulièrement invité pour prendre la parole dans des conférences à l'Académie des sciences ou devant la Chambre syndicale des négociants en diamants, lapidaires et bijoutiers-joailliers, devenue l'Union française de la bijouterie-joaillerie-orfèvrerie, des pierres et des perles. Celle-ci adopte d'ailleurs ses protocoles pour identifier et certifier les origines géographiques des pierres et distinguer les rubis naturels des rubis artificiels grâce à la luminescence aux ultraviolets, une technique toujours utilisée de nos jours.

Un diamant *Taille Impératrice* et ses 88 facettes.

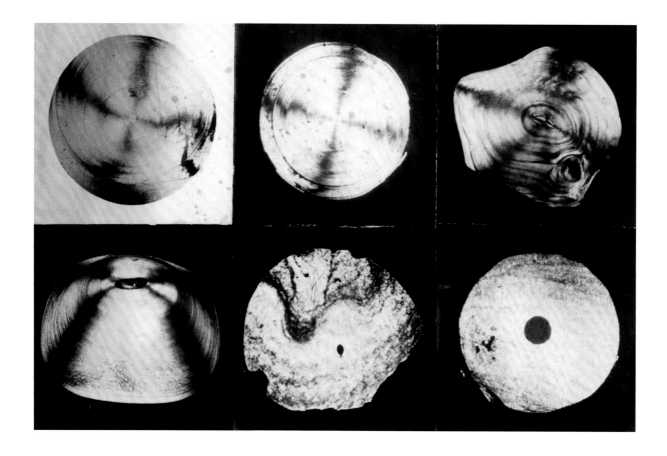

EN HAUT
Photographies d'essais de lumière
parallèle au prisme de Nicol sur
des perles blanches (rangée
supérieure), une perle noire, une
perle conche et du corail rose
(rangée inférieure), laboratoire
photographique Chaumet, vers
1900, positif d'après un négatif
sur plaque de verre. Paris,
collections Chaumet.

CI-DESSUS
« La genèse du monde »,
laboratoire photographique
Chaumet, vers 1900, positif
d'après un négatif couleur
autochrome sur plaque de verre.
Paris, collections Chaumet.

CI-DESSUS
Photographie d'un rubis en
cours d'analyse, laboratoire
photographique Chaumet, vers
1900, tirage d'après un négatif
sur plaque de verre. Paris,
collections Chaumet.

« TRAÎTONS LES PIERRES PRÉCIEUSES ET
LES PERLES FINES AVEC LA DÉFÉRENCE QUE
MÉRITENT CES BELLES PRODUCTIONS DE LA
NATURE QUI CHARMENT NOS YEUX, DISTRAIENT
NOS ESPRITS AUX HEURES DE TRISTESSE, ET
SONT MISES À DISPOSITION DE L'HOMME DANS
LES HOMMAGES QU'IL REND À TOUT CE QU'IL
RECONNAÎT SUPÉRIEUR À LUI, SOIT PARMI SES
SEMBLABLES, SOIT AU-DESSUS D'EUX. »

JOSEPH CHAUMET, 1922, DISCOURS ADRESSÉ
AU COMITÉ DE PROPAGANDE POUR LE COMMERCE
DU LUXE FRANÇAIS, 7 JUIN 1922

CI-DESSUS
Vue des équipements
photographiques et scientifiques
du laboratoire Chaumet, vers
1920, positif d'après un négatif
sur plaque de verre. Paris,
collections Chaumet.

LES PIERRES
D'EXCEPTION

Depuis sa création en 1780, la Maison se distingue par une symphonie de couleurs composée autour de pierres exceptionnelles. Nombre d'entre elles ont donné l'inspiration du bijou. Comme ce devant de corsage coquillage dessiné autour d'une imposante aigue-marine de 322 carats (p. 241, en haut à droite). Grâce à la virtuosité des ateliers, la pièce échappe à l'ostentatoire, rythmée par des gouttelettes d'eau en diamant encadrant une coquille, elle aussi sertie de diamants, dans laquelle la gemme vient se nicher.

Renommée tant pour la qualité que pour la personnalité de ses pierres, la Maison n'hésite jamais à les faire retailler, quitte à perdre plusieurs carats. Seule compte l'harmonie des proportions pour atteindre le nombre d'or. Celui du rapport parfait entre longueur, largeur et hauteur amplifiant l'élégance et la brillance du minéral.

Toujours à l'affût de trésors, la responsable des achats de pierres de couleur de la Maison, Françoise Roche a déniché ces dernières années quelques émeraudes exceptionnelles. Issue d'un vieux stock parisien, une pierre colombienne de 25 carats pleine de personnalité offre ainsi des tonalités rares vert menthe à l'eau qui font merveille sur un long collier de la collection de Haute Joaillerie *Ondes et Merveilles de Chaumet*, présentée en 2022. L'année suivante, *Le Jardin de Chaumet* dévoile une émeraude de 21,56 carats, elle aussi originaire de Muzo, la mine mythique des Incas. Ses tons particulièrement riches et saturés s'épanouissent sur un collier évoquant le gui (p. 270), tandis qu'une bague est sertie d'un coussin de 10,06 carats.

Contrairement aux saphirs du Cachemire qui ne conservent pas toutes les subtilités de leurs teintes à la lumière artificielle, ce qui explique pourquoi les femmes n'en ont pas porté le soir pendant longtemps, les pierres birmanes ont la particularité de rester identiques. C'est le cas de ce saphir de 34,30 carats dont l'extraordinaire densité de couleur vient habiter un sautoir de la collection de Haute Joaillerie *Perspectives de Chaumet*, serti en pendentif déstructuré à fragments d'onyx, saphirs taillés sur œuvre et diamants (p. 372).

Son nom, « opale noire », est trompeur. Puisque l'opale noire offre un véritable feu d'artifice de couleurs qui fait voyager l'imaginaire des cieux aux fonds marins. D'ailleurs, pour raconter la mer dans sa collection de Haute Joaillerie *Ondes et Merveilles de Chaumet*, la Maison imagine un collier ajustable mariant un cabochon d'émeraude à une fascinante opale noire d'Australie. Outre son poids de 19,84 carats, la pierre a la particularité d'être réversible, offrant deux irisations propres à chaque face. En son honneur, l'atelier du *12 Vendôme* a réalisé une structure entièrement ajourée permettant d'admirer ses nuances des deux côtés (p. 220 et 240). En 2023, la collection de Haute Joaillerie *Le Jardin de Chaumet* propose un collier serti d'une merveilleuse opale multicolore de 50,62 carats, une autre de 10,12 carats étant montée en bague.

Collier *Passages*, collection *Les Ciels de Chaumet*, 2019, or blanc et or rose, opales noires d'Australie, tourmalines Paraíba et diamants. Collection privée.

PAGE DE GAUCHE
Collier *Gulfstream*, collection
*Ondes et Merveilles de
Chaumet*, 2022, or blanc,
diamants, émeraudes,
saphirs, tourmalines Paraíba,
chrysoprase et opale noire
d'Australie. Collection privée.

EN HAUT
Devant de corsage coquillage,
période Chaumet, 1913, or,
argent, diamants et aigue-marine
de 322 carats. Collection privée.

AU CENTRE
Bague *Skyline*, collection
Perspectives de Chaumet, 2020,
or jaune et diamant.

CI-CONTRE
Bague *Passages*, collection
Les Ciels de Chaumet, 2019, or
blanc et or rose, opale noire
d'Australie, tourmalines et
diamants. Collection privée.

LE BLEU CHAUMET

Porte-bonheur dans l'Égypte pharaonique, couleur du jean inventé par Levi Strauss en 1853, le bleu est aussi la couleur des rois de France, comme l'illustrent les vitraux de la basilique de Saint-Denis abritant leur nécropole (p. 245, en haut à droite). Qu'il soit de Chine, de Prusse, Majorelle ou Klein, saphir ou turquoise, ciel, azur ou nuit, il appartient à des périodes ou à de nombreux moments marquants de l'histoire occidentale.

Adopté à la fin du XXe siècle, le bleu Chaumet s'inspire du bleu des armoiries royales devenues au XIIe siècle celles des souverains de France. Les nuances denses et profondes de cette couleur complexe à réaliser évoquent aussi le bleu de Sèvres, un bleu de cobalt né comme la Maison au XVIIIe siècle, qui contribua à la renommée de la Manufacture de Sèvres – en 2022, le mécénat de Chaumet a permis la restauration de deux rarissimes vases « ruches », formant une paire, faisant partie des collections du musée national de céramique de Sèvres.

Derrière sa référence Pantone, 2758 C, le bleu Chaumet procure une émotion singulière. Il suffit de prendre en main l'écrin chapelle abritant chaque création de la Maison pour en faire l'expérience. À travers lui, la majesté du bleu de France rejoint l'infini des cieux et des mers qu'offre la nature, à commencer par les saphirs ponctuant les collections de la Maison.

Diadème *Torsade de Chaumet*, 2021, diamants et or blanc.

243

Bague *Joséphine Aigrette
Impériale*, platine, saphir
et diamants.

À SON LANCEMENT,
EN 1963, LE NUANCIER
PANTONE RÉFÉRENÇAIT
1 114 COULEURS. IL EN
COMPTE AUJOURD'HUI
PLUS DE 3 000.

CI-DESSUS
Yves Klein, *Anthropométrie
sans titre (ANT 130)*, 1960,
pur pigment et résine
synthétique sur papier.
Cologne, Museum Ludwig.

EN HAUT, À DROITE
Vitrail de la basilique
de Saint-Denis.

CI-CONTRE
Bague *Surprises*, 2019,
or blanc, diamants et
tanzanite.

CONVERSATION HAUTE EN COULEUR AVEC LA CHEFFE ANNE-SOPHIE PIC

Rubellites framboise, morganites fleur de pêcher, émeraudes menthe à l'eau... De la joaillerie à la gastronomie, les analogies foisonnent.

La preuve en sept questions à Anne-Sophie Pic, seule cheffe française trois étoiles au *Guide Michelin* et cheffe la plus récompensée du monde avec neuf étoiles.

Si vous étiez un bijou, vous seriez...
Un pendentif. Pour moi, c'est le bijou par excellence. Mon mari m'en a offert un pour mes cinquante ans parce qu'il savait que je n'en avais pas. Il est sublime.

Êtes-vous une femme à bijoux ?
Je les aime beaucoup mais, lorsque je cuisine, je n'en mets pas car je ne veux pas risquer de les abîmer. La seule exception est ma croix offerte par mon grand-père à ma naissance. Elle est en or ouvragé, assez volumineuse, mais j'y tiens énormément et je la porte tout le temps.

Marie-Étienne Nitot, le fondateur de la Maison, signait en ajoutant la mention « joaillier naturaliste ». La nature est aussi essentielle dans votre cuisine...
Complètement. Je suis une amoureuse des plantes aromatiques que j'aime beaucoup ramasser. En ce moment, c'est la reine-des-prés qui porte si bien son nom car c'est une ombellifère magnifique. Il y a aussi le mélilot, qui est une plante de cueillette sauvage. En fait, j'aime les plantes qui contiennent de la coumarine, que l'on trouve par exemple dans la fève tonka avec sa note très caramel. J'ai toute ma panoplie de coumarines entre l'aspérule odorante et la reine-des-prés. J'ai développé une recette autour du tilleul, qui en contient aussi, et du petit pois. Je fais un jus de cosses, très amandé, que je renforce avec mes coumarines infusées à l'intérieur. La reine-des-prés arrive en maître du jeu en apportant son côté amande amère.

L'un des termes consacrés pour présenter un diamant est « les feux », qui correspondent à la dispersion de la lumière à travers tout le spectre lumineux. Auriez-vous un exemple de dressage où vous jouez particulièrement avec les transparences ?
Je pense tout de suite à ce plat d'oursins qui était à la carte cet hiver. C'est un plat monochrome tout blanc dressé en forme de fleur avec des tuiles de lait et une gelée de pomme Chantecler, mais je l'ai appelé « clair-obscur ». Il y a une forme de transparence avec ce travail autour de l'oursin très orangé que l'on va chercher en fond d'assiette. Il est infusé dans une mousse à base d'orge et de graines de soja noir très torréfiées. Ce que l'on appelle le kuro-mame avec des notes vraiment

intéressantes, notamment de whisky. C'est un plat avec beaucoup de force que j'adore.

Les récentes collections de Haute Joaillerie de la Maison ont dévoilé des opales incroyables par leur taille et leurs irisations multicolores. L'une de vos recettes possède-t-elle une telle explosion de saveurs ?
Le fil conducteur de ma cuisine, c'est le contraire de linéarité. Quand on déguste, il faut que l'on goûte une saveur, une autre arrive ensuite, puis une autre encore. C'est comme ça que je construis mes plats. J'ai par exemple travaillé autour d'une petite sardine très savoureuse. Il y a le côté grillé du barbecue, laqué avec la sauce mirin, qui est un saké doux aux notes très umami. Le tarama de sardines est au whisky et le végétal vient avec la courgette. Il y a aussi une petite mayonnaise tiède avec le baume de Galaad, la capucine et la tagète passion. C'est une explosion de goûts herbacés incroyables. Je pense aussi à un plat autour de la betterave qui est plus proche d'un bijou parce que j'utilise un voile de betterave. Il y a une purée de betterave, de la betterave très laquée avec du jus bien rouge, bien glacé, sur lequel je vais rajouter des pickles très verdoyants des premiers bourgeons de cassis. C'est une explosion de couleurs et de saveurs.

Dans la collection de Haute Joaillerie Ondes et Merveilles *de 2022, une bague était sertie d'une topaze impériale d'une couleur champagne rosé. Pour gagner en brillance, elle avait été retaillée à la française, avec des grandes facettes (p. 249, en haut à gauche). Avez-vous une manière de tailler qui caractérise votre cuisine ?*
On peut effectivement faire de grands parallèles. Je pense à la carotte que l'on taille dans un sens particulier et que l'on replie pour faire des formes de ganses et apporter de l'élégance. J'aime aussi beaucoup tailler le poisson pour avoir la translucidité du côté arc-en-ciel. Le bœuf à l'ail noir et olives et fumé au café que l'on fait en ce moment, je le taille de façon que la cuisson soit apparente. C'est très important car cela va induire beaucoup de choses, à commencer par une façon de déguster.

L'une des signatures de Chaumet est le diadème, tout en grâce. Quelle création choisiriez-vous pour traduire cette légèreté, peut-être le millefeuille blanc avec sa crème légère à la vanille de Madagascar ?
Le millefeuille, c'est une bonne idée. Il y a aussi un autre dessert que nous avons créé avec Éric Verbauwhede, mon chef pâtissier, autour de l'orge. De très fines petites tuiles sont faites dans des moules en silicone avec très peu de creux, en forme de fleurs. C'est vraiment comme un diadème.

PAGE DE GAUCHE
La cheffe française Anne-Sophie Pic.

L'ŒIL HUMAIN
DISTINGUE ENTRE 180
ET 200 COULEURS.

CI-DESSUS
L'intemporel millefeuille
blanc vanille-jasmin
d'Anne-Sophie Pic.

EN HAUT, À DROITE
Maquette d'un diadème
à décor d'algues, atelier
Chaumet, vers 1900,
maillechort, gouache et
vernis. Paris, collections
Chaumet.

CI-CONTRE
Projet de diadème à
décor d'arcature, atelier
de dessin Chaumet, 1909,
crayon graphite, gouache
et rehauts de gouache
sur papier teinté. Paris,
collections Chaumet.

EN HAUT, À GAUCHE
Gouaché de la bague *Galets d'Or*, collection *Ondes et Merveilles de Chaumet*, 2022, studio de création Chaumet, gouache, lavis et rehauts de gouache sur papier teinté. Paris, collections Chaumet.

CI-CONTRE
L'oursin de Galice clair-obscur par Anne-Sophie Pic.

EN HAUT, À DROITE
La fameuse tuile de la cheffe Anne-Sophie Pic.

CI-DESSUS
Projet de broche en forme de fleur d'ombellifère, atelier de dessin Chaumet, vers 1910, crayon graphite, gouache et rehauts de gouache sur papier ciré. Paris, collections Chaumet.

LES PERLES

Les plus belles perles de France restent associées aux souveraines. Marie-Antoinette en raffolait, Joséphine ne pouvait pas leur résister, pas plus qu'Eugénie. L'histoire de Chaumet s'est écrite avec elles. En 1811, François-Regnault Nitot, le fils du fondateur de la Maison, vend à Napoléon Ier une perle de 346,27 grains. Elle est l'une des plus grosses et des plus belles perles au monde qui entre dans la légende sous le nom de la Régente. Quelques années auparavant, pour remercier le pape Pie VII d'avoir béni son sacre en la cathédrale Notre-Dame de Paris le 2 décembre 1804, l'empereur lui offre une tiare. Sertie de 3 345 pierres précieuses dont une émeraude godronnée de 414 carats et de 2 990 perles, la pièce est réalisée par Marie-Étienne Nitot, à charge pour François-Regnault de l'apporter au souverain pontife à Rome (voir p. 387). Maîtresse ès perles, la Maison se distingue par la délicatesse de ses créations, cerclant des perles fines intailles, camées (p. 229), petits tableaux en micro-mosaïques (p. 311) et ceinture-bijou (p. 392). Sa renommée doit aussi beaucoup au collier à deux rangs dit « Leuchtenberg » dont les 105 perles sont décorées de 7 perles baroques amovibles coiffées de diamants taille rose (p. 252).

Aux côtés de ces joyaux souvent portés pour asseoir un pouvoir, Chaumet témoigne d'une créativité pleine d'audace. Le collier « à la Bayadère » emblématique du bijou indien se sophistique quant à lui en arborant des glands de platine habillés de motifs sertis de diamants et de saphirs (p. 256).

« Joailler des perles » de la place Vendôme, comme le rappelle aujourd'hui le Salon des Perles du *12 Vendôme*, Chaumet le demeure au XXIe siècle. En 2019, la parure de Haute Joaillerie *Valses d'Hiver* transporte en Autriche, à Vienne et ses bals mythiques où fracs et robes de gala tournoient toute la nuit, avec la polonaise de l'ouverture et le quadrille de minuit. Entrelacé de volutes de diamants, le long collier de perles fines est une ode au mouvement, tout comme le diadème (p. 58, en bas) et le bracelet de la parure – les puces d'oreilles à motif solfège ancrant la perle fine dans le nouveau millénaire. Inspirée par une perle fine exceptionnelle de 74,64 grains, la mesure des perles fines où un grain vaut un quart de carat, l'une des héroïnes de la collection de Haute Joaillerie *Ondes et Merveilles de Chaumet* est une parure habillée de perles de Tahiti de toutes les nuances, gris clair, vert tilleul, peacock, aubergine et olives – la sélection et l'enfilage ayant nécessité dix-huit mois pour le seul collier (p. 131). Les perles de Tahiti couronnent aussi des créations de sirène des temps modernes, leurs nuances grisées se mariant à des tourmalines aux tonalités inédites vert glaçon (p. 254, en haut). Complices de la collection *Joséphine*, les perles viennent notamment ourler, parfois dans des asymétries malicieuses, bagues, bracelets et ornement de tête *Joséphine Aigrette* (p. 253, en bas).

Collier *Chant de Sirènes*, collection *Ondes et Merveilles de Chaumet*, 2022, or blanc, diamants, tourmaline verte, tourmalines et perles fines. Collection privée.

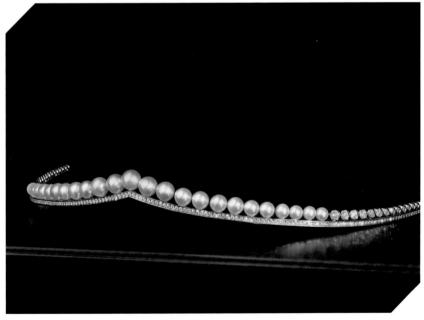

PAGE DE GAUCHE
Collier de perles
à deux rangs dit
« Leuchtenberg »,
attribué à Nitot, début
du XIXᵉ siècle, or, argent,
perles fines. Collection
privée.

EN HAUT
Boucles d'oreilles
Joséphine Aigrette, or
blanc, diamants et perles.

EN BAS
Ornement de tête
Joséphine Aigrette, or
blanc, diamants et perles.

PAGE DE GAUCHE,
EN HAUT
Diadème *Chant de Sirènes*,
collection *Ondes et Merveilles
de Chaumet*, 2022, or blanc,
diamants, perles fines et
tourmalines. Collection privée.

PAGE DE GAUCHE,
EN BAS
Diadème perles baroques,
période Chaumet, 1963, or,
argent, perles fines et diamants.
Paris, collections Chaumet.

CI-DESSUS
Projet de collier guirlande ornée
de perles conches, atelier de
dessin Chaumet, vers 1900-1910,
encre, gouache, lavis et rehauts
de gouache sur papier teinté.
Paris, collections Chaumet.

CI-DESSUS
Collier bayadère, période
Chaumet, 1922, semence de
perles fines, or, platine, diamants
et saphirs. Paris, collections
Chaumet.

PAGE DE DROITE
Diadème Keroüartz
transformable en collier,
période Chaumet, 1897, or
argent, diamants et perles.
Doha, Qatar Museums.

UNE MAISON...

UNIVERSELLE

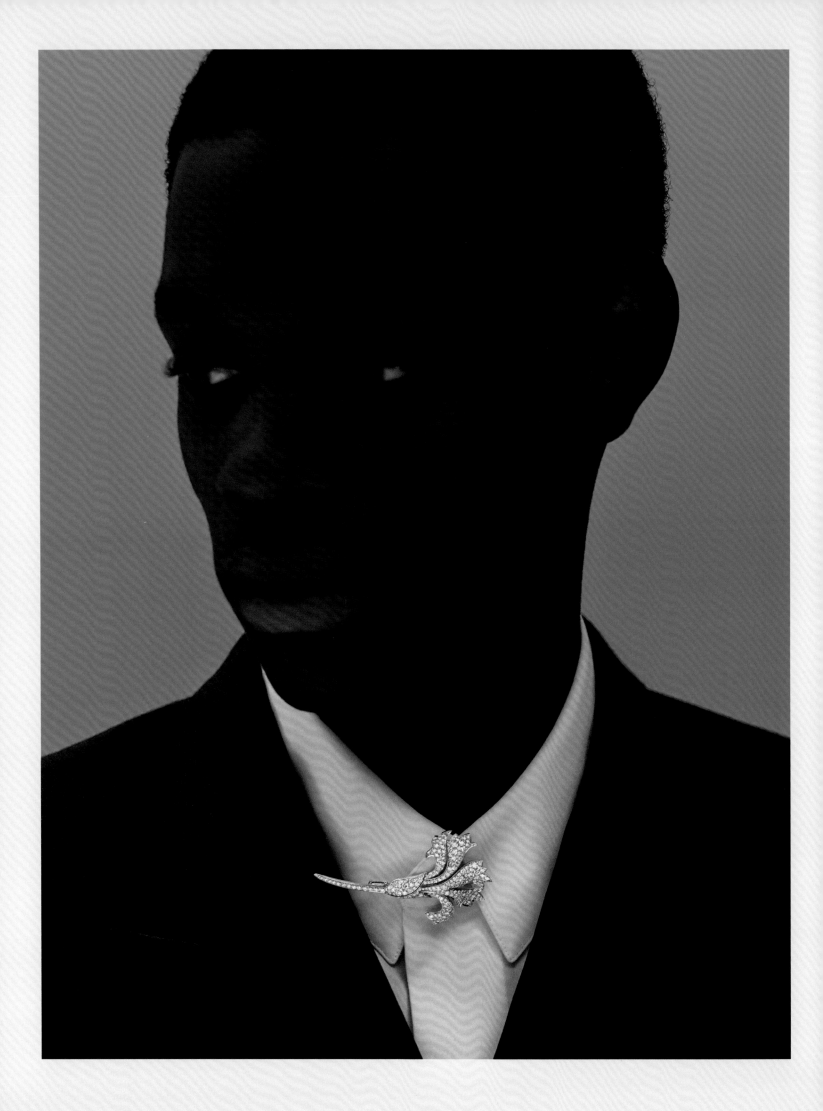

« COMME LES FLEURS EN
PIERRERIES DE FOSSIN
RESSEMBLENT AUX FLEURS
DES CHAMPS. »

HONORÉ DE BALZAC, 1830

PAGE DE GAUCHE
Broche *Œillet*, Chaumet,
2019, or blanc et diamants.
Paris, collections Chaumet.

DOUBLE PAGE
PRÉCÉDENTE,
À GAUCHE
Diadème épis de blé,
période Nitot, vers 1811, or,
argent et diamants. Paris,
collections Chaumet.

Fondée en 1780 par Marie-Étienne Nitot qui signait un mémoire en 1793 avec la mention « joaillier naturaliste », la Maison cultive depuis un lien profond et intime avec la nature. Cet attachement devenu une raison d'être prend aussi racine dans la relation unissant les Nitot père et fils à Joséphine. Première muse de la Maison, l'Impératrice est en effet passionnée de botanique et saluée pour ses connaissances et son influence dans ce domaine. Source inextinguible d'émerveillement et d'inspiration, la nature habite les créations sans cesse modernisées de la Maison, qui lui consacre même en 2022 une exposition entière, « Végétal – L'École de la beauté », au palais des Beaux-Arts de Paris (p. 302).

DES POINÇONS
NATURALISTES

Les premières expressions connues d'art joaillier remontent à 150 000 ans avant notre ère. Autant dire que l'histoire entre l'homme et les bijoux est ancienne. Au XIIᵉ siècle, pour éviter les abus liés à l'utilisation des métaux précieux, tels que l'or et l'argent, le roi de France instaure le poinçon, un instrument servant à marquer une pièce d'orfèvrerie. Chaque bijoutier-joaillier dessine alors le sien sur une plaque d'argent, d'or ou de cuivre qu'il insculpe au greffe de la Corporation des orfèvres, devenu Bureau de garantie. Apposé sur chaque création, le poinçon de maître certifie la nature du métal et engage la responsabilité de l'artisan. Au-delà de l'appartenance à une corporation, il peut devenir une déclaration d'intention. C'est le cas des grandes figures de la Maison ayant placé sur leur poinçon des motifs naturalistes.

MARIE-ÉTIENNE NITOT

Initiales MEN + un épi
de blé (1783)

JEAN-BAPTISTE ET JULES FOSSIN

Dans un losange,
initiales JF + une perle noire au-dessus
+ une étoile en dessous (1825)

JEAN-VALENTIN MOREL

Dans un losange,
initiales MV + un compas
de mesure (1827)

PROSPER MOREL

Dans un losange, initiales PM + une perle fraise au-dessus + une étoile en dessous (1862)

JOSEPH CHAUMET ET SES DESCENDANTS

Dans un losange, initiales JC + un croissant au-dessus + une étoile en dessous (1890)

SOCIÉTÉ NOUVELLE CHAUMET

Dans un losange horizontal, initiales N Ste C + un croissant au centre + une étoile en dessous (1987)

« MAIS LE GOÛT DE LA BOTANIQUE NE FUT
PAS SEULEMENT UN CAPRICE, ELLE EN FIT
UN OBJET D'ÉTUDES, ET D'ÉTUDES SÉRIEUSES.
ELLE CONNUT BIENTÔT LE NOM DE TOUTES
LES PLANTES, CELUI DE LA FAMILLE DANS
LAQUELLE ELLES ÉTAIENT CLASSÉES
PAR LES NATURALISTES, LEUR ORIGINE
ET LEUR PROPRIÉTÉ. »

*MÉMOIRES DE MADEMOISELLE AVRILLION, PREMIÈRE FEMME DE CHAMBRE
DE L'IMPÉRATRICE, SUR LA VIE PRIVÉE DE JOSÉPHINE, SA FAMILLE ET SA COUR, 1833*

La serre du château de
Malmaison, où l'impératrice
Joséphine cultivait des plantes
tropicales qui lui rappelaient sa
Martinique natale, *Intérieur de
la serre chaude à la Malmaison*,
Auguste-Siméon Garneray, 1805,
aquarelle. Rueil-Malmaison,
Châteaux de Malmaison et de
Bois-Préau.

JOSÉPHINE ET LA BOTANIQUE

Née à la Martinique, l'impératrice Joséphine conserve toute sa vie la nostalgie de son île et de sa flore. En sa mémoire, elle fait cultiver des espèces exotiques dans le jardin de la Malmaison, la propriété qu'elle a achetée en 1799 aux portes de Paris. Sa passion des plantes est telle qu'elle œuvre pour le développement de l'horticulture et de la botanique, cette science de la description et de la comparaison qui s'attache à la diversité des espèces végétales.

Longtemps réservé aux cercles savants, l'herbier, qui en constitue l'un des piliers, se généralise. Les femmes à la mode herborisent et, dans les conversations de salon, il est de bon ton de connaître la nomenclature de Linné. Fils d'un pasteur suédois sans argent, Carl von Linné a une révélation en 1732, à vingt-cinq ans, lors d'une expédition en Laponie au cours de laquelle il découvre une flore totalement inconnue. Bien décidé à consacrer sa vie à la nature, il devient un botaniste renommé, inventant un système de classification des plantes d'après leurs caractères toujours en usage. Joséphine le maîtrise parfaitement.

Dès 1802, des naturalistes espagnols nomment en son honneur une magnifique liane aux fleurs éclatantes *Lapageria rosea*, du nom de jeune fille de l'Impératrice, née Rose de La Pagerie – elle deviendra la fleur nationale du Chili. Quelques années plus tard, une plante vivace bisannuelle originaire du nord de l'Australie est à son tour appelée *Josephinia imperatricis*.

Le jardin de la Malmaison est à l'image du raffinement de sa propriétaire, dont la garde-robe s'inspire là du bleu d'un volubilis (*Ipomoea purpurea*), ici des fleurs jaune rosé à cœur pourpre de l'oseille de Guinée ou encore des carnations de la rose. Immortalisées par les aquarelles de Pierre-Joseph Redouté, « peintre des fleurs de l'Impératrice » qui les appelle les étoiles de la terre, les roses de la Malmaison offrent au visiteur un spectacle enchanteur. Rose van Eeden, rose cent-feuilles (*Rosa x centifolia*), rose des Cherokees (*Rosa laevigata*), rose multiflore blanche (*Rosa multiflora*), rose de Banks (*Rosa banksia*), rose de Portland, rose pimprenelle (*Rosa pimpinellifolia*)... plusieurs centaines de variétés colorent la roseraie. Joséphine raffole aussi des magnolias, au point d'en faire pousser quatre-vingt-quatre espèces. À côté fleurissent lys, dahlias, fuchsias, campanules, iris, lotus, glaïeuls, pivoines. Sans oublier le cèdre du Liban, planté avec Napoléon en 1800, que l'on peut toujours admirer à l'arrière du château.

Joséphine Bonaparte couronnant un arbre à myrte, Andrea Appiani, 1796, huile sur toile. Collection privée.

UNE NATURE
SYMBOLIQUE

En devenant « joaillier ordinaire de l'Impératrice », Marie-Étienne Nitot
et son fils François-Regnault se mettent au service d'un nouveau régime,
l'Empire, qui puise dans le registre symbolique de la nature pour asseoir son
autorité. L'épi de blé y tient une place à part. Associé à la déesse de la terre
cultivée Déméter qui, dans la mythologie grecque, apporte le blé comme
symbole de civilisation et assure l'abondance des récoltes, la graminée
est un emblème de prospérité. C'est donc couronnée d'épis de blé que
Joséphine apparaît pour sa première cérémonie en tant qu'impératrice,
en juillet 1804, lors de la distribution des croix de la Légion d'honneur, d'après
Mme de Rémusat dans ses mémoires.

Sorti des ateliers de Nitot quelques années plus tard, en 1811, le diadème aux
neuf épis totalisant 66 carats de diamants rappelle les blés caressés par le vent
(p. 258). Aujourd'hui conservé dans les collections patrimoniales Chaumet, il
possède déjà la légèreté et le mouvement signatures de la Maison. Réalisé à la
même époque, le diadème dit « Crèvecoeur » (p. 268) est lui aussi orné d'épis
de blé offerts par Napoléon Ier à la comtesse de Mosloy, dont le mari a négocié
les termes du contrat de mariage de l'Empereur avec sa seconde épouse,
Marie-Louise de Habsbourg-Lorraine – Nitot fournissant les somptueuses
parures de la corbeille, parmi lesquelles une parure en émeraudes et diamants
et une autre en opales et diamants. Or, Fanny de Mosloy n'est autre que la
fille de Michel-Guillaume Jean de Crèvecoeur, un gentilhomme normand
installé dans le comté d'Orange, colonie de New York, où il écrivit en anglais
ses *Lettres d'un cultivateur américain*, grand succès de la littérature du XVIIIe
siècle. Transmis sur plusieurs générations de Crèvecoeur, les épis de blé
reviennent chez Chaumet en 1910 pour être remontés en diadème au goût
de la Belle Époque transformable en devant de corsage. Le bijou a récemment
rejoint les collections patrimoniales de la Maison.

Depuis, la graminée s'invite régulièrement dans les créations, en bagues,
bracelets, broches, boucles d'oreilles d'or jaune ou montre à secret *L'Épi
de Blé de Chaumet* (p. 269, à droite), mais aussi en pièces de Haute
Joaillerie *Offrandes d'été*, dont les gerbes d'or blanc serti de diamant
sont agrémentées d'une pierre taille poire en pendeloque. Inlassablement
modernisé, l'héritage naturaliste de la Maison donne naissance en 2023 au
Jardin de Chaumet, une collection de Haute Joaillerie comprenant un collier
Blé transformable en aigrette où les épis ciselés dans un or cuivré annonçant
la moisson se posent sur une rivière faisant jaillir un diamant
de plus de 7 carats (p. 269, en haut).

Autre motif naturaliste hautement symbolique, le laurier est l'emblème de
la victoire dans la Grèce et la Rome antiques. Choisi par Napoléon pour sa
couronne d'empereur, il l'est aussi par Joséphine qui coiffe un diadème aux
feuilles de laurier le jour du sacre impérial, le 2 décembre 1804, en l'église
Notre-Dame de Paris (voir p. 390). Dès lors, le motif orne les créations

Diadème transformable
Laurier, 2021, or blanc et
diamants.

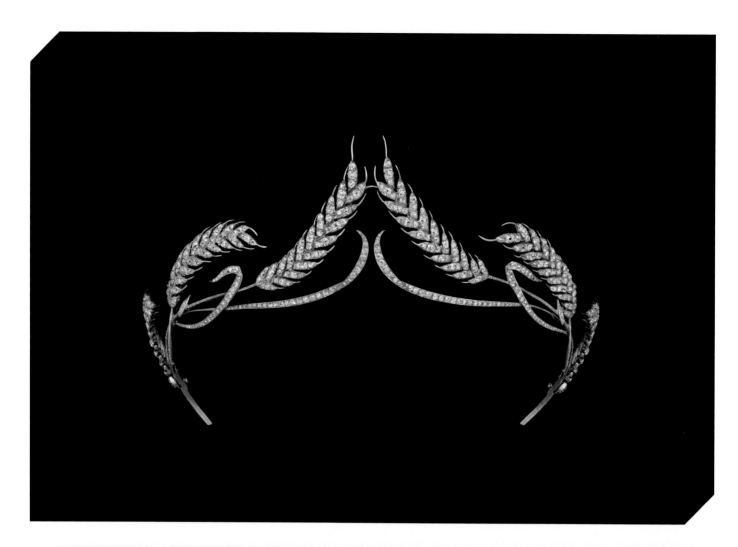

EN HAUT, À GAUCHE
Gouaché du collier *Blé*
de la collection *Le Jardin
de Chaumet*, studio de
création Chaumet, 2023.
Paris, collections Chaumet.

EN HAUT, À DROITE
Broche *L'Épi de Blé de
Chaumet*, 2018, or jaune
et diamants.

CI-CONTRE
Projet de diadème-aigrette
à décor d'épis de blé,
atelier de dessin Chaumet,
vers 1890-1900, encre
brune, lavis de gouache et
d'encre sur papier teinté.
Paris, collections Chaumet

PAGE DE GAUCHE
Diadème dit
« Crèvecoeur »
transformable en aigrette
ou devant de corsage
intégrant des épis de blé
réalisés par Nitot en 1810,
période Chaumet, 1910, or
argent et diamants. Paris,
collections Chaumet.

de la Maison, ponctuant le diadème *Firmament Apollinien* (p. 161) dont les feuilles serties de diamant encadrent un spectaculaire saphir de Ceylan de 14,55 carats.

Toujours curieuse de l'Ailleurs, Chaumet cultive des liens souvent historiques avec les autres cultures. De ce dialogue réciproque naît en 2018 *Chant du Printemps*, une parure d'inspiration japonisante glorifiant la renaissance de la nature. Pour traduire ce symbole universel, le pommier du Japon se métamorphose en collier, manchette, bague cocktail sertis de rubis sang de pigeon, spinelles noirs, diamants et grenats rhodolites (voir p. 135, en bas).

Le naturalisme végétal inhérent à la Maison puise largement dans le monde sylvestre. Marronnier, cèdre, ginkgo, lierre, aubépine inspirent bijoux de tête, colliers, broches et bracelets aussi poétiques qu'empreints de réalisme. Le chêne est régulièrement convié en diadèmes, broches ou boucles d'oreilles. À l'image de l'un des plus vieux arbres forestiers de France, le chêne de Saint-Jean, planté dans la forêt de Compiègne au XIIIe siècle, les motifs de feuilles et de glands expriment la force de l'arbre sacré. Celle-ci est d'autant plus manifeste lorsqu'elle se combine à la légèreté emblématique des créations de la Maison, sur une parure aux intailles offerte par le couple impérial à un préfet méritant (p. 272) ou encore sur un diadème bandeau de 1913 transformable en collier serre-cou (p. 58, en haut). L'œil botaniste de Chaumet s'affirme également à travers la collection de Haute Joaillerie de 2016 *La Nature de Chaumet* avec un sautoir faisant s'épanouir des feuilles de chêne sur un rang de perles rosées fleuri de saphirs violets et de spinelles roses et violets. Ou encore une montre-manchette à secret et des boucles d'oreilles *Feuillage Éternel* en or blanc et diamants (p. 273, à gauche).

Comme le chêne, le gui est une plante sacrée chez les Gaulois. Offert dans l'Occident médiéval pour souhaiter une bonne nouvelle année, il demeure associé aux vœux actuels – s'embrasser sous ses boules blanches étant une promesse de prospérité et de longue vie. Les siècles passent, mais la plante conserve son merveilleux pouvoir d'évocation. Les sept pièces de la parure *Gui* dévoilée en 2023 dans la collection de Haute Joaillerie *Le Jardin de Chaumet* en offrent une nouvelle démonstration. Les feuilles charnues délicatement spatulées se nouent en ravissant ornement de cheveux semé de baies en perles fines, à moins d'enlacer un collier coloré d'une émeraude coussin de 21,59 carats (ci-contre). Lui aussi complice des fêtes de fin d'année, le houx inspire une broche en or et argent sur laquelle les baies figurées par des perles fines offrant un superbe appairage rivalisent de précision avec les feuilles dont la brillance de la cuticule est soulignée par un serti neige de diamants (p. 428). Saluée pour sa grâce à sa sortie des ateliers en 1890, cette pièce, qui appartient aujourd'hui aux collections patrimoniales de Chaumet, demeure d'une absolue modernité.

Tout aussi allégorique, la fleur de lys devient l'emblème de la royauté en France au Ve siècle. Les créations de la Maison le célébrant possèdent une précision digne de la peinture d'Henri Fantin-Latour, d'ailleurs entrée dans les collections du Victoria and Albert Museum de Londres pour enseigner la botanique. Vers 1900, le bouton veiné de la fleur se pique en broche, mêlé au roseau, le lys orne un diadème en 1910, trente ans plus tard un délicat clip. En 2016, le diadème *Passion Incarnat* invite à nouveau le lys, la fleur centrale se transformant en broche, les pendants d'oreilles coordonnés à une bague sertie de trois spinelles rouges offrant trois portés différents (voir p. 59 et 277).

Réalisée vers 1825 par Jean-Baptiste Fossin, qui a pris la relève dix ans auparavant, la parure aux grappes de raisin combine le symbole de la vigne, ici aux grains de turquoise, et les motifs stylisés du répertoire grec remis

Collier et boucle d'oreille *Gui*, collection *Le Jardin de Chaumet*, 2023, or blanc, diamants, émeraudes et perles fines.

Parure feuilles de chêne aux
intailles de cornaline (détail),
période Nitot, 1809, or, émail,
cornaline. Paris, collections
Chaumet.

CI-DESSUS
Boucles d'oreilles *Promesse
de l'Aube*, collection *La Nature
de Chaumet*, 2016, or blanc,
tourmalines indicolites, grenats
mandarins, saphirs roses et
diamants. Collection privée.

EN HAUT, À GAUCHE
Boucles d'oreilles *Feuillage
éternel*, collection *La Nature
de Chaumet*, 2016, or blanc
et diamants.

CI-CONTRE
Montre à secret *Feuillage
éternel* à mouvement suisse
à quartz, collection *La Nature
de Chaumet*, 2016, or blanc
et diamants. Collection privée.

EN HAUT, À DROITE
Bague *Racines célestes*,
collection *La Nature de
Chaumet*, 2016, or blanc,
spinelle, saphirs roses et
diamants. Collection privée.

CI-DESSUS
Collier *Feuille de Vigne*,
collection *Le Jardin de
Chaumet*, 2023, or blanc,
diamants, rubis et spinelles
gris et noirs.

PAGE DE DROITE
Projet de devant de
corsage en forme de
sarment de vigne, atelier
de dessin Chaumet, vers
1890-1900, gouache, lavis
et rehauts de gouache
sur papier teinté. Paris,
collections Chaumet.

à l'honneur par l'Empire (p. 368). Vingt-cinq ans plus tard, Jean-Valentin Morel perpétue la culture naturaliste de la Maison en reprenant le thème sur une broche, un bracelet et un collier (p. 369). Saisissant de précision et de légèreté, ce dernier raconte les vrilles de la vigne grâce au travail virtuose de l'or jaune sur lequel se déroulent les feuilles serties d'émeraudes, les grappes de perles mauves incarnant le raisin arrivé à maturité. En 2023, Chaumet dévoile une nouvelle parure chantant la vigne. Habillant le cou d'un rameau d'or blanc, le collier accueille un trio de feuilles charnues, l'une d'entre elles étant sertie d'un somptueux rubis du Mozambique de 5,18 carats (p. 274).

PAGE DE GAUCHE
Diadème aux œillets commandé par Madame Henri de Wendel, période Chaumet, 1905, platine et diamants. Tokyo, collection privée, avec l'aimable autorisation de l'Albion Art collection.

CI-DESSUS
Bague *Passion Incarnat*, collection *La Nature de Chaumet*, 2016, or blanc et or rose, spinelles, grenats rhodolites, tourmalines vertes, grenats et diamants. Collection privée.

LE ROMANTISME

Né en Europe à la fin du XVIIIᵉ siècle, le romantisme prône la libre expression de la sensibilité. La nature et l'amour y tiennent une place essentielle. Portées par l'attrait pour la botanique hérité de la passion de l'impératrice Joséphine, les femmes se couvrent de fleurs fraîches de la tête aux pieds, les passementeries de leurs robes à manches gigot sont garnies de motifs naturalistes qui décorent même les bas que les jupes bouffantes légèrement raccourcies laissent entrevoir. Généreusement agrémentés de rubans, les chapeaux se posent sur des coiffures extrêmement sophistiquées faites de fleurs fraîches et de plumes. Les créations éphémères de Batton, fleuriste du roi installé à Paris rue de Richelieu, font fureur : couronnes de pensées, touffes de violettes, bouquets de roses, diadèmes de géraniums. Le teint doit être pâle, l'air mélancolique et s'évanouir prouve une belle émotivité.

Saisissant sur le vif les éléments de la nature, les guirlandes et diadèmes de Jean-Baptiste Fossin entrelaçant les fleurs, les fruits et les feuillages règnent sur cette période. En 1830, le journal *La Mode* s'extasie devant « l'assemblage ingénieux de topazes, d'émeraudes, de rubis, de diamants enchâssés avec l'art de Fossin et reproduisant sous les formes les plus variées des guirlandes de fleurs, des bouquets, des nœuds ». L'article oublie de préciser l'art de la transformation qui caractérise ses créations, les bouquets des diadèmes devenant ornements de corsage ou peigne, les bandeaux se divisant en paires de bracelets. En digne successeur de Nitot, Fossin remet au goût de l'époque le diadème Leuchtenberg (p. 62-63) ayant vraisemblablement appartenu à Hortense, la fille de Joséphine. Dans les mains du joaillier, la pièce devient un chef-d'œuvre naturaliste serti de 698 diamants et de 32 émeraudes, dont une de 13 carats rappelant le cœur pulpeux du narcisse. Transformable en devant de corsage, ornements de cheveux ou broche, la pièce montée « en trembleuse » frémit avec grâce au gré des mouvements de celle qui lui donne vie. Cette technique anime également les fleurs, fruits et feuilles d'églantine et de jasmin du diadème dit « Bedford » (p. 67), dont la grande délicatesse est soulignée par un semis de diamants évoquant l'aube sous la rosée. L'infinie poésie tient à l'extrême précision avec laquelle Fossin conte le végétal, s'attachant à la direction des feuilles, au relief de leurs stipules et aux détails de leurs nervures, mais aussi aux lobes des calices.

Baptisée « à la Mancini » en souvenir de la coiffure de Marie Mancini, premier amour du jeune Louis XIV contraint d'y renoncer pour faire un mariage diplomatique, la paire d'ornements de cheveux de 1840 (p. 280 et p. 344) offre une variante de la guirlande. Elle fait en effet cascader depuis des feuilles de vigne vierge des diamants taviz (signifiant « amulette »), issus de Golconde, mine mythique d'Inde d'où furent extraites des pierres légendaires, dont le grand diamant bleu Hope aujourd'hui exposé à la Smithsonian Institution à Washington. Là encore, la précision de la réalisation est prodigieuse, les diamants de tailles irrégulières figurant la fructification de la plante dont les racines crampons empierrées traduisent l'exubérante souplesse.

Bracelet nymphéa (détail), période Fossin, vers 1830, argent, or, diamants, émail et perles fines. Collection Faerber.

Le don des joailliers de la Maison pour insuffler à leurs créations le frémissement d'une plante dans la nature imprègne le diadème fleurs de pensée (p. 440-441), sorti des ateliers vers 1850. Rythmées par différentes inclinaisons, leurs lobes à peine galbés scintillants de diamants, les pensées semblent tout juste cueillies, chaque motif pouvant se porter seul en broche ou en ornement de cheveux. Réinterprétée en 2023 dans la collection *Le Jardin de Chaumet*, la fleur déploie des pétales sertis vitrail d'un superbe camaïeu de diamants et de saphirs. Elle éclôt sur un collier à quatre rangs emmaillés avec virtuosité de manière à poser au creux du décolleté une mousseline végétale. Jouant avec les nuances de diamants jaune Vivid et jaune intense, bague (p. 334), boucles d'oreilles et diadème transformable en broche complètent ce bouquet contemporain.

PAGE DE GAUCHE
Ornement de cheveux dit « à la Mancini », attribué à Fossin, vers 1840, or, argent et diamants. Paris, collections Chaumet.

CI-DESSUS
Portrait de la duchesse Mancini Colonna, Jacob Ferdinand Voet, vers 1670–1675, huile sur toile. Amsterdam, Rijksmuseum.

LE JARDIN
CHAUMET

La première graine du jardin de la Maison est plantée le 25 novembre 1793 lorsque son fondateur, Marie-Étienne Nitot accole à la signature de son manifeste en faveur des joyaux de la Couronne la mention « joaillier naturaliste ». Les joailliers de la Maison s'avèrent de dignes successeurs, fleurissant chaque époque de nouvelles interprétations. Le fonds Chaumet, l'un des plus importants de l'histoire du bijou, est là pour en témoigner avec 66 000 dessins, les plus anciens datant du début du XIXᵉ siècle, et 66 000 négatifs, dont 33 000 sur plaques de verre, dédiés aux créations joaillières, mais aussi aux fleurs fraîches. Aigrette à fleur d'orchidée, étude de tulipe pour une grande broche, diadème aux chrysanthèmes, broche fleur d'églantier, une multitude de variétés dialogue dans ce jardin enchanteur : roses, iris, camélias, pivoines, campanules, primevères, marguerites, jacinthes, anémones, perce-neige, mimosa, orchidées, lilas, pavots, géraniums, capucines, clématites, myosotis.

La Maison aurait réalisé une broche en hortensia pour la fille de l'impératrice Joséphine, Hortense, vers 1807. La délicatesse des fleurs d'hortensia dont les corolles présentent un nombre irrégulier de pétales en diamants n'a d'égale que la subtilité des rubis figurant les pistils de la fleur (p. 340). Réalisé un siècle plus tard, le diadème aux œillets de Madame Henri de Wendel (p. 276), épouse d'un riche industriel lorrain, illustre la subtilité avec laquelle Joseph Chaumet modernise le bouquet naturaliste en ce début de XXᵉ siècle. Inscrit dans l'art du trait cher à la Maison, le dessin tout en tension et grâce fait éclore douze œillets, dont la finesse du serti amplifie la poésie. En 2019, une broche raconte la force de l'éclosion d'un œillet faisant danser ses pétales parfumés (p. 260).

Botaniste mandaté du roi Louis XIV, le père et voyageur naturaliste Charles Plumier remarque un arbuste à fleurs rouges lors d'une expédition à Saint-Domingue, dans les Caraïbes. La plante appelée *molle ecantu* par les habitants de l'île, ce qui signifie « buisson de beauté », est rebaptisée par Plumier en l'honneur de Leonhart Fuchs, un médecin et botaniste bavarois du XVIᵉ siècle. Elle devient ainsi le « fuchsia » – qui se prononce *fouxia*. Particulièrement expressive en broche au milieu du XIXᵉ siècle, sa fleur couronne l'une des pièces emblématiques de la Maison, le diadème aux fuchsias (p. 454-455). Commandé par les La Rochefoucauld pour l'union de leur fille Hedwige avec le prince Sixte de Bourbon-Parme, en novembre 1919, il reste associé à l'un des plus grands mariages de l'époque. Les fleurs de fuchsia laissent échapper leurs longues étamines figurées par des diamants gouttes briolettes montés en pendeloques, tandis que des poires de diamants en trompe-l'œil, l'une des signatures de Chaumet consistant à sertir plusieurs diamants en leur donnant l'apparence d'une seule pierre, concourent à l'illusionnisme naturaliste cher à la Maison. Celui-ci est aussi évident dans une maquette de broche aux volubilis de la fin du XIXᵉ siècle que dans le diadème *Mélodie nacrée* de 2019 (p. 283).

Cyanotype du diadème *Mélodie nacrée*, 2019, or blanc et diamants.

En réalisant pour la future impératrice Eugénie la broche trèfle en émail vert (p. 177), qui a rejoint les collections patrimoniales de Chaumet, Jules Fossin confirme l'ouverture d'esprit d'une maison herborisant avec le même enthousiasme toutes les espèces, des plus nobles aux plus humbles, comme le trèfle, le chardon ou le roseau. Ce dernier devient ainsi à la fin du XIXᵉ siècle une broche pleine de vie grâce à son dessin de feuilles repliées. Piqué tête en bas au creux du décolleté de la princesse Caroline de Hanovre (voir p. 55), le bijou fait sensation lors du mariage du prince héritier Frederik de Danemark avec Mary Donaldson, en 2004. Particulièrement touchante en broche, comme sur ces pièces des années 1890, la fougère inspire une parure à l'élégance un brin sauvage dévoilée en 2023 dans la collection de Haute Joaillerie *Le Jardin de Chaumet*. Délicatement découpées dans l'or blanc serti de diamant, les frondes de la plante constellent le décolleté, la chevelure et les oreilles d'une dentelle sylvestre.

Le peintre du XIXᵉ siècle Camille Corot considérait qu'avant de représenter un paysage, il convenait de « savoir s'asseoir » pour observer la nature. Les joailliers de la Maison ont fait leur ce conseil, adoptant au quotidien les outils du botaniste que sont l'œil, le savoir et la mémoire. En 2021, la précision d'un projet de diadème à motif d'épis de blé, de fleurs de pêcher et de groseilles initie une démarche inédite : interpréter en maquette ce dessin, l'un des plus anciens du fonds patrimonial datant du début du XIXᵉ siècle. Les joailliers de la Maison se prennent d'autant plus au jeu que leur travail sera montré lors de l'exposition « Joséphine et Napoléon – Une histoire (extra)ordinaire » au *12 Vendôme* (voir p. 82-83).

PAGE DE GAUCHE
Collier *Fougère*, collection
Le Jardin de Chaumet,
2023, or blanc et diamants.

CI-DESSUS
Bague bandeau *Laurier*,
2019, or blanc et diamants.

ENTRE CIEL
ET MER

Les très riches archives de la Maison illustrent l'art de ses joailliers pour capter l'émerveillement qu'offre le cosmos. Ouvrant moult portes sur l'imaginaire, les éléments célestes transportent dans une galaxie poétique où les nuages forment un collier, quand les croissants de lune et les éclairs font leur révolution ou zèbrent devants de corsage, broches et aigrettes. Le roi des astres resplendit sur deux pièces entrées dans les collections patrimoniales de Chaumet, une broche en diamants et perles de 1890 et l'aigrette soleil rayonnant de 1916 (p. 222). Fusant depuis le noyau figuré par une généreuse émeraude, les rayons offrent une démonstration de savoir-faire grâce à la technique du « fil couteau » dans laquelle excelle la Maison pour donner le sentiment que les pierres lévitent (voir également p. 423). En 2019, *Les Ciels de Chaumet* composent un nouveau chapitre féérique. Réalisé d'après un maillechort à neuf étoiles, le diadème *Étoiles Étoiles* couronne la silhouette d'une pléiade scintillante pouvant se prolonger au doigt d'une étoile filante composée d'un diamant coussin de plus de 5 carats (p. 290-291). Modernisé en supernova ponctuée d'opales noires d'Australie et de tourmalines Paraíba, le collier point d'interrogation habille le décolleté d'une comète fascinante (p. 239), quand la parure *Soleil de feu* convoque les grenats mandarins, les spinelles rouges et les saphirs jaunes pour embraser long collier, broche, bague et boucles d'oreille.

La veine naturaliste de la Maison s'exprime aussi dans des pièces inspirées de plumes d'oiseau. En 1870, Prosper Morel réalise ainsi une superbe broche plume de paon (voir p. 129 et p. 204). En guise d'ocelle, un saphir de Ceylan de 32 carats monté « en trembleuse » pouvant se détacher pour être porté en simple pierre se pose sur des barbes entièrement serties de diamants. Infiniment narratives, les paires d'ailes s'adaptent à l'agenda mondain, passant du diadème au devant de corsage ou à la broche (voir p. 111 et p. 357). Serties de diamants, de rubis, ou émaillées de bleu, elles séduisent des femmes aux personnalités affirmées, comme la princesse de Ligne ou Gertrude Vanderbilt. Icône de la Belle Époque, la riche Américaine devenue par son mariage Mrs Payne Whitney porte haut son diadème ailes serti de 566 diamants ronds et 708 diamants roses. Inspirée par les heaumes ailés des Walkyries des opéras de Wagner, la pièce a récemment rejoint les collections patrimoniales de la Maison.

Lorsque Joseph Chaumet installe la Maison à laquelle il donne son nom au 12, place Vendôme, il découvre des salons décorés d'une multitude d'éléments empruntés à la mer : coraux, algues, crabes, dauphins, ancres, proues, filets et agrès, Neptune et Mercure viennent rappeler la fonction du premier propriétaire des lieux, le baron Baudard de Sainte-James, qui fut trésorier général de la Marine du roi Louis XVI. Lui-même fils d'un capitaine au long cours Joseph Chaumet confirme l'art de la Maison pour retranscrire en pierres précieuses les éléments de la nature, et particulièrement l'eau. Ses diadèmes chute d'eau, ornements de corsage et de cheveux, peignes et

Collier *Nuages d'Or*, collection *Les Ciels de Chaumet*, 2019, or blanc et or jaune, saphir jaune et diamants.

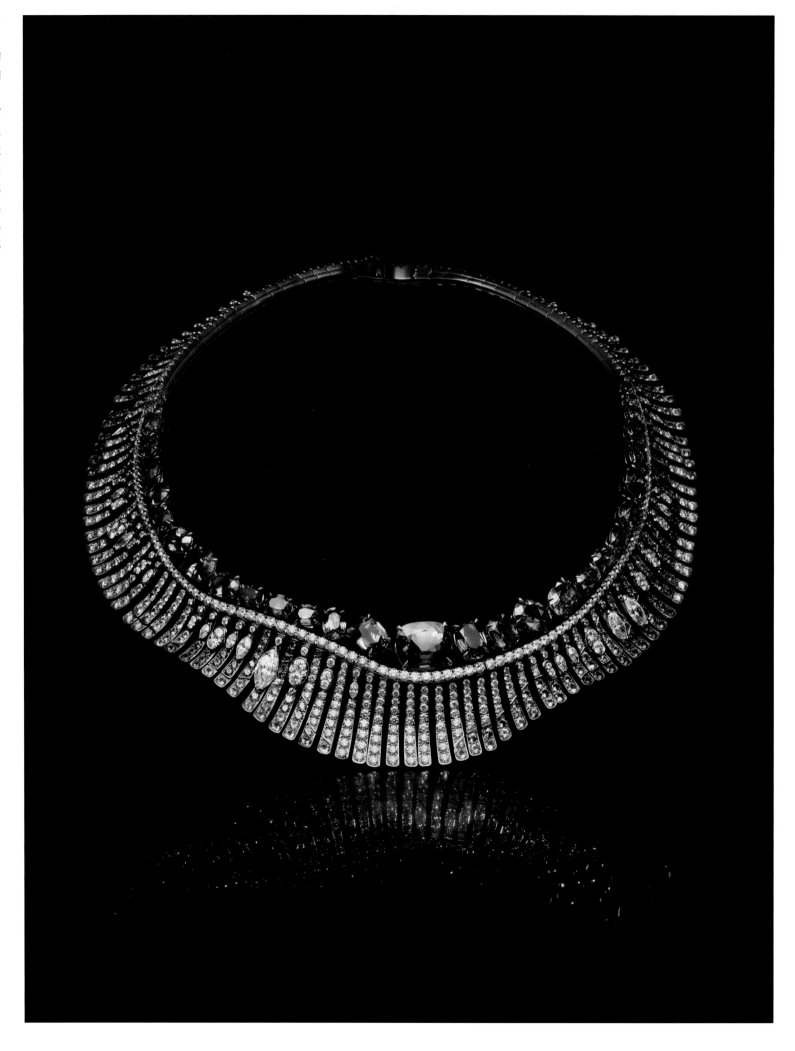

broches initient des techniques joaillières toujours plus virtuoses, notamment pour l'Exposition universelle de 1900 (voir également p. 328-333). Comme Claude Monet saisissant les plus infimes vibrations de la lumière sur le bassin aux nymphéas à Giverny, les créations de la Maison capturent l'eau, ses transparences et ses reflets, ses ondulations et ses vagues frangées d'écume. En 2022, Chaumet dédie une collection entière de Haute Joaillerie à la mer, *Ondes et Merveilles de Chaumet*. De la déferlante aux trésors des fonds marins, de la mer calme aux flots agités, l'élément aquatique est présenté dans tous ses états, observés sous de multiples angles (voir p. 68, 220, 221, 231, 240, 250, 254, 288, 330, 331, 333).

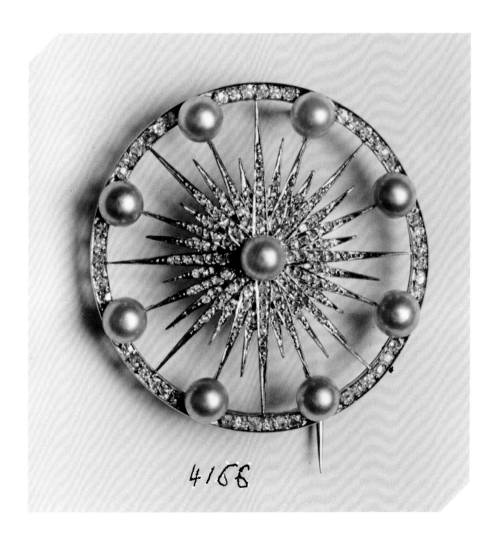

PAGE DE GAUCHE
Collier *Escales*, collection *Ondes et Merveilles de Chaumet*, 2022, or rose et or blanc, spinelles, diamants, saphirs et tourmalines Paraíba.

CI-DESSUS
Photographie de broche à motif central de centre soleil rayonnant (diamants et perles), laboratoire photographique Chaumet, 1909, positif d'après un négatif sur plaque de verre. Paris, collections Chaumet.

Diadème *Étoiles Étoiles*,
collection *Les Ciels de
Chaumet*, 2019, or blanc et
diamants.

LE BESTIAIRE
CHAUMET

Fidèle à son héritage de « joaillier naturaliste », la Maison s'empare des représentants de la faune avec la même agilité qu'elle saisit la flore. Le fonds patrimonial fourmille ainsi d'animaux, de la grenouille au criquet, du scarabée à l'hirondelle.

Les espèces volantes ont souvent les honneurs, permettant aux joailliers de consacrer le mouvement cher à la Maison. En 1891, un devant de corsage églantine et papillon rivalise de délicatesse avec un autre capturant une libellule posée sur un typha, cette grande plante rencontrée au bord des étangs aussi appelée quenouille. En 1904, Joseph Chaumet fait l'unanimité au sein du jury de l'Exposition internationale de Saint-Louis, aux États-Unis, avec son papillon aux ailes serties de rubis (p. 295, en bas à droite). Un siècle plus tard, la broche *Parade* (ci-contre) possède le même élan, son couple de cigognes au plumage de diamant et d'onyx tenant dans son bec un saphir jaune poire de 12,78 carats. Saisi en vol, le colibri signe des créations emblématiques de la Maison, en grande aigrette ou paire d'aigrettes transformables, toutes deux de la fin du XIXe siècle (voir p. 431). Réputés moins gracieux, le hanneton et la chauve-souris s'invitent pourtant dans le bestiaire, le premier en broche d'or, argent, rubis et grenat au XIXe siècle, la seconde en broche ou chevalière au début du XXe siècle (p. 301, à droite), puis en bague dans les années 1970. Cette époque voit l'arrivée de nouveaux animaux. Perché sur sa branche de corail, le piaf à plumes d'or et gorge de lapis-lazuli pose un œil (en diamant) narquois sur ses congénères, tandis qu'une pieuvre sculptée dans un cristal de roche opaque s'accroche à une algue en jaspe sur un collier commandé par Sir Valentine Abdy pour son mariage avec Mathilde de La Ferté (p. 299). Sur une broche de 1970, le martin-pêcheur file comme une flèche, tout comme l'hirondelle volant à tire-d'aile qui ne consent à s'arrêter qu'une fois nichée sur l'oreille sur d'autres créations (p. 302).

Plus mystérieuses, certaines espèces requièrent la même précision. Une araignée tisse sa toile en boucle de ceinture (p. 301, au centre), un dragon se perche sur une aigrette, tout croc dehors, deux serpents bataillent pour s'approprier une émeraude sur un projet de diadème transformable en collier serre-cou (p. 301, en haut). Présent du comte Henckel von Donnersmarck à sa deuxième épouse, Katharina, en 1889, un devant de corsage s'orne de deux lézards affrontés autour d'un rubis de 34 carats (p. 295).

Faisant écho aux enjeux écologiques du XXIe siècle pour lesquels Chaumet s'implique à travers diverses actions de mécénat, le bestiaire de la Maison célèbre sans cesse l'abeille. Symbole du nouveau régime impérial débuté avec Napoléon Ier, l'insecte figure dans les armoiries qui sont alors créées pour le souverain. Adoptée par le roi carolingien Charlemagne, l'abeille représente le plus ancien emblème des souverains français. C'est à ce titre qu'elle apparaît sur le manteau impérial, symbolisant la rupture avec la monarchie de l'Ancien Régime, tout en rattachant la nouvelle dynastie aux origines

Broche *Parade*, collection *Les Ciels de Chaumet*, 2019, or blanc, saphir jaune, onyx, cristal de roche et diamants.

de la France. Butinant régulièrement les créations Chaumet, elle inspire en 2011 la collection *Bee My Love* (p. 297, 446-449). Le motif stylisé d'une alvéole de ruche adoucie par l'or poli miroir remporte un vif succès, jamais démenti. En 2021, la ligne s'illumine de la Taille Impératrice, une taille de diamant hexagonale inédite, composée de 88 facettes taillées une à une (p. 297). Suivant un angle de 48°, elle vient optimiser l'éclat des pièces imaginées en son honneur, telles que bracelet tennis, collier « Y », puces d'oreilles et solitaire. En 2023, la collection *Le Jardin de Chaumet* invite la nouvelle taille dans un trio de Haute Joaillerie, collier, bague et boucles d'oreilles entrelaçant l'or ouvragé et les diamants en propositions naturalistes renouvelées.

Projet de devant de corsage figurant un papillon posé sur une branche de laurier, atelier de dessin Chaumet, vers 1890, encre, lavis d'encre et de gouache, rehauts de gouache et de gomme arabique sur papier teinté gris. Paris, collections Chaumet.

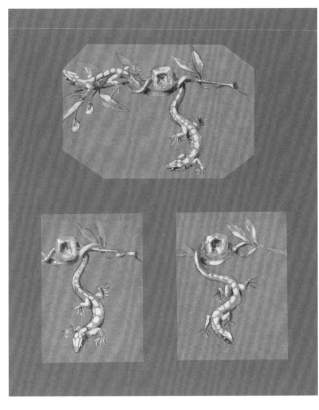

EN HAUT, À DROITE
Photographie d'une
broche en forme de
libellule (diamants et
pierres de couleurs),
laboratoire photographique
Chaumet, vers 1900,
positif d'après un négatif
sur plaque de verre. Paris,
collections Chaumet.

CI-CONTRE
Broche papillon, période
Chaumet, vers 1895, or,
argent, rubis et diamants.
Collection privée.

CI-DESSUS
Projets pour le devant
de corsage de la princesse
Katharina Henckel
von Donnersmarck,
période Chaumet, atelier
de dessin, vers 1845,
crayon graphite, lavis et
rehauts de gouache. Paris,
collections Chaumet.

295

PAGE DE DROITE
Pendentif *Bee My Love*,
2021, or rose et diamant
Taille Impératrice.
Pendentif *Bee My Love* à
motif d'abeille, 2021, or
rose et diamants.

CI-DESSUS
Broches abeilles, période
Chaumet, vers 1970, or,
diamants. Paris, collections
Chaumet et collection
privée.

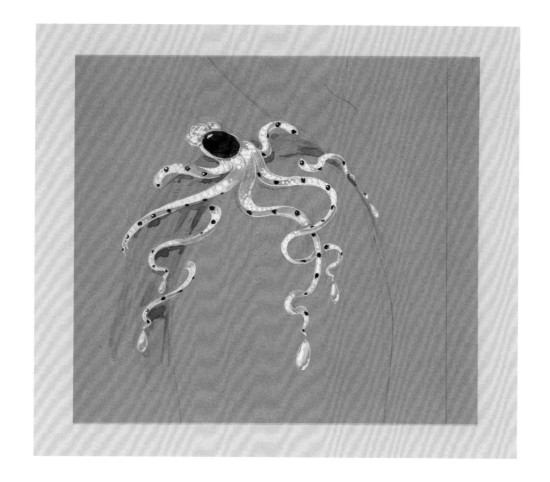

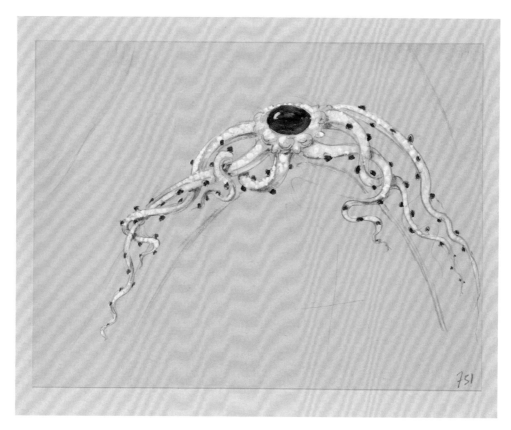

CI-DESSUS
Deux projets d'épaulette
en forme d'ophiure, atelier
de dessin Chaumet, vers
1900, crayon graphite,
plume et encre, lavis
d'encre et d'aquarelle
sur papier teinté. Paris,
collections Chaumet.

PAGE DE DROITE
Collier pieuvre, Lemoine
pour Chaumet, 1974, or,
cristal de roche, jaspe,
diamants et rubellite.
Collection privée.

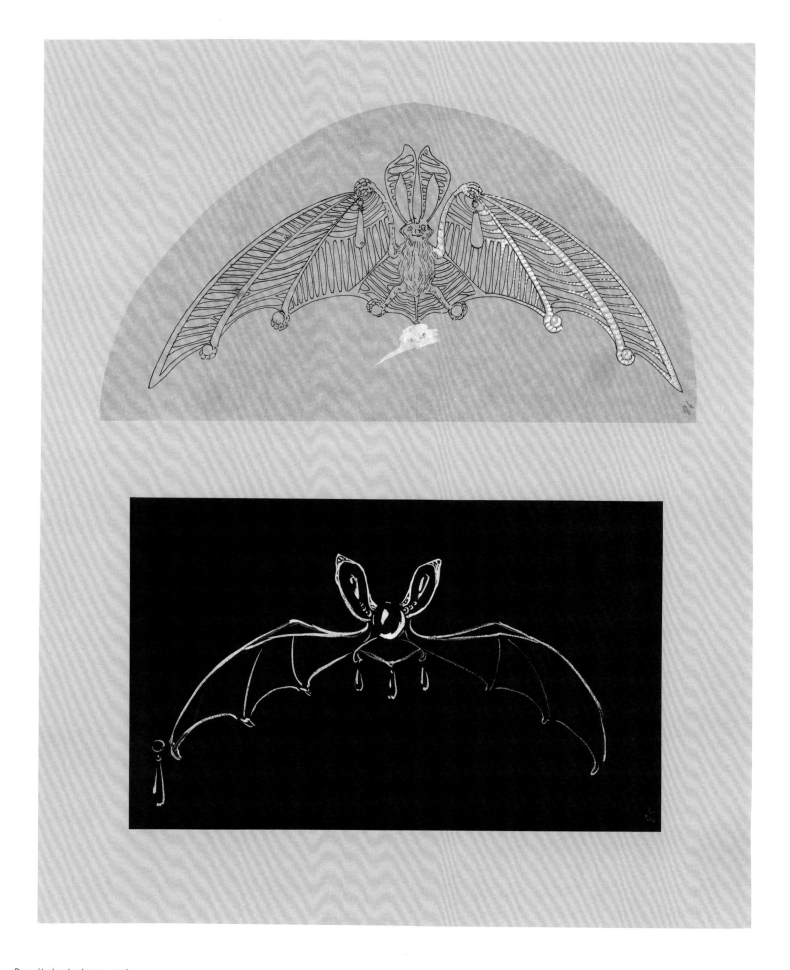

Deux études de chauve-souris
d'après nature pour un projet
de diadème, atelier de dessin
Chaumet, vers 1890-1900, plume
et encre de Chine, lavis sur calque
et gouache sur carton. Paris,
collections Chaumet.

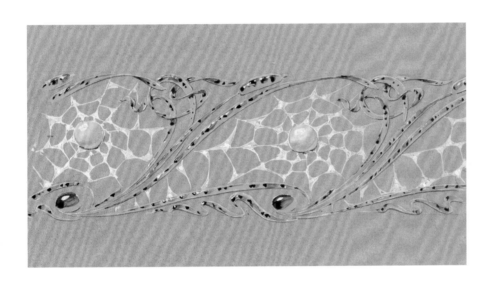

EN HAUT
Projet de diadème aux serpents affrontés, atelier de dessin Chaumet, vers 1890-1900, plume et encre noire, crayon graphite, lavis de gouache sur papier teinté. Paris, collections Chaumet.

CI-CONTRE
Projet de bracelet serpent, atelier de dessin Chaumet, vers 1880-1890, lavis et rehauts de gouache sur papier teinté. Paris, collections Chaumet.

AU CENTRE
Projet de serre-cou à motifs de toiles d'araignée, atelier de dessin Chaumet, vers 1900, gouache, lavis et rehauts de gouache sur papier teinté. Paris, collections Chaumet.

CI-DESSUS
Chevalière stylisant une chauve-souris, période Chaumet, vers 1900, or, tourmaline rose. Paris, collections Chaumet.

Broche martin-pêcheur,
période Chaumet (Pierre
Sterlé), 1970, lapis-lazuli,
or brossé et diamants.
Collection privée.

« VÉGÉTAL – L'ÉCOLE DE LA BEAUTÉ »

Présentée en 2022 au palais des Beaux-Arts de Paris, dont Chaumet est le mécène depuis plusieurs années, l'exposition « Végétal – L'École de la beauté » invite à regarder la nature à travers le prisme universel de l'art. Initiatrice de ce projet unique, la Maison a puisé dans son vaste patrimoine pour faire résonner son identité naturaliste et son regard botaniste avec toutes les formes artistiques qui se sont, elles aussi, penchées sur le végétal.

Riche de 400 œuvres et objets d'art réunis autour d'espèces identifiées dans les archives de la Maison, du chêne à la fleur de pensée, du narcisse au blé, l'événement scénographié selon le principe de l'herbier a permis de croiser les regards et les disciplines. Une étude de muguet pour un devant de corsage de 1850 a pour voisine une robe brodée de brins de muguet créée en 1954 par Christian Dior pour l'actrice Françoise Arnoul (p. 304). Récemment acquise par le département Patrimoine de la Maison, une guirlande florale des années 1830 est exposée, l'étude des dessins du fonds Chaumet ayant permis de remonter ce bel exemple de naturalisme romantique (p. 305, en bas).

PAGE DE GAUCHE
Une robe de la Maison
Christian Dior, créée
en 1954, complétait les
nombreuses œuvres
présentées lors de
l'exposition « Végétal ».

EN HAUT
Un tableau signé Séraphine
de Senlis trônait en
majesté au premier étage
de l'exposition « Végétal ».

CI-DESSUS
Traîne de corsage au
feuillage, période Fossin,
vers 1840, or, argent et
diamants. Paris, collections
Chaumet.

UNE MAISON...

ENGAGÉE

« JE SUIS SÛR QUE BEAUCOUP
D'HOMMES N'ENGAGENT JAMAIS
LEUR ÊTRE, LEUR SINCÉRITÉ
PROFONDE. ILS VIVENT
À LA SURFACE D'EUX-MÊMES. »
GEORGES BERNANOS, *JOURNAL D'UN CURÉ DE CAMPAGNE*, 1936

PAGE DE GAUCHE
Épée consulaire dite épée
du sacre de Napoléon Ier,
Boutet, Nitot, Odiot, 1802,
or, jaspe sanguin, diamants
dont le Régent (répliques),
écaille, acier, cuir. Musée
national du Château de
Fontainebleau.

DOUBLE PAGE
PRÉCÉDENTE,
À GAUCHE
Diadèmes volutes,
période Chaumet, vers
1907, platine et diamants.
Collection privée.

Depuis l'intervention de son fondateur, Marie-Étienne Nitot, pour sauver les joyaux de la Couronne de France de la vindicte révolutionnaire, l'histoire de Chaumet s'écrit sous le sceau de l'engagement. Complice de femmes libres et entreprenantes, mécène d'actions pédagogiques, la Maison possède aussi un patrimoine exceptionnel qu'elle veille à conserver, enrichir et partager avec le plus grand nombre à travers des expositions à Paris et dans le monde entier.

LA PROFESSION
DE FOI DE
MARIE-ÉTIENNE NITOT

Bien que sollicité à plusieurs reprises par les autorités révolutionnaires pour son expertise en pierres précieuses, Marie-Étienne Nitot évolue dans une période dangereuse. Il n'hésite pourtant pas à s'impliquer lorsque les joyaux de la Couronne semblent menacés. En novembre 1793, le joaillier adresse ainsi au Comité d'instruction publique un *Mémoire sur les raisons qui doivent déterminer la Nation à rassembler et conserver les diamants, perles et pierres rares ou précieuses qui se trouvent en son domaine*. On guillotine alors pour moins que cela. Nitot a l'habileté de présenter un argumentaire centré sur la pédagogie qui fait mouche. Grâce à lui, les joyaux sont sauvés… jusqu'à ce que la République française ne les vende, en 1887. Quelques pièces épargnées sont aujourd'hui exposées dans trois musées parisiens, le musée de Minéralogie de l'École des mines, le Muséum national d'Histoire naturelle et le Louvre, ce dernier faisant souvent appel à l'atelier de Chaumet pour le nettoyage et la restauration de joyaux.

CI-CONTRE
Portrait présumé de
François-Regnault Nitot,
Louis-Léopold Boilly, vers
1810, peinture à huile.
Collection privée.

PAGE DE DROITE
Bracelet de l'impératrice
Marie-Louise, période
Nitot, 1810, or et micro-
mosaïque. Paris, musée du
Louvre.

« J'INVITE LE COMITÉ D'INSTRUCTION PUBLIQUE [À] CONSIDÉRER QUE PRESQUE TOUS LES DIAMANTS ET LES PIERRES PRÉCIEUSES QUI SE TROUVENT COMPRISES DANS LES DOMAINES DE LA RÉPUBLIQUE SONT TRÈS MAL TAILLÉS ET QUE N'EN POUVANT FAIRE AUCUN USAGE ON SERAIT FORCÉ DE LES VENDRE AUX ÉTRANGERS ET À VIL PRIX, QU'AU CONTRAIRE, SI ON ENCOURAGEAIT CETTE PARTIE DU COMMERCE ET DES ARTS EN FORMANT DES ÉLÈVES LA RÉPUBLIQUE EN TIRERAIT UN DOUBLE AVANTAGE, CELUI DE CONSERVER LES RICHESSES ET CELUI DE PROCURER DU TRAVAIL À SES ENFANTS. »

MARIE-ÉTIENNE NITOT, *MÉMOIRES SUR LES RAISONS QUI DOIVENT DÉTERMINER LA NATION À RASSEMBLER ET CONSERVER...*, 1793

Parure d'émeraudes de
l'impératrice Marie-Louise,
période Nitot, 1810, or,
diamants et émeraudes.
Paris, musée du Louvre.

DES FEMMES
ENGAGÉES

Le destin de la Maison prend une dimension autre après que François-Regnault Nitot, le fils du fondateur, gagne la confiance de l'impératrice Joséphine qui en fait son « Joaillier ordinaire ». Proche de la souveraine jusqu'à sa disparition, en 1814, la Maison la soutient dans tous ses combats. Ses parures doivent aider à asseoir le nouveau régime impérial – même répudiée pour ne pas avoir donné d'héritier à Napoléon Ier, elle demeure son indéfectible soutien. Séparée d'un premier mari avec deux enfants dont elle a obtenu la garde après s'être battue en justice durant deux ans, de 1784 à 1786, Joséphine est une femme émancipée. C'est d'ailleurs ce qui fait succomber le futur Napoléon, qui l'épouse contre l'avis de sa famille hostile à cette « vieille » femme de six ans son aînée. Accueillant volontiers des neveux et nièces, la famille recomposée qu'ils forment a tout de la tribu. Ce qui n'empêche pas la souveraine de veiller très attentivement à l'éducation de ses enfants, un domaine dans lequel elle ne transige pas. À raison puisque ses descendants apparaissent dans de nombreuses familles royales, comme celles de Suède, de Norvège et de Belgique.

Le petit-fils de Joséphine, l'empereur Napoléon III, épouse lui aussi une femme prête à défendre les valeurs auxquelles elle croit. Investie dans de nombreuses institutions caritatives à but pédagogique, l'impératrice Eugénie fait par exemple saisir le Conseil des ministres pour permettre à Julie-Victoire Daubié de se présenter aux épreuves du baccalauréat, le diplôme sanctionnant la fin du lycée dans le système éducatif français. À trente-sept ans, l'institutrice devient la première femme à l'obtenir, en 1861. Toujours prête à s'impliquer dans la cause des femmes, la souveraine passe aussi des commandes d'État à Adèle d'Affry, la duchesse de Castiglione Colonna (également cliente de Chaumet), qui se retrouve veuve à vingt ans, pour l'aider à vivre de sa sculpture. L'artiste exerce sous le pseudonyme masculin de Marcello. L'École nationale supérieure des beaux-arts de Paris, de 1870, réorganisée en 1883, lui est interdite – elle n'autorisera les élèves femmes qu'en 1897. De même, « Marcello » doit se déguiser en homme pour assister aux dissections du Muséum national d'Histoire naturelle. À la même époque, la peintre d'animaux Rosa Bonheur (p. 317) peut quant à elle porter un pantalon par autorisation spéciale de la préfecture ayant jugé ce « travestissement » justifié par ses travaux. Proche de George Sand, qui est alors la seule femme vivant de sa plume, formant avec le musicien Frédéric Chopin le plus célèbre couple de l'époque romantique, Rosa Bonheur s'est, tout comme son amie écrivain, libérée des préjugés. Ce qu'apprécie l'impératrice Eugénie. Au point d'intervenir en personne pour que cette grande artiste reçoive, en 1865, le titre de chevalier dans l'ordre impérial de la Légion d'honneur, cette prestigieuse récompense instituée par Bonaparte avant qu'il ne devienne empereur. Rosa Bonheur sera ainsi la première femme décorée à titre civil pour services rendus à l'art dans l'exercice de son métier. Elle portera son ruban rouge jusqu'à sa mort, en 1899.

Gertrude Vanderbilt
Whitney dans son atelier
d'art, 1920.

315

Témoin des évolutions sociétales, et notamment de l'émancipation des femmes marquant les sociétés occidentales du XXe siècle, les livres de visites et de commandes de la Maison regorgent de fortes personnalités. Ainsi Gertrude Vanderbilt, élève de Rodin, qui fut une grande cliente, incarne-t-elle la milliardaire philanthrope de la Belle Époque (p. 110-113 et 314). Après avoir soutenu le lancement de *Vogue*, elle expose dans son atelier de jeunes artistes américains comme Edward Hopper. Riche de six cents peintures et sculptures, sa collection est réunie au Whitney Museum of American Art qu'elle crée en 1921 et qui demeure l'une des grandes institutions artistiques internationales.

Elle aussi passionnée de peinture et cliente de Chaumet, la Danoise Karen Dinesen refuse les conventions de son époque et se rend au Kenya en 1914 pour y épouser son cousin, le baron Bror Blixen. Divorcée de cet homme brutal, volage et atteint de syphilis, elle poursuit seule l'exploitation de café, au pied des Ngong Hills, jusqu'à ce que la baisse des cours ne la ruine. Fidèle à la devise de son amant, Denys Finch-Hatton « Je responderay » (« Je répondrai et rendrai compte »), elle rentre au Danemark où elle se met à écrire (voir p. 371). Paru en 1937, son chef-d'œuvre *La Ferme africaine* est porté à l'écran par Sidney Pollack en 1985 dans *Out of Africa* avec Meryl Streep et Robert Redford – le film décrochera sept Oscars.

Grandes mécènes, Marie-Laure de Noailles (voir p. 319 et 350-351) et Louise de Vilmorin (voir p. 367 et 370-371) furent également des figures marquantes de leur époque. La première est une riche héritière qui a trois amours dans la vie : son mari, le vicomte Charles de Noailles, qui lui fait découvrir la Maison, les pierres de couleur avec un net penchant pour les saphirs, les turquoises et le corail et l'avant-garde artistique. Entre l'hôtel particulier de la place des États-Unis à Paris, dont Michel Frank a signé l'intérieur Art déco, et le « château cubiste », une villa moderniste à Hyères, sur la Riviera, comprenant vingt-cinq chambres commandée à l'architecte Robert Mallet-Stevens (p. 351), le couple accueille aussi bien les surréalistes comme Alberto Giacometti que Salvador Dalí, Jean Cocteau, Marc Chagall ou Marcel Proust. Fiancée à Antoine de Saint-Exupéry, vingt ans avant qu'il n'écrive *Le Petit Prince*, Louise de Vilmorin se marie finalement avec un homme d'affaires américain, puis épouse un aristocrate hongrois, mais finit sa vie avec André Malraux, le ministre des Affaires culturelles du général de Gaulle de 1959 à 1969, ce qui lui vaut de se présenter elle-même avec le mordant qui la caractérise sous le nom de « Marilyn Malraux ». Reine du Paris littéraire et mondain, Mlle de Vilmorin, comme elle tient toujours à se faire appeler malgré deux divorces et moult liaisons, est récompensée en 1955 pour son œuvre par le tout jeune Grand Prix littéraire de Monaco.

Fidèle à cette complicité avec des femmes engagées dans des domaines aussi divers que l'éducation ou l'environnement, la Maison vient d'initier un nouveau rendez-vous : Chaumet Echo Culture Awards. À travers lui, Chaumet souhaite célébrer et soutenir des femmes à l'origine d'initiatives fédérant les gens autour de la culture. Débuté en France en 2023, le projet a pour ambition de se développer à l'international.

Portrait de Marie-Rosalie dite Rosa Bonheur, Édouard Louis Dubufe, vers 1857, huile sur toile. Châteaux de Versailles et de Trianon.

« NOUS APPLAUDISSONS DES DEUX MAINS.
DÉCIDÉMENT, NOTRE CIVILISATION COMMENCE
À RECONNAÎTRE QUE LES FEMMES ONT
UNE ÂME. ET LA SIGNATURE EN BAS DU DÉCRET
PROUVE QU'ELLES ONT ÉGALEMENT
DE L'INTELLIGENCE, MÊME QUAND ELLES
SONT SUR LE TRÔNE. »

L'OPINION INTERNATIONALE RELATANT LA LÉGION D'HONNEUR DE ROSA BONHEUR, 1865

CI-DESSUS
Photographie d'un
pendentif rubis et
diamants réalisé pour
Gertrude Vanderbilt
Whitney, laboratoire
photographique Chaumet,
1900, positif d'après un
négatif sur plaque de
verre. Paris, collections
Chaumet.

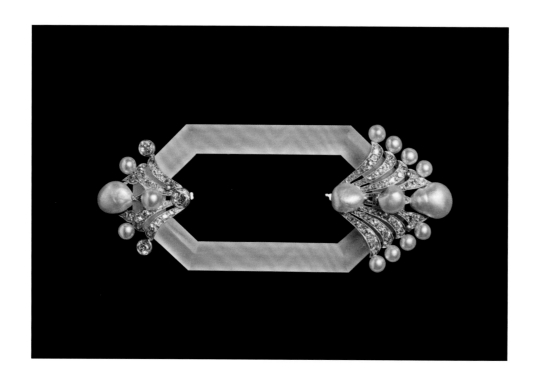

EN HAUT, À DROITE
Photographie d'une
grande boucle sertie
de pierres de couleurs
variées commandée par
la comtesse Marie-Laure
de Noailles, laboratoire
photographique Chaumet,
1949, positif d'après un
négatif sur plaque de
verre. Paris, collections
Chaumet.

CI-CONTRE
Photographie d'une
broche commandée
par le baron de Blixen
(cristal de roche, diamants
et perles), laboratoire
photographique Chaumet,
1926, positif d'après un
négatif sur plaque de
verre. Paris, collections
Chaumet.

Marie-Laure de Noailles,
photographiée par
Man Ray, 1936.

LE FONDS
PATRIMONIAL
CHAUMET

PLUS DE
350 CRÉATIONS
DE JOAILLERIE,
D'HORLOGERIE ET
D'ORFÈVRERIE.

66 000 DESSINS,
DONT LES PLUS ANCIENS
REMONTENT AU DÉBUT DU
XIXE SIÈCLE.

716 MAILLECHORTS,
DONT **515** DIADÈMES –
264 SONT EXPOSÉS
DANS LE SALON DES
DIADÈMES AU *12 VENDÔME*.

117 LIVRES
DE VISITES.

434 LIVRES
DE FACTURES
ET D'INVENTAIRES
DE PARIS, LONDRES
ET NEW YORK,
AUXQUELS S'AJOUTENT
LES LIVRES DE
PIERRES, DE PERLES
ET D'ATELIER.

66 000 NÉGATIFS,
DONT **33 000**
PLAQUES DE VERRE ET
300 000 TIRAGES
PHOTOGRAPHIQUES.

20 000 LETTRES
DES CORRESPONDANCES
DES PRINCIPAUX DIRIGEANTS
DE LA MAISON : JULES FOSSIN,
ASSOCIÉ À LA DIRECTION AVEC
SON PÈRE EN 1832, PROSPER
MOREL, NOMMÉ GÉRANT PAR
JULES FOSSIN EN 1861, JOSEPH
CHAUMET, ENTRÉ COMME CHEF
D'ATELIER EN 1875, ET SON
FILS MARCEL CHAUMET, QUI
LUI SUCCÈDE EN 1928.

CI-DESSUS
L'un des livres de pierres
de particuliers, conservé
dans les archives de
la Maison, où étaient
enregistrées les pierres
et bijoux déposés par
les clients, en vue de
leur estimation et de
leur réutilisation dans
de nouvelles créations
Chaumet.

PAGE DE GAUCHE
Les archives de Chaumet
regorgent de dessins et
trésors en tout genre.

DES PROJETS
PÉDAGOGIQUES

Riche de 66 000 pièces, le fonds de dessins que possède la Maison est unique – les plus anciens datant du tout début du XIXᵉ siècle. Témoin de plus de deux siècles de création, il est une formidable source d'inspiration et de documentation. Complice de l'idée du bijou à sa naissance, le dessin illustre en effet le geste fondamental grâce auquel le projet devient réalité. En 1767, lorsqu'il fonde l'École royale gratuite de dessin de Paris dont Marie-Étienne Nitot, le fondateur de la Maison, fut élève, le peintre Jean-Jacques Bachelier affirme l'importance de son apprentissage dans tout parcours créatif. Aussi, en 2020, lorsque l'École nationale supérieure des beaux-arts de Paris souhaite enrichir son offre pédagogique, la Maison lui apporte-t-elle son soutien – Chaumet étant déjà mécène du Cabinet de dessin. Inaugurée en 2020, la nouvelle chaire Dessin extra-large entend penser le dessin à l'heure du numérique en considérant la multiplicité de ses applications, dans la musique et la danse, mais aussi la médecine ou les mathématiques. Désireuse de le présenter autrement, dans sa complexité et son intangibilité, du crayon noir à l'intelligence artificielle, la chaire propose conférences et ateliers. L'exposition « Végétal – L'École de la beauté » qui s'est tenue au palais des Beaux-Arts de Paris en 2022 (voir p. 302-305) a aussi permis aux étudiants un cas d'école *in situ* puisqu'ils ont pu étudier et contribuer au parcours scénographique de l'événement. L'année précédente, un projet avec l'école parisienne de direction artistique, communication et architecture intérieure Penninghen avait fait travailler les étudiants sur l'idée d'une exposition du troisième millénaire célébrant le patrimoine de la Maison.

Désigné sous l'intitulé « Le Petit Mob », le mécénat développé en 2023 par Chaumet et le Mobilier national a permis de créer des ateliers pour des enfants n'ayant pas, ou peu, accès à la culture. Grâce à eux, ce jeune public va découvrir un haut lieu du patrimoine français où s'exercent des savoir-faire exceptionnels. Fondé il y a trois siècles sous le nom de Garde-Meuble royal, renommé Mobilier impérial lorsque Napoléon Iᵉʳ développe une vaste politique de remeublement des palais, le Mobilier national conserve, restaure et entretient des collections uniques au monde, composées de plus de 100 000 objets et œuvres textiles destinés à l'ameublement des résidences présidentielles et des palais de la République. Son activité se déploie sur sept ateliers de restauration et huit manufactures, parmi lesquelles la manufacture des Gobelins qui excelle dans l'art de la tapisserie. C'est elle qui accueille Le Petit Mob, ouvrant ses ateliers aux jeunes visiteurs pour leur montrer ses savoir-faire, et réaliser des travaux pratiques.

Ayant à cœur de susciter les vocations, Chaumet s'est aussi associé à la Central Saint Martins de Londres, l'école de renommée internationale ayant formé les créatrices de mode Stella McCartney, Phoebe Philo ou Grace Wales Bonner. En 2017, la Maison a ainsi donné carte blanche aux soixante élèves de deux promotions de joaillerie, le « Bachelor of Arts in Jewellery » et le « Master's Degree in Jewellery Design », pour imaginer le diadème du

L'*Été* et *Le Printemps*,
Giuseppe Arcimboldo,
1573, huile sur toile, lors
de l'exposition « Végétal »,
en 2022.

XXIe siècle. Sélectionné parmi huit finalistes, le lauréat est Scott Armstrong, un Anglais de vingt et un ans, qui a depuis rejoint le studio de création de Chaumet, à Paris. Inspiré par la tradition naturaliste de la Maison, le jeune dessinateur s'est attaché au « jardin à la française », auquel André Le Nôtre, le roi des jardiniers et jardinier du roi Louis XIV, a donné ses lettres de noblesse à Versailles et Vaux-le-Vicomte. Entrelaçant avec modernité et poésie courbes et lignes de diamants le diadème *Vertiges* (ci-contre) fait fleurir un camaïeu de tourmalines vertes, d'émeraudes, de citrines et de grenats jaunes digne des savants effets de perspective inventés par Le Nôtre. D'ailleurs, en 1689, Louis XIV est si fier du chef-d'œuvre de son jardinier qu'il rédige une *Manière de montrer les jardins de Versailles*. Désireux d'offrir le meilleur itinéraire pour admirer bassins, fontaines, statues, allées et bosquets, ce guide, dont le manuscrit est conservé à la Bibliothèque nationale de France, trace un itinéraire en vingt-cinq étapes – soit huit kilomètres de promenade.

Trois siècles plus tard, en 2022, Chaumet contribue justement à la restauration des bassins des Saisons. Les éléments de cette suite sculptée en plomb doré ont été réalisés d'après les dessins du premier peintre du roi, Charles Le Brun. Assise sur un lit de roses et d'anémones, Flore, la déesse romaine des fleurs, symbolise le printemps (ci-dessous), tandis que Cérès figure l'été, entourée de gerbes de blé parsemées de coquelicots. Dieu du vin et des vendanges Bacchus annonce l'automne quand Saturne, titan de la mythologie grecque, est associé à l'hiver. Exposés à tous les vents depuis leur exécution entre 1672 et 1677, les ouvrages avaient besoin de retrouver leur éclat d'origine. C'est chose faite grâce à un bichonnage des marbres et des groupes sculptés redevenus « or jaune foncé ».

« ON IRA DROIT AU POINT DE VUE
DU BAS DE LATONE, ET EN PASSANT
ON REGARDERA LA PETITE FONTAINE
DU SATIRE QUI EST DANS LES BOSQUETS ;
QUAND ON SERA AU POINT DE VUE,
ON Y FERA UNE PAUSE POUR CONSIDÉRER
LES RAMPES, LES VASES, LES STATUES,
LES LÉZARDS, LATONE ET LE CHÂTEAU ;
DE L'AUTRE CÔTÉ, L'ALLÉE ROYALE,
L'APOLLON, LE CANAL, LES GERBES DES
BOSQUETS, FLORE, SATURNE, À DROITE
CÉRÈS, À GAUCHE BACCHUS. »

LOUIS XIV, *MANIÈRE DE MONTRER LES JARDINS DE VERSAILLES*, 1689

CI-DESSUS
Diadème *Vertiges*,
Scott Armstrong pour
Chaumet, 2017, or blanc,
or rose, diamants, citrines,
grenats jaunes, béryls
verts et émeraudes. Paris,
collections Chaumet.

PAGE DE GAUCHE
La fontaine du bassin de
Flore dans les jardins du
château de Versailles,
rénovée grâce au mécénat
de la Maison.

JOSEPH CHAUMET, HOMME DE CONVICTIONS

Joseph Chaumet ne s'est pas contenté d'ancrer dans le XXᵉ siècle la Maison à laquelle il a donné son nom en 1889. Entre 1890 et 1895, en parallèle d'un studio photographique, il installe un laboratoire d'études et de vérification des perles et des rubis, contribuant ainsi à poser les bases principales de la gemmologie, soit l'étude des pierres et leur utilisation en joaillerie (voir p. 234-237). Reconnu par l'ensemble de la profession pour le procédé scientifique qu'il invente afin de distinguer les pierres naturelles des pierres synthétiques de couleur apparues sur le marché, Joseph Chaumet initie, dès 1904 pour les rubis, les certificats accompagnant les gemmes (p. 463).

Féru de sciences, il s'avère aussi un patron humaniste. En 1903, lorsque deux mille cinq cents ouvriers de la corporation des bijoutiers-joailliers se mettent en grève pour réclamer la journée de neuf heures sans diminution de salaire, il intervient devant la chambre syndicale patronale pour soutenir leur revendication. Les ouvriers de Chaumet seront d'ailleurs les premiers à reprendre le travail, citant en exemple leur employeur qui « a fait ainsi preuve du plus grand respect de [leur] liberté individuelle, comme il [leur] a toujours donné des témoignages de sympathie de [leurs] intérêts ».

Patron apprécié, homme de valeurs, Joseph Chaumet est aussi un artiste du sacré. Il réalise ainsi une porte de tabernacle en vermeil sur un fond de lapis-lazuli destinée à la basilique du Sacré-Cœur de Montmartre, à Paris. À la demande de l'évêque de Fréjus, il crée les couronnes en vermeil et pierres de couleur des statues de la Vierge et de l'Enfant Jésus de la chapelle de Notre-Dame-de-Consolation, à Hyères, sur la Côte d'Azur. Il lui faudra dix ans, de 1894 à 1904 pour venir à bout d'une œuvre imposante inspirée des scènes de la vie du Christ, représentées par 138 figurines. Baptisé *Via Vitae*, (Chemin de vie), l'ouvrage en or, marbre blanc, ivoire, albâtre, onyx, bronze doré est déclaré Trésor national en 2000 (ci-contre). Il est exposé à Paray-le-Monial, au musée du Hiéron, construit en 1890 par le baron de Sarachaga, un aristocrate espagnol né d'une mère de la cour impériale russe. Ayant légué une grande partie de sa fortune aux œuvres caritatives de Saint-Pétersbourg, le philanthrope destine le reste à ce bâtiment offrant aujourd'hui un parcours artistique et culturel retraçant deux millénaires d'histoire du christianisme.

Via Vitae, Joseph Chaumet, 1894-1904, marbre, albâtre, onyx, or, ivoire, argent doré, diamants et rubis. Paray-le-Monial, musée du Hiéron.

LE PATRIMOINE, UNE INÉPUISABLE SOURCE D'INSPIRATION

Depuis plus de deux siècles, la Maison puise dans son vaste patrimoine pour cultiver sa formidable créativité. Régulièrement, le directeur artistique et les dessinateurs du studio de création s'y plongent pour préciser une idée ou faire une recherche en lien avec une nouvelle collection, de manière à toujours imaginer des pièces contemporaines qui soient en phase avec le vocabulaire stylistique de Chaumet. Par sa richesse historique et thématique, le fonds permet d'accéder à la vision des prédécesseurs, artisans d'une Maison toujours ancrée dans son époque. Dès le début du XIXe siècle, les dessins font la part belle aux éléments de la nature. Source d'inspiration majeure, elle est célébrée dans les récentes collections de Haute Joaillerie. En 2023, *Le Jardin de Chaumet* (p. 334-335) compose un herbier avec la pensée, le blé, la vigne, la tulipe, l'iris ou la fougère, autant d'espèces qui ponctuent les réalisations de la Maison depuis deux cent quarante ans. L'année précédente, *Ondes et Merveilles de Chaumet* est dédié à la mer. Souvent traité en cascades, chutes, gouttes ou stalactites animant diadèmes, ornements de cheveux, devants de corsage ou encore peignes, le thème de l'eau imprègne depuis toujours les créations de la Maison. Il est célébré lors de la Biennale des antiquaires en 2014, et une nouvelle fois huit ans plus tard à travers des pièces transformables particulièrement contemporaines, le bijou de tête devenant broche, le sautoir s'ajustant en ras-du-cou, la boucle d'oreille couvrante offrant deux portés, quand le diamant de 6,05 carats passe d'une bague couvrant la phalange à une monture de solitaire. Véritable invitation au voyage, les pièces expriment toutes les nuances des mers, des caresses de la houle à fleur d'eau aux chasses au trésor sous-marines, en passant par les courants du Gulfstream. Comme toujours, les archives de la Maison ont été de précieuses alliées. Le diadème *Déferlante* (p. 68 et p. 331, en bas) traduit ainsi la vague qui se dresse avec un réalisme fascinant. Telle une sculpture joaillière façonnée dans quarante-quatre éléments d'or blanc, la pièce capture sur le vif l'élément marin, légère comme le sont les créations de la Maison et puissante comme l'eau chahutée.

Indispensable à la réalisation de collections à la fois ancrées dans leur temps et dans le style de la Maison, le fonds patrimonial l'est tout autant pour la construction d'expositions, comme « Végétal – L'École de la beauté » en 2022 au palais des Beaux-Arts de Paris (p. 302-305) ou « Un Âge d'Or – 1965-1985 », présentée l'année suivante au *12 Vendôme*. Chacune se nourrit en effet du dialogue entre le commissaire et le département du Patrimoine qui se transforme parfois en agence de détectives pour retrouver telle pièce importante pour le propos.

Chaumet partage aussi volontiers ses archives avec le septième art. Lorsque le réalisateur britannique Ridley Scott se plonge, après *Gladiator, House of Gucci* et *Robin des bois*, pour ne citer que ces films, dans l'histoire de l'ascension de l'empereur Napoléon Ier racontée à travers sa relation avec Joséphine, sa costumière Janty Yates s'adresse naturellement à la Maison

Projet de collier de diamants à motif central de gerbe d'eau, atelier de dessin Chaumet, vers 1950, craie, gouache et rehauts de gouache sur papier teinté. Paris, collections Chaumet.

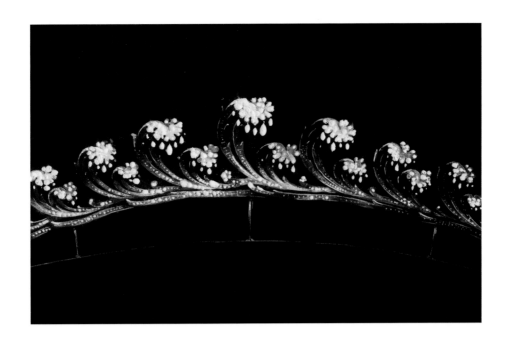

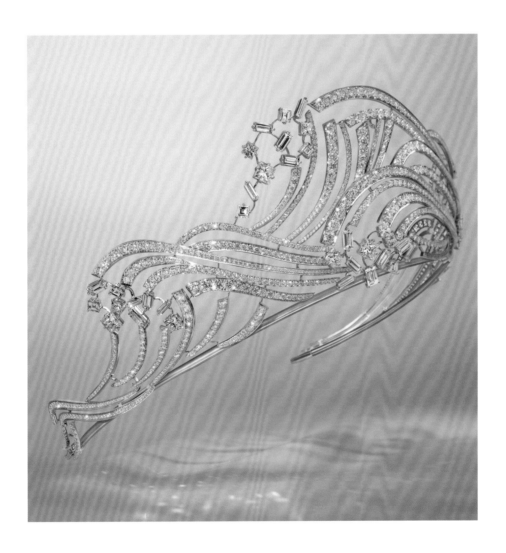

Projet de diadème en
frise de vagues, atelier de
dessin Chaumet, vers 1900,
gouache, lavis et rehauts
de gouache sur papier
teinté. Paris, collections
Chaumet.

EN BAS
Diadème *Déferlante*,
collection *Ondes et
Merveilles de Chaumet*,
2022, or blanc et diamants.

PAGE DE GAUCHE
Boucles d'oreilles et collier
Déferlante, collection
*Ondes et Merveilles de
Chaumet*, 2022, or blanc
et diamants.

« DE TOUTES LES JOAILLERIES, LA PLUS VASTE, LA PLUS SOMPTUEUSE, LA PLUS FÉÉRIQUE, LE DEVANT DE CORSAGE EXPOSÉ PAR M. CHAUMET DOIT SA SPLENDEUR MOINS AU NOMBRE QU'À LA GROSSEUR DES DIAMANTS, QU'À LA COMPOSITION QUI EN A RÉGLÉ L'EMPLOI ET QUI A FAIT CHATOYER L'EAU DES PIERRERIES COMME LES ONDES D'UNE CASCADE, COMME DES FUSÉES DE LUMIÈRE. »

ROGER MARX AU SUJET DE *CHUTE D'EAU* PRÉSENTÉ PAR JOSEPH CHAUMET À L'EXPOSITION UNIVERSELLE INTERNATIONALE DE 1900 À PARIS.

CI-DESSUS
Photographie d'un devant
de corsage à décor de rubans
et de chute d'eau, laboratoire
photographique Chaumet, vers
1900, positif d'après un négatif
sur plaque de verre. Paris,
collections Chaumet.

PAGE DE DROITE
Collier *À Fleur d'Eau*, collection
Ondes et Merveilles de Chaumet,
2022, or blanc et diamants.
Collection privée.

qui lui ouvre généreusement son patrimoine. Les pièces historiques sont ainsi montrées et dûment observées par l'équipe de manière à leur être fidèle dans le biopic – tout prêt étant impossible compte tenu des conditions de tournage, incompatibles avec la conservation et la sécurité de tels joyaux. « Joaillier ordinaire de Joséphine », Chaumet lui a d'ailleurs consacré une exposition « Joséphine et Napoléon – Une histoire (extra)ordinaire » (p. 44-47). À l'occasion du bicentenaire de la mort de Napoléon, en 2021, la Maison a en effet ouvert au public le *12 Vendôme* pour célébrer cet amour enflammé. Animés par cette trame romanesque riche en rebondissements, les salons particuliers de la Maison accueillaient pour l'occasion cent cinquante pièces, incluant de nombreux inédits. Parmi eux, une centaine de documents issus de la Secrétairie d'État consulaire et impériale. Celle-ci, conservée aux Archives nationales depuis 1849, réunit tous les documents ayant aidé l'Empereur dans ses prises de décision en tant que chef de l'État. Le mécénat de Chaumet a permis la restauration, la numérisation et la valorisation de 1 800 documents graphiques, tels que dessins, cartes et plans.

CI-DESSUS
Bagues *Pensées*, collection
Le Jardin de Chaumet,
2023, or blanc, diamants,
saphirs jaunes et saphirs.

PAGE DE DROITE
Collier transformable *Iris*,
collection *Le Jardin de
Chaumet*, 2023, spinelle,
diamants, saphirs roses et
padparadschas, saphirs.

LA TRANSMISSION
EN HÉRITAGE

En l'honneur des deux cent quarante ans de la Maison, l'hôtel particulier du *12 Vendôme* s'offre une complète restauration pour redonner au lieu sa triple vocation : accueillir les clients dans le magasin, ouvrir ponctuellement les salons historiques pour des temps de culture partagée et accueillir l'atelier de Haute Joaillerie dont la virtuosité est la raison d'être de Chaumet (voir également p. 26). Installé depuis plus d'un siècle face à la colonne de la place Vendôme, l'atelier est aux mains de Benoit Verhulle. Embauché en 1990 par le dixième chef d'atelier, formé par les onzième et douzième chefs d'atelier, il devient à son tour chef d'atelier, le treizième chef de la Maison depuis sa création, en 1780. Avec trente-trois ans de Maison, Benoit Verhulle est un véritable chef d'orchestre, œuvrant pour que les dessins du studio prennent vie, ici dans une collection de Haute Joaillerie, là dans une commande spéciale. À lui revient de trouver quel artisan sera le plus à l'aise avec telle pièce. Aussi passionné que pédagogue, il veille sans relâche à transmettre son métier aux jeunes apprentis.

Les expositions qu'initie la Maison sont imaginées dans le prolongement de ce lieu d'expérience et de narration qu'est désormais le *12 Vendôme*. Grandes présentations rétrospectives à Pékin, Tokyo, Monaco et Riyad ou rendez-vous parisiens plus intimistes, boulevard Saint-Germain, sur la Rive gauche, puis dans les salons historiques ayant retrouvé leur superbe, toutes partagent un même souhait : mettre le patrimoine de Chaumet au service du rayonnement de la Maison et le partager avec le plus grand nombre (voir p. 342-343).

Cette volonté de partage s'assortit d'une politique d'enrichissement du patrimoine ouverte à de nombreuses institutions ayant une histoire commune avec la Maison. En 2018, à l'occasion de la rétrospective « Les mondes de Chaumet – L'art de la joaillerie depuis 1780 » qui se tenait au Japon, le Vatican a confié à l'atelier du *12 Vendôme* la restauration de la tiare du pape Pie VII (p. 385 et p. 387). Offert par Napoléon Ier au souverain pontife, le somptueux présent est en partie exécuté par Marie-Étienne Nitot, le fondateur de la Maison. Deux siècles plus tard, l'émotion est donc à son comble lorsque Benoit Verhulle le réceptionne. Instauré en 2017, le mécénat de Chaumet auprès du musée Napoléon Ier du château de Fontainebleau a notamment permis cette année-là le prêt exceptionnel de l'épée du sacre (voir p. 386 et 388). Le prestigieux insigne du pouvoir, serti par Marie-Étienne Nitot des plus belles pierres précieuses du Trésor d'État, a ainsi quitté la France pour la première fois depuis sa réalisation en 1802, direction la Chine et la Cité interdite de Pékin où se tenait « Splendeurs impériales – L'art de la joaillerie depuis le XVIIIe siècle ». Quatre ans plus tard, en 2021, à l'occasion de l'exposition parisienne « Joséphine et Napoléon – Une histoire (extra)-ordinaire » (p. 44-47), deux restaurations aussi nécessaires qu'émouvantes sont réalisées sur des œuvres majeures: le célèbre portrait de Joséphine en habit de sacre de 1807 signé François Gérard, et le Napoléon tête couronnée peint par Jacques-Louis David, qui fut le maître de François Gérard.

Constat d'état en vue de la restauration d'un portrait de l'impératrice Joséphine.

QUELQUES ACQUISITIONS RÉCENTES

UNE LETTRE
DU MINISTRE PIERRE DARU,
DATÉE DE 1811, CITANT
LE TRAVAIL DES NITOT,
PÈRE ET FILS.

LE TRÈFLE DE
L'IMPÉRATRICE EUGÉNIE,
1852
(P. 177).

LE DIADÈME ÉPIS DE BLÉ
DIT « CRÈVECOEUR »,
TRANSFORMABLE EN
DEVANT DE CORSAGE,
1810
(P. 268).

LE RENARD FILOU,
1970
(P. 166).

LE DIADÈME DE LA
PRINCESSE MARIA-
DOLORES RADZIWILL,
VERS 1903
(CI-CONTRE)

EN HAUT
Photographie du diadème
commandé par la princesse
Radziwill (or, argent et
diamants), laboratoire
photographique Chaumet,
1903, positif d'après un négatif
sur plaque de verre. Paris,
collections Chaumet.

CI-DESSUS ET CI-CONTRE
À l'occasion de son acquisition
par la Maison, le diadème
Radziwill a été entièrement
restauré par l'atelier de Haute
Joaillerie.

CHAUMET, JOAILLIER NATURALISTE IMPLIQUÉ

En 1793, lorsqu'il intervient pour sauver les joyaux de la Couronne de France, Marie-Étienne Nitot signe son manifeste en ajoutant la mention « joaillier naturaliste ». Le fondateur a formulé la raison d'être de la Maison, comme une vocation à laquelle elle demeure depuis fidèle. Deux siècles plus tard, lorsqu'il est question d'élargir le propos en croisant les regards et les univers pour la faire résonner avec d'autres disciplines, le projet d'une exposition à l'École nationale supérieure des beaux-arts de Paris, que Chaumet soutient depuis plusieurs années, devient donc évidence. Cela sera en 2022 « Végétal – L'École de la beauté », un rendez-vous inédit dont la Maison est à la fois mécène et initiatrice (p. 302–305). Imaginée à partir d'une liste d'espèces botaniques présentes dans les archives de la Maison, que cela soient les maquettes de diadèmes en maillechort, les dessins ou les pièces joaillières, l'exposition adopte l'esprit d'un herbier du troisième millénaire, regroupant près de 400 pièces rarement vues ou inattendues. Les grandes institutions, françaises et étrangères, se sont pour cela mobilisées. Parmi elles, le Muséum national d'Histoire naturelle qui se consacre depuis quatre siècles à la compréhension du vivant et à l'étude de la relation homme-nature. Référence en matière d'enjeux écologiques et sociaux, l'institution a notamment créé le fonds de dotation Muséum pour la planète avec l'ambition de protéger la biodiversité et d'émerveiller pour instruire. Chaumet ne pouvait qu'adhérer à cette démarche philanthropique durable inscrite dans les défis d'aujourd'hui.

L'exposition « Végétal – L'École de la beauté » a également engendré une trentaine de restaurations, de la plus humble à la plus prestigieuse. Ainsi, la table dite « au collier de perle », dont la marqueterie de lapis-lazuli, jaspe, amazonite, corail rouge, agate, marbre noir et calcaire de Toscane offre un témoignage spectaculaire de l'âge d'or du mobilier florentin du XVIIe siècle a vu l'un de ses pieds restauré (p. 322). Particulièrement complexe, la restauration d'un bouquet de fleurs en porcelaine du XVIIIe faisant partie des collections du musée national de Céramique de Sèvres rivalise avec celle des bordures de l'immense tapisserie aux mille fleurs du XVIe siècle qui venait conclure l'exposition.

Broche bouquet d'hortensias, période Nitot, vers 1807, or, diamants et rubis. Abbaye territoriale d'Einsiedeln.

LES EXPOSITIONS CHAUMET AU XXIᴱ SIÈCLE

2018

« Les Mondes de Chaumet – L'art de la joaillerie depuis 1780 »,
Mitsubishi Ichigokan Museum de Tokyo,
Japon.

2019

« Brillantes écritures »,
165, boulevard Saint-Germain, Paris.
-
« Dess(e)in de nature »,
165, boulevard Saint-Germain, Paris.
-
« Chaumet en majesté – Joyaux
de souveraines depuis 1780 »,
Grimaldi Forum de Monaco.
-
« Autrement »,
165, boulevard Saint-Germain, Paris.

2017

« Splendeurs impériales – L'art de la
joaillerie depuis le XVIIIᵉ siècle »,
musée du Palais dans la Cité interdite,
Pékin, Chine.

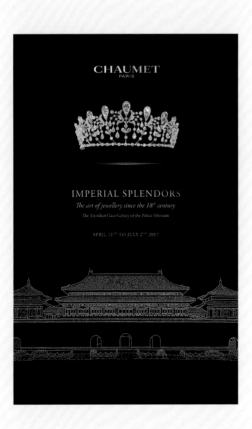

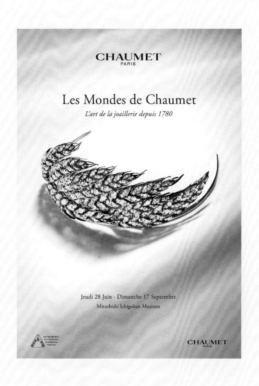

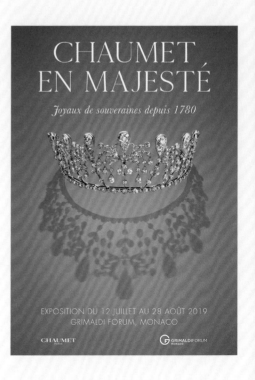

2021

« Joséphine et Napoléon
– Une histoire (extra)ordinaire »,
12 Vendôme, Paris.
–
« Tiara Dream »,
Pékin, Chine.

2022

« Végétal – L'École de la beauté »,
Palais des Beaux-Arts, Paris.
–
« Tiara Dream »,
Riyad, Arabie saoudite.

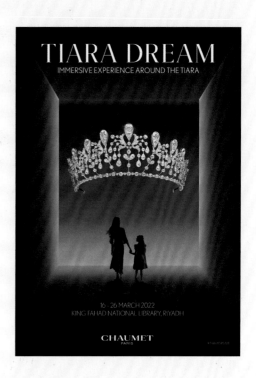

CURIEUSE
DE TOUT

8

« JEAN-BAPTISTE FOSSIN DOIT À SON AMOUR POUR LA PEINTURE DONT IL A FAIT SES DÉLASSEMENTS, UNE FACILITÉ DE COMPOSITION ET D'EXÉCUTION QUI LUI DONNE QUELQUE AVANTAGE SUR SES CONFRÈRES. »

LE BAZAR PARISIEN, 1821

PAGE DE GAUCHE
Projets de broches et pendentifs, atelier de dessin (période Fossin), vers 1825-1855, crayon graphite, encre, gouache, lavis et rehauts de gouache. Paris, collections Chaumet.

DOUBLE PAGE PRÉCÉDENTE, À GAUCHE
Paire d'ornements de cheveux dite « à la Mancini » attribuée à Fossin, vers 1840, or, argent et diamants. Paris, collections Chaumet.

Formé à l'École royale gratuite de dessin de Paris, le fondateur de la Maison, Marie-Étienne Nitot lui insuffle un courant où l'art règne. Il ne cesse depuis d'animer l'esprit Chaumet. Complice de la vie artistique d'hier et d'aujourd'hui, la Maison crée des pièces qui en sont le miroir. Des grands musiciens aux écrivains ayant chanté ses créations, de l'architecture à la photographie, la Maison s'imprègne des arts qui se répondent. L'éclectisme des clientes et la diversité des collaborations pourvoient cette fabuleuse curiosité.

UNE ÂME
D'ARTISTE

En digne successeur de Marie-Étienne Nitot qui tenait les arts en haute estime, Jean-Baptiste Fossin ne se contente pas d'être un remarquable joaillier renommé dans les cours d'Europe. Il est aussi un peintre reconnu – les nombreux dessins de sa main conservés dans le fonds de la Maison illustrent son talent. Inauguré à Paris, au Palais-Royal en 1673, le Salon de peinture et de sculpture, devenu dans le langage courant « le Salon », devient annuel en 1833, par décision du roi Louis-Philippe – dont Fossin et son fils sont les joailliers attitrés. Reflétant le dynamisme artistique de l'époque, l'événement attire un public nombreux. En 1847, Jean-Baptiste Fossin, qui a présenté l'année précédente une *Vierge et l'Enfant Jésus aux passiflores* fort applaudie, est récompensé par une médaille de bronze pour sa sculpture *Le Miroir* (ci-contre). Encourageant ses collaborateurs à se rendre régulièrement au Louvre et à la Bibliothèque royale, aujourd'hui Bibliothèque nationale de France, pour nourrir leur imaginaire, Fossin impulse une curiosité devenue un sceau pour Chaumet.

La Maison est d'autant plus attentive au foisonnement artistique qui l'entoure que ses clientes en sont bien souvent à l'origine. À commencer par Joséphine qui, en nommant la famille Nitot « Joaillier ordinaire de l'Impératrice », élève la Maison à un rang privilégié qu'elle veillera à préserver. Grande amatrice de sciences naturelles, la souveraine s'entoure d'experts en la matière, dont le peintre botaniste Pierre-Joseph Redouté chargé d'immortaliser toutes les espèces cultivées dans le jardin de la Malmaison où se retire Joséphine après son divorce d'avec Napoléon, en 1809. Intronisé « Peintre des fleurs de l'Impératrice », Redouté devient si renommé qu'il donne des leçons publiques faisant accourir les femmes de la bonne société au Muséum national d'Histoire naturelle, dont la Maison est aujourd'hui mécène. Le peintre a de nombreuses admiratrices, des membres de la famille royale – comme la reine Hortense ou la duchesse de Berry – aux simples domestiques.

La proximité avec les artistes caractérise aussi le règne de Louis-Philippe. Dans ce siècle vibrant pour l'art, les salons littéraires et artistiques se multiplient. Celui de la princesse Mathilde, au 24 de la rue de Courcelles, à Paris, est l'un des plus courus – les frères écrivains Jules et Edmond de Goncourt y croisent Gustave Flaubert, dont le roman *Madame Bovary* donne lieu à un procès retentissant pour « outrage à la morale publique et religieuse et aux bonnes mœurs ». Comme Fossin, qui réalise pour elle de nombreuses pièces, la cousine de Napoléon III manie le pinceau avec habileté, exposant ses aquarelles au Salon jusqu'en 1867.

Indépendantes, brillantes et engagées, les clientes de la Maison comptent parmi les femmes les plus en vue de leur époque. Parmi elles, Marie-Laure de Noailles fait l'unanimité. Riche héritière mariée au vicomte Charles de Noailles en 1923, elle donne le *la* en matière de culture, soutenant avec le même enthousiasme Marcel Proust, Alberto Giacometti et Marc Chagall.

Le Miroir, Jean-Baptiste Fossin, 1847. Extrait d'un album de douze photographies d'œuvres de Jean-Baptiste Fossin publié par Claye, 1855-1876. Paris, Bibliothèque nationale de France.

349

Amie de l'écrivaine américaine Edith Wharton, elle aussi cliente de la Maison, Marie-Laure de Noailles use également de son influence pour faire se côtoyer les créatrices de mode, telles qu'Elsa Schiaparelli, Jeanne Lanvin et Gabrielle Chanel, et l'avant-garde artistique du XXe siècle. Grande amatrice de bijoux, elle commande notamment à Chaumet un bracelet dont l'épure rappelle celle du « château cubiste » commandé par le couple Noailles à l'architecte Robert Mallet-Stevens (ci-contre). Livré en 1955, son bracelet aux camées est le parfait héritier de la parure d'intailles réalisée vers 1809 par la Maison pour l'impératrice Joséphine. Immortalisée par des photographes légendaires comme Man Ray (p. 319), Horst P. Horst et Cecil Beaton, Marie-Laure de Noailles est aussi restée dans les mémoires pour les bals qu'elle donnait avec son mari : Le Fond de la mer, Bal des matières, Lune sur mer… Chacun de ces rendez-vous mondains est avant tout une célébration pleine d'allégresse de la création artistique (page ci-contre, à droite). Les pièces de la collection de Haute Joaillerie 2022 *Ondes et Merveilles* y auraient fait « merveille », comme cette parure *Chant de Sirènes* faisant converser avec magie les perles de Tahiti et les tourmalines aux nuances de lagon (voir p. 250 et 254).

CI-CONTRE
Projets de bracelets à maillons d'onyx, atelier de dessin Chaumet, vers 1925, crayon graphite, gouache et rehauts de gouache. Paris, collections Chaumet.

PAGE DE DROITE,
EN HAUT
La villa Noailles, le « château cubiste » à Hyères créé par l'architecte Robert Mallet-Stevens pour les mécènes Charles et Marie-Laure de Noailles.

PAGE DE DROITE,
AU CENTRE
Un bal à la villa Noailles photographié par Man Ray, vers 1929.

PAGE DE DROITE,
EN BAS
Photographie d'un diadème à grecques surmonté d'une aigrette sur fil couteau, laboratoire photographique Chaumet, 1908, positif d'après un négatif sur plaque de verre. Paris, collections Chaumet.

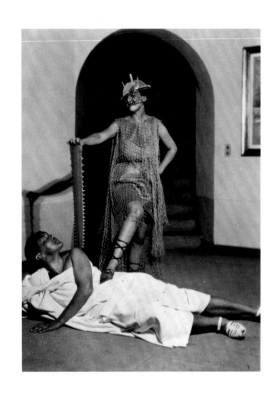

CHAUMET
ET LA MUSIQUE

L'histoire de la Maison s'est écrite en communion avec la musique. En 1907, lorsque Joseph Chaumet prend ses quartiers au 12, place Vendôme, il découvre au plafond de l'un des étages nobles une exquise peinture d'Euterpe. La muse grecque de la musique y est représentée un triangle au doigt, entourée d'une nuée d'amours musiciens plus joufflus et rieurs les uns que les autres. Or, le célèbre pianiste Frédéric Chopin s'est éteint au 12, place Vendôme quelques décennies auparavant, en octobre 1849. Contrairement aux compositeurs de son temps, tels que son ami Franz Liszt, Chopin est un homme timide et secret qui ne conçoit la musique qu'en salon avec des proches – paralysé par le public, l'exercice du concert est pour lui un calvaire. Telle une confidence, ses mélodies murmurent l'intime, comme cette *Mazurka en fa mineur, opus 68 n° 4*, son ultime œuvre travaillée 12, place Vendôme sur son alter ego, un piano Pleyel. Grand ami de Camille Pleyel, le fils du fondateur de la maison du même nom, Chopin aime répéter que les pianos Pleyel sont le « *nec plus ultra* ». Letizia et Jérôme Bonaparte, la mère et le frère de Napoléon, tous deux pianistes, contribuent également à écrire la légende de cette maison de facteurs de pianos.

Baptisé en l'honneur du célèbre musicien, le Salon Chopin est inscrit à l'inventaire supplémentaire des Monuments historiques en 1927. Trente ans plus tard, pour accompagner le cortège royal d'Elizabeth II revenant de l'Opéra, la place illuminée, colorée de roses et d'œillets résonnait des grands thèmes du pianiste.

En 2020, profitant de la restauration complète du *12 Vendôme*, Chaumet ravive l'âme du Salon en déposant sur son parquet d'origine du XVIIIe siècle un quart-de-queue Pleyel (voir également p. 32-33). Sorti de la manufacture en avril 1921, l'instrument a été magnifiquement restauré par l'atelier parisien Nebout & Hamm. Entièrement cerclé d'une frise d'acanthe en bronze, le couvercle s'ouvre sur un corps décoré de marqueteries d'acajou ponctuées de frisages en losange et en éventail avec des motifs floraux, dans des encadrements d'amarante.

La musique peut à nouveau résonner dans le Salon Chopin. Cela avait déjà été le cas en 2019 lors d'un récital donné par la grande pianiste nippo-allemande Alice Sara Ott, à laquelle on doit notamment une intégrale des valses de Chopin. Il s'agissait alors d'un piano emprunté pour l'occasion. Désormais, les artistes invités à jouer au *12 Vendôme* le font sur le Pleyel de la Maison, comme Karol Beffa et ses improvisations accompagnant la lecture de Carole Martinez pour la sortie du livre *L'Âme du bijou* (Flammarion, 2021).

Imprégné des notes du piano, le *12 Vendôme* a également accueilli le violoncelle Stradivarius Feuermann. Sorti en 1730 des ateliers du plus grand des luthiers, Antonio Stradivari – l'un de ses violons a été adjugé en juin 2022 plus de 15 millions de dollars –, l'instrument est un joyau.

La violoncelliste Camille Thomas jouant au *12 Vendôme*.

« UN JOUR VIENDRA […] OÙ TOUT LE MONDE SAURA QUE CE GÉNIE AUSSI VASTE, AUSSI COMPLET, AUSSI SAVANT QUE CELUI DES GRANDS MAÎTRES QU'IL S'ÉTAIT ASSIMILÉS, A GARDÉ UNE INDIVIDUALITÉ ENCORE PLUS EXQUISE QUE CELLE DE SÉBASTIEN BACH, ENCORE PLUS PUISSANTE QUE CELLE DE BEETHOVEN, ENCORE PLUS DRAMATIQUE QUE CELLE DE WEBER. IL EST TOUS LES TROIS ENSEMBLE ET IL EST ENCORE LUI-MÊME, C'EST-À-DIRE PLUS DÉLIÉ DANS LE GOÛT, PLUS AUSTÈRE DANS LE GRAND, PLUS DÉCHIRANT DANS LA DOULEUR. »

GEORGE SAND, *HISTOIRE DE MA VIE*, 1855

CI-DESSUS
Frédéric Chopin
composant ses préludes,
Lionello Balestrieri, vers
1905, huile sur toile.
Collection privée.

PAGE DE DROITE
Livre de factures, 1924-
1926, avec le compte de
Madame Straus[s]. Paris,
collections Chaumet.

354

388
Ancien Z 542

Madame Strauss

104 Rue Miromesnil

33					
1 perle 18 grs. 84	re	m. au. an 1924 Novembre 25 Une perle d'Amérique 18 grains 84	5.000	"	92
1 " 15 " 72	24	atun oa " " " 15 " 72	6.000	"	92

État du rang:
Reçu: 52 perles 554 grs.
fourni: 2 " 34 " 56
Employé: 1 " 13 " 12
d°: 1 " 12 " 88
d° d'un 1ère chemise 1 " 4 " 40
57 perles 618 grs. 96

Atelier 383.329	28/11	gmn	" " " Reserti un diamant sur une bague turquoise et diamants.		
			Nettoyé une broche cœur diamants.	10	" 92
Atelier 384.441	8/12	ng,gn	Vérifié le mouvement d'un bracelet montre hexagone entourage sous tour de bras tissu perles.		
V.O. 6609			Changé le remontoir.	70	" 92
1 perle 18 grs. 92	24	m. au ba. aa 1925 Février 17 Une perle 18 grains 92		

État du rang:
57 perles 619 grains 04
Déduction faite d'une perle 18 grs. 84 reserti pour m. au.
(réintégré BC 395) 3.500 " 10

Enfilage		an,	" " 18 Enfilé à domicile un rang de perles avec nœuds	"	" 13
Jauny	3/3	am,	" " 13 Une épingle dentelle perle grise et roses		
Atelier 1452.1458	27/3	mxa, te		400	" 1
		mxi, te		"	" 1
Atelier 1455.1362	17/12	mt,9e	Réparé 3 fourches		
24 1 perle 14 grs 441 re		oc gn. 2m	J.B. Vente comptant 18 juin 1925 14.980.f		
1 – 17 – 48 me		ur tt, nr	" Juin 13 1 perle 14 grains 44		
		27037. ta	1 " 17 " 48	15.000	" 55

J.B. Vente comptant 26 novembre 1925 15.000.—

24 1 perle 18 grs 80 se		ietage Novembre 30 1 perle 18 " 80	10.000	" 134
Jauny	11/12	ron Décembre 8 fourni 1 écrin savonnette pour rang perle 29.980	39.980	" 144
Enfilage		an. " 12 Enfilé à domicile un rang perles	"	" 142

39.980.— | 39.980 .

Inv. 31/12/25. | 10.000 | "

Vieux or 6967		troe J.B. Vente comptant 18 Janvier 1926 3.000.—		
atelier 6969 5140.5035	14/12	a oc. ne 1925 Décembre 14. Une paire pendants d'oreilles perles, motifs		
8 dts 1c 76 ger 6734		" diamants. Employé 8 dts 1c 76	500	"

Report folio 389. | 3.000 | 10.500 | "

En 1849, il est dans les mains d'Auguste Franchomme lorsque Chopin, sentant la mort venir, lui demande de jouer une ultime fois les deuxième et troisième mouvements de la *Sonate pour violoncelle* que les deux amis ont composée ensemble. Complice d'autres grands violoncellistes, tels qu'Emmanuel Feuermann, Aldo Parisot ou encore Steven Isserlis, l'instrument entre dans la Nippon Music Foundation en 1996. C'est elle qui le prête en 2019 à la violoncelliste Camille Thomas. Figurant à vingt ans, en 2008, sur la prestigieuse liste de *Forbes* « 30 under 30 », la Franco-Belge est la première femme violoncelliste à signer un contrat international d'artiste exclusif chez Deutsche Grammophon, en 2017. Séduite par le talent et l'engagement de la jeune femme, la Maison l'a conviée au *12 Vendôme* (p. 352). Cent soixante-douze ans après Auguste Franchomme, le son du violoncelle Stradivardius Feuermann a de nouveau empli les lieux.

Les liens profonds qu'entretient la Maison avec la musique font aussi écho à ses clientes. Dès le début du XIXᵉ siècle, Paris est la capitale de la musique où les cantatrices et les ténors viennent recevoir la consécration. Les applaudissements fusent également dans les salons où se donnent concerts et récitals. En 1875 est joué *Carmen* de Georges Bizet. Librement inspiré de sa femme, l'opéra-comique offre à son auteur une gloire posthume puisqu'il meurt trois mois après la première. Devenue « la veuve Bizet », Geneviève Halévy – qui prend le nom de « Madame Straus » en secondes noces – capitalise sur son statut, ses tenues noires soulignant ses nombreux atours, à l'instar des bagues et barrettes qu'elle commande à la Maison (p. 355), sa démarche nonchalante étant amplifiée par un usage fréquent de morphine. Dans son salon du 134, boulevard Haussmann passent la comtesse Greffulhe, elle aussi cliente de la Maison, Guy de Maupassant ou encore Marcel Proust.

Élevée dans une famille de mélomanes – sa mère fut l'élève de Frantz Liszt –, la comtesse Greffulhe (voir p. 23) est une mécène passionnée doublée d'une redoutable femme d'affaires. Sa Société des grandes auditions musicales aide à se produire Wagner, les Ballets russes de Diaghilev ou encore Isadora Duncan. Les artistes qui lui sont reconnaissants se comptent par dizaines. Ainsi Gabriel Fauré, qui lui dédie *La Pavane*. Admirée pour son élégance un brin excentrique, la comtesse est friande de mode, s'habillant chez Worth, Fortuny et Lanvin. Pour ses parures, elle s'adresse à Chaumet qui réalise notamment une broche ornée de notes de musique, « la-do-ré » (p. 358, en haut).

Fille d'Isaac Singer, le fabricant de la machine à coudre du même nom, Winnaretta Singer (page ci-contre, en haut à gauche) débute sa vie parisienne au début du XXᵉ siècle dans son atelier de peintre du XVIᵉ arrondissement, qui se transforme rapidement en haut lieu de la vie mondaine. Devenue la princesse de Polignac en 1893, elle partage avec son mari compositeur le goût du mécénat. Dans leur hôtel particulier de l'avenue Henri-Martin, le couple propose des rencontres musicales où de nombreux artistes viennent créer et jouer leur œuvre. Passionnée par Wagner, la princesse commande à Chaumet en 1912 un bandeau diamants briolettes orné d'ailes faisant référence à « La chevauchée des Walkyries » (page ci-contre). Autre bienfaitrice, la marquise de Saint-Paul tient un salon musical réputé pour les musiciens de l'époque, dont Camille Saint-Saëns. Bonne pianiste, elle est aussi connue pour être fort mauvaise langue, ce qui lui vaut le surnom de « Serpent à sonates ». En l'honneur de tous ces amoureux de musique, la Maison imagine clips et breloques formant un orchestre précieux et malicieux avec cor, trompe, clarinette, lyre, harpe, balalaïka... (p. 359).

La Belle Époque fait aussi la splendeur des danseuses. Plus les hommes les vénèrent, plus leurs femmes les méprisent. Parmi elles, l'artiste espagnole

Mrs Paris Singer and her daughter Miss Winnaretta Singer.

Brünnhilde. M⁽ˡˡᵉ⁾ Bréval

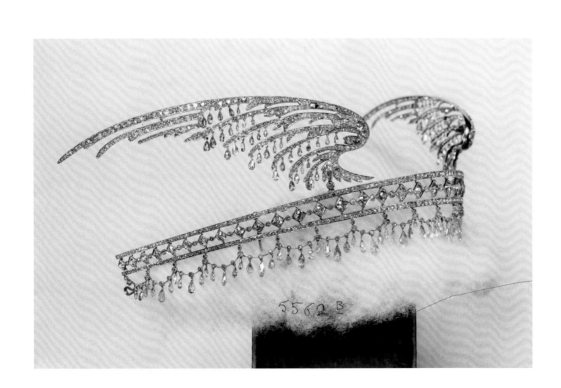

5562 B

CI-DESSUS
Croquis de Brünnhilde portant une coiffe ailée pour « La chevauchée des Walkyries » (*L'Anneau du Nibelung*), Opéra de Paris, 1893. Bibliothèque-musée de l'Opéra national de Paris-Garnier.

EN HAUT, À GAUCHE
Winnaretta Singer (à droite), future princesse de Polignac, avec sa mère, en 1909.

CI-CONTRE
Photographie d'un diadème bandeau orné d'ailes amovibles (platine et diamants), commandé par la princesse de Polignac, laboratoire photographique Chaumet, 1912, positif d'après un négatif sur plaque de verre. Paris, collections Chaumet.

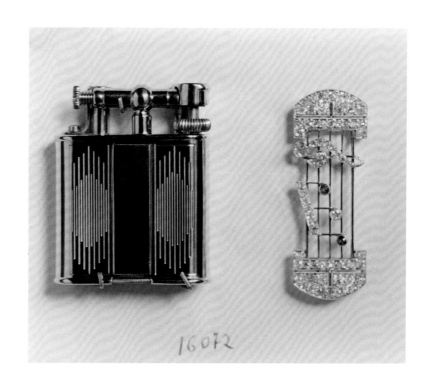

CI-DESSUS
L'artiste Lay Zhang,
ambassadeur de la Maison
en Chine de décembre
2018 à juin 2023, jouant
du piano pour Chaumet.

EN HAUT
Photographie d'un briquet
et d'une broche rébus
la-do-ré commandés par
la comtesse Greffulhe,
laboratoire photographique
Chaumet, 1932, positif
d'après un négatif sur
plaque de verre. Paris,
collections Chaumet.

CI-CONTRE
Alice Delysia dans *On With
the Dance* au London
Pavilion, 1925.

IL SE VEND AUJOURD'HUI
CHAQUE ANNÉE ENVIRON
4 500 PIANOS NEUFS
EN FRANCE, 350 000
EN CHINE.

Publicité pour une série de
clips Chaumet en forme
d'instruments de musique,
1968. Paris, collections
Chaumet.

Caroline Otero, qui se fait appeler « comtesse Otero », met Paris, la Russie et les États-Unis à ses pieds. Adorant se couvrir de pierres et de perles, elle possède notamment un superbe diamant navette de 10 carats acquis chez Chaumet en 1909 – les livres de visite conservés dans les archives témoignent de l'importance de la danseuse chez laquelle Joseph Chaumet se rend en personne. Le milliardaire William K. Vanderbilt, oncle de la grande cliente de la Maison Gertrude Vanderbilt, lui a offert un rang de perles ayant appartenu à l'impératrice Eugénie, celui venu de l'écrin Marie-Antoinette étant un présent d'un autre soupirant, le baron Ollstreder. Entrée à quatorze ans comme danseuse au Moulin-Rouge, Alice Delysia rejoint quant à elle Broadway en 1905 en tant que choriste, avant de se faire un nom à Londres. La Maison réalise pour elle des bracelets sertis de saphirs ou de turquoises et un collier en perles et diamants. Amatrice de perles, Olga Picasso les porte volontiers de manière décalée, en ornement de turban. Pablo Picasso la croise à Rome alors qu'elle est ballerine dans les Ballets russes. Olga Kokhlova devient Madame Picasso l'année suivante. Inspiratrice du peintre avec cent quarante œuvres portant son prénom, elle figure dans les livres de commandes de Chaumet, là pour une impressionnante rivière de diamants, ici pour une broche-bijou de sac à ses initiales (voir p. 195-196).

En 2021, la collection de Haute Joaillerie *Torsade de Chaumet* rend un hommage multiple à l'art. Inspirées par les détails de la colonne Vendôme, les pièces composent un ballet de voltiges scintillantes dignes d'une étoile de l'Opéra de Paris (voir p. 14-15 et p. 242). Dansant au rythme des pleins et déliés, bagues, broches, bracelets, diadème, collier-cravate revisité, ras-du-cou et sautoir offrent une ode à la vie inscrite dans l'art du mouvement cher à Chaumet.

Chantée par la très influente Beyoncé dans son tube *Lovehappy* en 2018 – ses salons privés accueillant le tournage d'un clip du chanteur star et ami de longue date Lay Zhang –, la Maison est toujours partante pour de nouvelles aventures. En 2022, la grande cheffe d'orchestre Laurence Equilbey compose ainsi la mise en notes de l'exposition parisienne de Chaumet, « Végétal – L'École de la beauté ». Jouant sur des instruments d'origine, Insula orchestra, la formation de la cheffe devenue l'orchestre en résidence de La Seine Musicale, aux portes de Paris, initie des actions pédagogiques faisant vibrer la musique classique dans son époque et compte Chaumet parmi ses mécènes. Cet engagement résonne particulièrement avec celui de la Maison aux côtés de l'École nationale supérieure des beaux-arts de Paris, du Mobilier national ou à travers son nouveau projet, Chaumet Echo Culture Awards (voir également p. 316).

L'artiste Nana Ouyang, ambassadrice de la Maison en Chine de mai 2021 à juin 2023, portant des créations *Laurier*.

CHAUMET ET LA PHOTOGRAPHIE

La Maison s'entoure régulièrement de grands photographes, tels que Guido Mocafico, Karim Sadli, Viviane Sassen, Julia Hetta ou encore Paolo Roversi, auxquels elle confie le soin de réaliser les images de ses campagnes publicitaires, de son magazine annuel *Rendez-Vous* et de ses collections. Ces liens s'inscrivent dans une longue histoire avec la photographie. Visionnaire, Joseph Chaumet installe en effet un laboratoire complet dès la fin du XIXe siècle. Son objectif est alors double : d'une part, garder une trace de la production en photographiant les pièces de joaillerie, mais aussi les mises sur cire, les dessins de projets et les montures confiées pour réparation. D'autre part, illustrer ses analyses de perles et de pierres, le joaillier ayant inventé un procédé scientifique permettant de distinguer les pierres naturelles des pierres synthétiques de couleur qui apparaissent alors (voir p. 234-237 et p. 461). La Maison possède ainsi un remarquable fonds riche de 300 000 tirages photographiques, 66 000 négatifs, dont 33 000 plaques de verre, la première, datée de 1890-1895, étant un négatif sur plaque de verre au gélatino-bromure d'argent reproduisant un collier de diamants.

Reflétant une histoire des techniques photographiques, des autochromes utilisés entre 1907 et 1932 environ (la première technique industrielle de photographie en couleurs, qui produit des images positives sur plaques de verre) aux papiers albuminés en passant par les films en couleur adoptés en 1974, le fonds forme aussi une œuvre à part entière. C'est ce qu'a montré l'exposition « Végétal – L'École de la beauté » en 2022 aux Beaux-Arts (p. 302-305). Croisant les regards des scientifiques et des artistes qui se sont attachés à représenter la nature, l'événement a réuni les clichés de fleurs fraîches, de branches de végétaux et des créations naturalistes de la Maison avec les photographies de Karl Blossfeldt, de Robert Mapplethorpe, de Brassaï ou de Nobuyoshi Araki.

DOUBLE PAGE
SUIVANTE
Les archives de la Maison regorgent de plaques de verre qui témoignent de la créativité de la Maison Chaumet.

PAGE DE DROITE
Photographie d'une aigrette en jet d'eau, laboratoire photographique Chaumet, vers 1900, positif d'après un négatif sur plaque de verre. Paris, collections Chaumet.

CHAUMET
ET LES LETTRES

En 1793, Marie-Étienne Nitot prend la plume pour rédiger un texte destiné à sauver les joyaux de la Couronne de France menacés par les révolutionnaires voulant gommer toute trace de la monarchie (voir p. 385). Sa démarche pleine de courage en ces temps de chaos est un véritable succès, grâce au style éloquent du joaillier. Dès lors, la Maison entretient une relation féconde avec les mots. Toujours ancrée dans son époque et les courants artistiques qui l'imprègnent, Chaumet compte dans sa clientèle de nombreux gens de lettres et inspire moult artistes. En 2022, le dessinateur et scénariste de bande dessinée Emmanuel Guibert signe ainsi l'affiche de l'exposition parisienne de la Maison « Végétal – L'École de la beauté » (p. 343). Il avait été consacré au Festival international de la bande dessinée d'Angoulême avec le Grand Prix 2020. Initiant régulièrement des publications, la Maison renouvelle les textes sur la Haute Joaillerie avec *L'Âme du bijou* (Flammarion, 2021). Ce livre, qui réunit des auteurs venus de tous horizons, pose une pluralité de regards pour pénétrer l'intimité de l'objet. Carole Martinez tisse par exemple un nouveau récit poignant, *Un conte sibérien*, confirmant son talent de conteuse hors pair. Depuis son premier roman, *Le Cœur cousu*, publié en 2017, récompensé par seize prix littéraires et traduit dans une quinzaine de langues, la romancière ne cesse de captiver le public.

En 2019, pendant les travaux de rénovation du *12 Vendôme*, Chaumet passe Rive gauche, dans l'hôtel particulier du 165, boulevard Saint-Germain. Juste en face se tiennent deux institutions du Paris littéraire et artistique, le Café de Flore et Les Deux Magots. Cette atmosphère germanopratine se prête joliment aux lettres, que l'exposition « Brillantes écritures » raconte à travers un dialogue original entre les bijoux et les textes. Les extraits des plus grands auteurs de la littérature française, tels qu'Honoré de Balzac, Alfred de Musset ou Théophile Gautier confirment la place unique de la Maison où se presse le Tout-Paris.

Tout auréolé du succès de *Carmen*, que Georges Bizet montera en opéra trente ans plus tard, en 1875, Prosper Mérimée prête sa plume à une description minutieuse de l'impératrice Eugénie le jour de son mariage, parée des créations de la Maison. « Brillantes écritures » souligne le rôle de l'écrivain qui joue volontiers les intermédiaires avec le joaillier pour la mère de la souveraine, la comtesse de Montijo, dont il est vraisemblablement l'amant. L'exposition donne également naissance à une nouvelle inédite de la romancière Véronique Ovaldé, *Disons que je suis une forêt*. Bague cube, bracelet serpent, aigrette colibri deviennent des personnages à part entière aux côtés de Maria Teresa Ugalderbargondia qui les conserve religieusement dans une boîte de macarons en expliquant à sa petite-fille : « Ils ne m'appartiennent pas. Je leur appartiens. »

Témoin des œuvres littéraires de ses contemporains, la Maison est aussi la complice privilégiée des présents de leurs auteurs. Marié en 1890

Louise de Vilmorin, photographiée par Roger Parry, vers 1930.

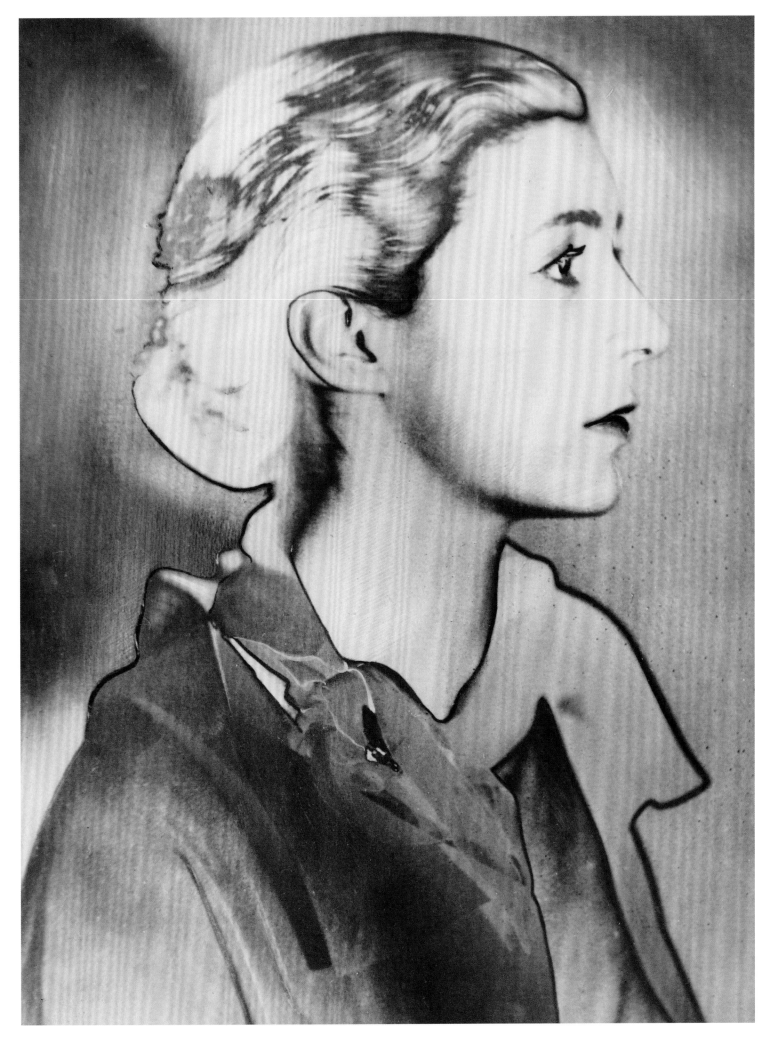

« FOSSIN EST UN ROI,
C'EST UNE PUISSANCE. »
HONORÉ DE BALZAC, LETTRE À MADAME HANSKA, 1833

CI-DESSUS
Diadème de la parure
aux grappes de raisin,
période Fossin, vers 1825,
or et turquoises. Paris,
collections Chaumet.

PAGE DE DROITE
Parure aux grappes de
raisin (détail), période
Morel, vers 1850, or, perles
fines grises et mauves,
émeraudes, émail. Paris,
collections Chaumet.

« ELLE ÉTAIT COIFFÉE AVEC DES GRAPPES
DE RAISIN EN JAIS DU PLUS BEAU TRAVAIL,
UNE PARURE DE MILLE ÉCUS COMMANDÉE
CHEZ FOSSIN. »

HONORÉ DE BALZAC, *LES EMPLOYÉS OU LA FEMME SUPÉRIEURE*, 1838

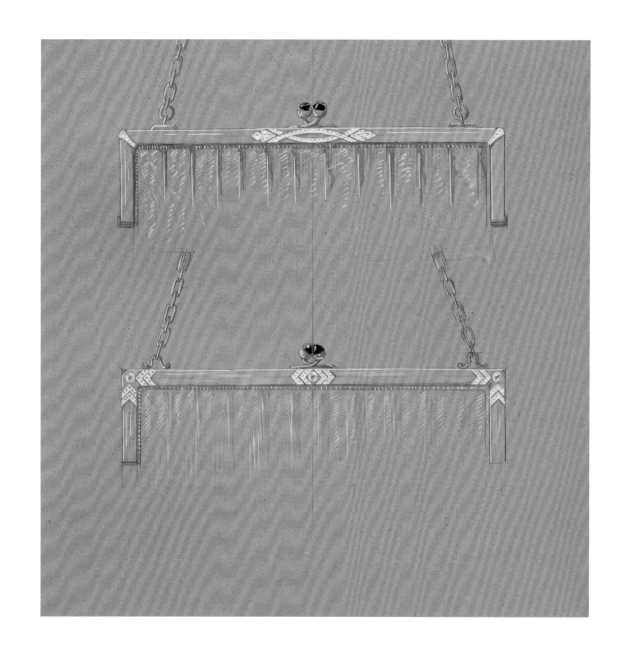

à la poétesse Rosemonde Gérard, Edmond Rostand connaît la gloire avec *Cyrano de Bergerac*. La première a lieu le 27 décembre 1897. Neuf rappels saluent la fin du premier acte, vingt minutes d'applaudissement emplissent le théâtre de la Porte Saint-Martin à la fin de la représentation. Traduite dans de nombreuses langues, jouée plus de quatre cents fois par le comédien britannique Richard Mansfield qui en a acheté les droits, adaptée en comédie musicale et en opéra, *Cyrano de Bergerac* reste la pièce ayant connu le plus de représentations en France, le héros au long nez allant même jusqu'à s'afficher sur des étiquettes de vins, des fromages et des bonbons. Client régulier de la Maison, Edmond Rostand lui commande des bijoux pour sa femme, dont une bague sertie d'un saphir dans un entourage de diamants taille rose et une bague en diamants.

Femmes de lettres et amatrices de bijoux vont souvent à l'amble. Les archives de la Maison regorgent d'exemples. Devenue par la force des choses responsable d'une exploitation de café au Kenya au début du XXᵉ siècle, une expérience qui inspirera son roman *La Ferme africaine* (1937 ; voir également p. 318), Karen Blixen n'en renonce pas pour autant à son élégance, comme en témoignent plusieurs pièces que la Maison réalise pour elle dans les années 1920. Première femme à obtenir le prix Pulitzer du roman pour *Le Temps de l'innocence* (1920), porté à l'écran par Martin Scorsese en 1993 avec Daniel Day-Lewis et Michelle Pfeiffer, la romancière américaine Edith Wharton est aussi la première femme faite docteur *honoris causa* de l'université Yale. Elle choisit d'agrémenter la toge protocolaire d'un serre-cou de la Maison tissé de perles avec, en son centre, une plaque de diamants sertie d'un cabochon d'œil-de-chat. Installée à Paris en 1907, elle se lie avec Anna de Noailles, Jean Cocteau et André Gide. Son engagement durant la Première Guerre mondiale au cours de laquelle elle collecte des dons et visite les hôpitaux du front lui vaut d'être admise au grade de chevalier de l'ordre national de la Légion d'honneur. Soixante ans après sa disparition, en 1996, elle entre au National Women's Hall Fame, rejoignant Emily Dickinson, Billie Holiday, Madeleine Albright, Grace Hopper, Louise Bourgeois ou encore Bessie Coleman. Louise de Vilmorin (p. 367) publie son premier livre en 1934, poussée par André Malraux. Figure emblématique du Paris littéraire, son allure est aussi réputée que son sens de la répartie. « Je méditerai. Tu m'éditeras », lance-t-elle à Gaston Gallimard, qui s'exécute. C'est chez lui que paraît notamment *Madame de...*, dont l'héroïne est une paire de boucles d'oreilles cœurs en diamants. Montré dans le film de Max Ophüls (page ci-contre, en bas) avec d'inoubliables plans-séquences, le bijou est le prétexte d'une tragédie racinienne aux dialogues superbes, tels que cette réflexion de Lola, la maîtresse du Général de : « Une femme peut refuser un bijou tant qu'elle ne l'a pas vu. Après, cela devient de l'héroïsme. » Louise de Vilmorin ne refusera pas le sac en or serti de saphirs que ses amis commandent pour elle en 1955 à Chaumet (page ci-contre, en haut).

PAGE DE GAUCHE,
EN HAUT
Deux projets de sacs en or tressé, atelier de dessin Chaumet, vers 1955-1960, crayon graphite, lavis et rehauts de gouache. Paris, collections Chaumet.

PAGE DE GAUCHE,
EN BAS
Cliché tiré du film *Madame de...*, 1953, réalisé par Max Ophüls et adapté du roman de Louise de Vilmorin datant de 1951.

CHAUMET ET
L'ARCHITECTURE

Créée dans la Ville Lumière, installée face à la colonne Vendôme et ayant comme clients la famille Eiffel, Chaumet se doit d'honorer l'architecture. La Maison s'y emploie avec toute l'audace qui la caractérise, des premiers diadèmes à motifs de palmettes grecques aux résilles et volutes contemporaines en passant par le diadème de style mauresque créé en 1994 pour le mariage de Lalla Hasna, la fille du roi du Maroc Hassan II (voir p. 55 et 200). En l'honneur du *12 Vendôme* entièrement restauré, Chaumet imagine en 2020 *Trésors d'Ailleurs*, une collection de bagues couronnant le doigt d'objets d'art racontant les monuments du monde. Ciselée dans le cristal de roche serti de diamants, la célèbre verrière du Grand Palais ouvert pour l'Exposition universelle de 1900, est coiffée de cabochons d'émeraude (p. 29, en bas). Les lucarnes œil-de-bœuf des immeubles XIXe se sophistiquent d'un toit en émeraude ou en saphir taille coussin (p. 29, au centre). Des bagues étoilées à dômes de lapis-lazuli ou de malachite rapprochent l'observatoire d'Ulugh Beg de Samarcande et la tombe Sabz Burj à New Dehli (p. 147), tandis que le jade noir dessine une toiture japonaise (p. 134-135), les pagodes de Chine étant traduites en bagues à corps laqué et plateaux ouvragés sertis de tourmalines ovales rose ou verte, ou encore d'une tanzanite de 9,58 carats (p. 139). Toujours en 2020, la Maison dévoile *Perspectives de Chaumet* (voir p. 414, 422, 426 et 443), une collection de Haute Joaillerie capturant les courants architecturaux, de la Renaissance italienne au déconstructivisme apparu au début des années 1990. Fusionnant l'art du trait et de la couleur propres à Chaumet, les pièces rivalisent de savoir-faire en collier maille d'or seconde peau, bagues aux arêtes saillantes comme une skyline, pendentifs disques polychromes et figure du labyrinthe avec ses pierres taillées sur œuvre. La virtuosité de l'atelier est telle que les créations possèdent l'ampleur et la plénitude d'une belle architecture. L'année suivante, en 2021, la Maison présente *Torsade de Chaumet*, une collection de Haute Joaillerie inspirée de la frise ornant la colonne Vendôme qui a fini d'être érigée en 1810, quelques années avant que la Maison ne s'installe au numéro 15, sa première adresse place Vendôme (voir p. 14-15 et p. 242). Véritables oxymores joailliers, les pièces combinent mouvement et souplesse dans des entrelacs, volutes et spirales spectaculaires.

Collier *Labyrinthe*,
collection *Perspectives de
Chaumet*, 2020, or blanc,
onyx, saphirs et diamants.

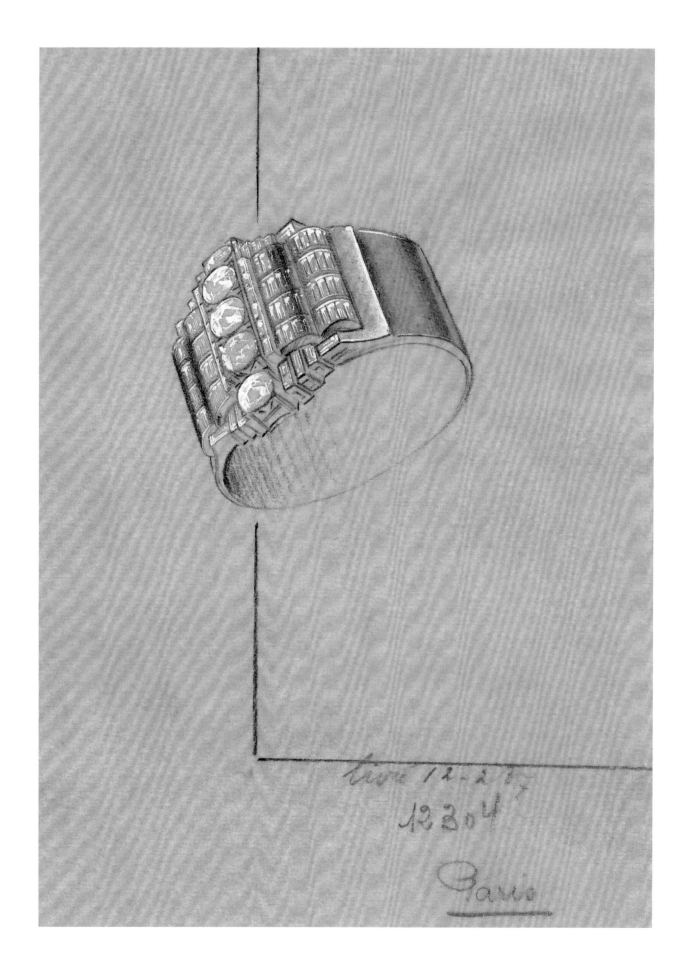

CI-DESSUS
Bracelet *Labyrinthe*,
collection *Perspectives de
Chaumet*, 2020, or blanc,
onyx, rubellite, tourmalines
roses et vertes, jade et
diamants. Collection
privée.

PAGE DE GAUCHE
Projet de bracelet
manchette serti de
diamants, atelier de dessin
Chaumet, vers 1935, crayon
graphite, encre, lavis
et rehauts de gouache
sur papier calque. Paris,
collections Chaumet.

EN HAUT
Boucles d'oreilles
Labyrinthe, collection
Perspectives de Chaumet,
2020, or blanc, onyx,
rubellites, tourmalines
indicolites et diamants.

AU CENTRE
Bague transformable
Skyline, collection
Perspectives de Chaumet,
2020, or jaune et diamants.

CI-CONTRE
Boucles d'oreilles *Skyline*,
collection *Perspectives de
Chaumet*, 2020, or jaune,
diamants et émeraudes.

LE GESTE

Référence du style « Grand Siècle » avec ses façades dessinées par Jules-Hardouin Mansart, la place Vendôme a ses exigences en matière de protection et de conservation. Aussi, lorsque la Maison lance un vaste programme de restauration de son hôtel particulier du *12 Vendôme*, le fait-elle accompagnée d'un architecte des Monuments historiques (voir également p. 26).

Mise en cohérence avec les autres hôtels de la place, la façade classée est libérée de ses stores corbeille, de manière à déployer toute son élégance. Dans le vestibule, le visiteur est accueilli par une réplique grandeur nature de l'impératrice Joséphine (ci-contre) – l'original réalisé par le sculpteur Vital-Dubray se trouvant à Versailles. À l'étage noble qui a retrouvé l'ampleur de ses volumes et le faste du XVIIIe siècle l'ayant vu naître, préside une copie de l'œuvre peinte par François Gérard, en 1806, *Napoléon Ier en costume de sacre* du palais Fesch d'Ajaccio. Dans le Salon Chopin, classé en 1927, un piano Pleyel qu'affectionnait tant Frédéric Chopin dialogue avec les quatorze colonnes corinthiennes aux cannelures rudentées subtilement dorées qui parent les murs (voir également p. 32-33).

Les meilleurs artisans de nombreux domaines des arts décoratifs ont été réunis : peinture, sculpture sur pierre, passementerie, broderie d'art, fonderie... En hommage aux créations naturalistes de Chaumet, les artisans de l'Atelier de l'Étoile ont ainsi revisité le bas-relief. Huit mois ont été nécessaires pour habiller murs et plafonds, jusqu'à dessiner une voûte poétique mêlant les motifs végétaux stylisés parfois mariés aux branches de laurier et aux épis de blé. Reliant la boutique Arcade aux salons particuliers du premier étage, un escalier rappelle un jardin suspendu dans lequel une canopée faite de plâtre, de sable et de latex alterne la matière laissée brute, celle lissée ou encore brossée au peigne à bois pour dessiner des empreintes rappelant une écorce d'arbre. Les feuilles de chêne et les branches d'orme taillées à la lime courent sur les bas-reliefs. Dans le salon destiné aux commandes spéciales ou aux pièces d'exception, les ébénistes de l'atelier de Yann Jallu ornementent un mur d'une marqueterie de paille, pour laquelle chaque brin est aplati avant d'être collé, un à un (voir p. 42-43). Tous ces savoir-faire résonnent particulièrement avec les parures de la collection de Haute Joaillerie 2023 *Le Jardin de Chaumet* offrant notamment une traduction contemporaine de l'épi de blé et de l'écorce.

Restituer l'authenticité et la singularité du *12 Vendôme* signifie également convier des créateurs contemporains. Comme l'a fait le premier propriétaire du lieu, le baron Baudard de Sainte-James confiant aux frères Rousseau, coqueluches de Louis XVI et de Marie-Antoinette, les boiseries sculptées de son salon d'apparat, aujourd'hui Salon Chopin. Deux siècles plus tard, le salon des futurs mariés accueille Cecilie Bendixen. L'architecte danoise renommée pour ses sculptures textiles a réalisé une œuvre cinétique, tendue de fils blancs, évoquant une robe de mariage qui joue merveilleusement

Statue de Joséphine tenant le portrait de Napoléon, copie de l'originale sculptée dans le marbre par Vital-Dubray.

377

avec la lumière (p. 378). Dans le Salon Arcade, l'artiste néerlandaise Milena Naef livre une sculpture exprimant la relation entre le minéral et le corps. Au premier étage, un paon en céramique d'Alice Riehl particulièrement inspiré par les diadèmes de la Maison fait la roue face à la colonne Vendôme. Les photographies de Julia Hetta qui avaient été présentées lors de l'exposition « Autrement », en 2019, au 165, boulevard Saint-Germain, sont accrochées ici et là (ci-dessous). Sur ces images, l'artiste suédoise interroge non sans malice sur la manière de porter et de détourner ses bijoux.

PAGE DE GAUCHE
Le Salon Malmaison du *12 Vendôme* accueille les couples à la recherche des alliances et bague de fiançailles qui les accompagneront tout au long de leur vie.

CI-DESSUS
Au *12 Vendôme*, chaque détail compte : le moindre meuble est ouvragé par des artisans d'art.

SENTINELLE DU TEMPS

10

« JE ME RAPPORTE SUR CELA
AU GOÛT DE NITOT. »

LETTRE DE L'IMPÉRATRICE MARIE-LOUISE, 27 AVRIL 1814

Dès la création de la Maison, en 1780, la grande et la petite histoire se mêlent intimement. Son fondateur, Marie-Étienne Nitot collabore en effet fréquemment avec Ange-Joseph Aubert, joaillier de Louis XVI et de Marie-Antoinette. Dès lors, la Maison ne cessera d'être la complice des plus hautes sphères, qu'elles soient impériales, royales, républicaines, industrielles, financières en France, en Europe et dans le monde. Des attributs de la royauté, ou régalia, tels que diadème ou épée aux garde-temps, la créativité de la Maison s'avère tout aussi fructueuse lorsqu'elle se met au service d'ambitions politiques.

Couronne de Charlemagne.

LES NITOT
ET L'EMPIRE

Il y a plus de deux mille ans, la poétesse grecque Sappho écrivait :
« Les dieux se détournent de ceux qui se présentent à eux sans couronne. »
En 1802, lorsqu'il devient chef de l'État avec le titre de Premier consul
à vie, Napoléon Bonaparte a parfaitement compris l'importance des insignes
du pouvoir. Aussi confie-t-il à Marie-Étienne Nitot le soin de sertir l'épée
d'apparat symbolisant sa nouvelle fonction (p. 386 et p. 389).

Le fondateur de la Maison qui prendra plus tard le nom de Chaumet est déjà
un témoin, mais aussi un acteur majeur de l'époque. Appelé en 1791 pour
participer à l'inventaire des gemmes et des bijoux de la Couronne de France,
il s'implique deux ans plus tard pour sauver ces mêmes joyaux menacés de
destruction par les révolutionnaires (voir p 309-312). L'expertise du joaillier
est telle qu'il se voit ensuite confier la responsabilité de sélectionner les
vingt plus belles pierres précieuses destinées au tout nouveau cabinet de
minéralogie du Muséum national d'Histoire naturelle. Parmi ces gemmes liées
à l'histoire de France figurent l'émeraude de plus de 51 carats, dite de Saint-
Louis, extraite des anciennes mines d'Habachtal, en Autriche, ou le grand
saphir du roi Louis XIV de 135,8 carats dont les facettes en rhomboïde, soit
un losange à six faces, sont uniques au monde. Elles sont toujours exposées
au Muséum national d'Histoire naturelle, dont Chaumet est mécène. Une
autre pierre extraordinaire est confiée à Nitot. Il s'agit du Régent, un diamant
de 140 carats d'une pureté et d'une blancheur remarquables (p. 386). Ayant
orné les couronnes des sacres de Louis XV et de Louis XVI, il est porté
à de nombreuses reprises par Marie-Antoinette. Mise en gage auprès d'un
banquier berlinois, Sigmund Otto Joseph von Treskow, pour financer la
campagne d'Italie en 1796, la gemme est donc sertie en 1802 par Marie-
Étienne Nitot sur la garde de l'épée scintillant de 42 diamants totalisant plus
de 254 carats. Portée par Napoléon Ier en l'église Notre-Dame de Paris le
2 décembre 1804, elle devient l'épée du sacre.

Un autre joyau régalien, la couronne aux camées et pierres dures gravées,
dite de Charlemagne (ci-contre), que l'on peut aujourd'hui admirer au musée
du Louvre, a également été sertie par Nitot. Les liens profonds entre le joaillier
et Napoléon sont tels que, lorsque l'Empereur souhaite remercier le pape
Pie VII pour sa présence lors de la cérémonie du sacre en faisant réaliser
une tiare, Nitot fournit et sertit 3 345 diamants, saphirs, rubis, émeraudes,
ainsi que 2 990 perles (p. 387). C'est à son fils, François-Regnault Nitot que
revient la lourde tâche de remettre le précieux objet au souverain pontife.
Sur le chemin de Rome, l'héritier fait une halte à Milan pour le faire admirer
au couple impérial qui s'y trouve. Séduite par les bijoux présentés par
François-Regnault, qui a judicieusement pris avec lui quelques créations
récentes, Joséphine lui accorde sa confiance. Deux siècles plus tard,
à l'occasion de la rétrospective « Les Mondes de Chaumet – L'art de la joaillerie
depuis 1780 » qui se tient au Japon en 2018, le Vatican confie à la Maison
le soin de ressusciter le joyau. Le treizième chef d'atelier de Chaumet,

Dessin de la couronne
aux camées dite
« de Charlemagne »
réalisée pour le sacre
de Napoléon en 1804,
encre, crayon noir,
aquarelle et rehauts
de gouache. Paris,
collections Chaumet.

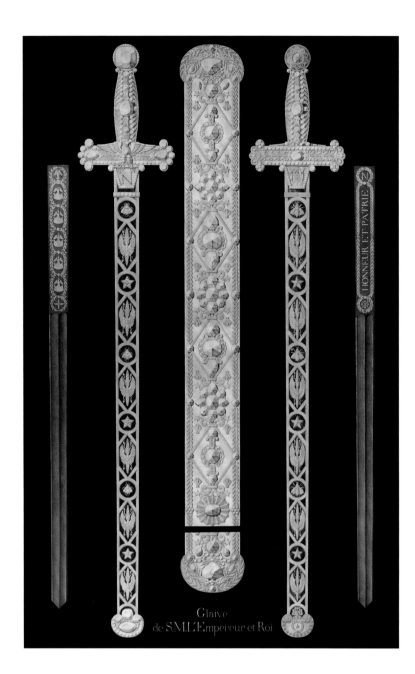

EN HAUT, À GAUCHE
Dessin du glaive impérial de
Napoléon Ier avec son fourreau et
son baudrier (vues des deux faces
de la lame et du fourreau), encre,
crayon noir, aquarelle et rehauts
de gouache. Paris, collections
Chaumet.

EN HAUT, À DROITE
Réplique du diamant dit
« Le Régent » de 140,615 carats,
oxyde de zirconium. Paris,
collections Chaumet.

CI-CONTRE
Tabatière au portrait de
Napoléon offerte par ce dernier
à Nitot, Montauban orfèvre, 1810,
écaille, or, camée sur agate. Paris,
collections Chaumet.

PAGE DE DROITE
Dessin de la tiare réalisée par
Marie-Étienne Nitot et offerte
par Napoléon Ier au pape
Pie VII, 1805, encre, aquarelle
et rehauts de gouache. Paris,
collections Chaumet.

TIARE DONNÉE PAR S.M.I. ET R.NAPOLEON I.
À SS. PIE VII.

Benoit Verhulle découvre alors la magnificence de l'objet réalisé avec virtuosité sans une seule soudure. L'émotion est immense lorsqu'il désolidarise l'émeraude godronnée de 414 carats, ce qui n'a pas été fait depuis 1805, l'année de sa création. Son velours blanc soigneusement nettoyé, son appairage de perles complétées par des perles d'imitation à la taille exacte (afin de remplacer les perles naturelles cassées ou perdues) et de nouveau enfilées sur un fil d'or plus robuste, la tiare retrouve aussi sa croix, recréée à l'identique grâce au dessin original conservé parmi les 66 000 dessins du fonds patrimonial de la Maison et d'après une table de calcul de diamants *ad hoc*.

Complice dès la naissance du mythe napoléonien, la Maison y contribue par l'acuité et la virtuosité dont elle fait preuve tout au long du règne. Comme les représentations des souverains en habit d'apparat participent à la propagande, les parures doivent elles aussi affirmer le pouvoir. Nommés « Joailliers et bijoutiers de L. L. M. M. l'Empereur et l'Impératrice, le Roi et la Reine de Westphalie », les Nitot père et fils y veillent – ayant même le grand honneur de recevoir une tabatière d'écaille rehaussée d'or et armoriée de l'aigle impériale offerte par Napoléon lui-même (p. 386, en bas). C'est dans ce climat de grande estime que l'Empereur commande à François-Regnault Nitot, qui succède à son père en 1809, un nouveau glaive (p. 386, en haut à gauche) pour lequel seront réutilisées les pierres démontées de l'épée du sacre. Cette dernière, dont les gemmes ont été remplacées par de simples cristaux, est alors donnée par l'Empereur au joaillier. Elle passe à ses descendants, le général Nitot, puis son fils, le colonel Edgar Nitot qui l'offre en 1905 au prince Victor Napoléon. Acquise en 1979 pour le musée Napoléon Ier du château de Fontainebleau, dont la Maison est mécène, elle quitte la France pour la première fois en 2017, exceptionnellement prêtée à l'occasion de « Splendeurs impériales – L'art de la joaillerie depuis le XVIIIe siècle », la première rétrospective des créations Chaumet en Chine, à la Cité interdite.

Pour manifester la gloire du régime impérial, Joséphine porte avec superbe les diadèmes, devants de corsage, colliers, bracelets et boucles d'oreilles que lui crée la Maison à partir de motifs symboliques, tels que l'épi de blé, le laurier et le chêne, sans oublier les camées volontiers soulignés de perles (pages suivantes). Grande amatrice, l'Impératrice commande notamment à François-Regnault Nitot des pendants d'oreilles formés de deux superbes poires, que l'on peut aujourd'hui admirer dans la galerie d'Apollon, au musée du Louvre. Le joaillier réalise également pour la souveraine un double rang composé de 105 perles ornées de 7 poires détachables montées sur calotte de diamants. Le collier, dit « Leuchtenberg », est transmis à sa petite-fille baptisée Joséphine en mémoire de sa grand-mère (p. 252). La jeune Joséphine devient reine de Suède-Norvège après qu'Oscar de Suède, lors d'une tournée européenne pour rencontrer les princesses retenues pour son mariage, ne tombe fou amoureux d'elle et ne l'épouse, en 1823. Passé aux enchères à deux reprises, le collier n'a pas trouvé preneur à Hong Kong, en 2021. À l'inverse, le diadème aux camées créé par Nitot pour Joséphine, lui aussi légué à sa petite-fille, n'a jamais quitté les joyaux de la Couronne de Suède. Porté le 19 juin 1976 par Silvia Sommerlath lorsqu'elle épouse le roi Karl Gustav XVI, il coiffe leur fille, la princesse Victoria de Suède, lors de son mariage célébré le 19 juin 2010 avec Daniel Westling (p. 200-201).

À peine est-il divorcé de Joséphine qui ne lui a pas donné d'héritier, le 20 décembre 1809, que Napoléon convole le 2 avril 1810 avec Marie-Louise de Habsbourg-Lorraine – le tsar Alexandre Ier lui ayant refusé la main de sa sœur. Par cette alliance prestigieuse, l'Empereur de quarante et un ans – la mariée en a dix-neuf – devient le petit-neveu de Louis XVI et de Marie-Antoinette. « Je me donne des ancêtres », se félicite-t-il alors. L'opulence de la corbeille de mariage est à la hauteur de la lignée : dentelles rares,

Épée consulaire dite épée du sacre de Napoléon Ier, Boutet, Nitot, Odiot, 1802, or, jaspe sanguin, diamants, dont le Régent, écaille, acier, cuir. Musée national du Château de Fontainebleau.

PAGE DE GAUCHE
*Sacre de l'empereur
Napoléon Ier et
couronnement de
l'impératrice Joséphine
dans la cathédrale
Notre-Dame de Paris, le
2 décembre 1804* (détail),
Jacques-Louis David,
1806-1807, huile sur toile.
Paris, musée du Louvre.

CI-DESSUS
Détails du diadème
aux camées, début du
XIXe siècle. Nice, musée
Masséna.

391

pèlerines, chaussures, éventails, châles brodés, robes de bal et de jour, tenues de chasse, redingotes... Les 71 parures sont toutes fournies par François-Regnault Nitot. Parmi elles, un ensemble aux émeraudes compte un collier de 10 grosses émeraudes taillées en ovale et en losange alternées de palmettes de diamants enchâssant des cabochons d'émeraudes (p. 313). Sur chacune des pierres est suspendue une émeraude poire, la taille préférée de l'impératrice Joséphine devenue l'une des signatures de la Maison. Miraculeusement conservée dans son état d'origine, la pièce a rejoint les collections du musée du Louvre en 2004, ainsi que les boucles d'oreilles de la parure. Fournisseur de Marie-Louise, Nitot crée pour elle de nombreuses pièces majestueuses. À l'image de ce diadème de perles et de diamants couronné par la Régente, considérée comme la plus belle perle du monde. Le joaillier la vend à Napoléon 40 000 francs en 1811. On ne sait rien d'elle jusqu'à cette date, si ce n'est son poids extraordinaire de 302,68 grains, selon le terme consacré pour les perles fines, un grain équivalant à 50 milligrammes, les carats étant utilisés pour les perles de culture. Les qualités de la gemme sont tout aussi exceptionnelles que sa taille : sa couleur, son lustre et son orient, ou la profondeur et la brillance avec laquelle elle reflète la lumière, sont uniques. Entrée dans les joyaux de la Couronne de France, la Régente est vendue en 1887, lorsque la République française disperse ces bijoux symboles de la monarchie. Son acquéreur n'est autre que le prince Youssoupoff, grand client de la Maison (voir p. 409). Nul ne sait ce qu'il advient de la perle jusqu'à ce qu'elle ne réapparaisse dans une vente aux enchères à New York, le 16 juin 1987, au grand émoi du monde joaillier. La revoilà encore un an plus tard, adjugée 859 000 dollars à un jeune banquier koweïtien qui l'offre à sa sœur pour ses trente ans. Le 16 novembre 2005, la Régente est de nouveau mise en vente, triplant son estimation haute pour partir à 2,5 millions de dollars – le nouvel acquéreur conservant l'anonymat. Un autre joyau réalisé par Nitot pour l'impératrice Marie-Louise est lui aussi passé aux enchères à trois reprises, en 1894, 1935 et 1985. Il s'agit d'une longue ceinture gothique de 1813 (ci-contre) répondant aux tendances antique et médiévale alors en vogue à Paris. Ciselé dans l'or parsemé d'abeilles à corps de perles, de couronnes de laurier alternées d'étoiles et de palmettes, l'ensemble est couronné d'un camée antique en onyx bordé de croissants de sardoine, une variété de calcédoine aux tons brun-rouge. En 2014, la ceinture entre dans les collections patrimoniales de Chaumet qui la rachète à un collectionneur privé par l'intermédiaire de Christie's avant une vente aux enchères. Conservé dans son grand écrin d'origine en maroquin rouge doré aux fers portant les grandes armes de l'Empire et la signature « M.E. Nitot & Fils à Paris n°1 », le joyau retrouve la place Vendôme qui l'a vu naître deux cents ans auparavant.

Fidèle à Nitot tout au long de son règne, comme le montrent les livres de comptes de la toilette et des dépenses particulières de Sa Majesté l'Impératrice, Marie-Louise lui commande également de nombreux bijoux de sentiment, comme ces bracelets acrostiches jouant avec la première lettre des pierres pour composer un prénom, un mot ou une date (voir également p. 182). L'un rappelle ainsi le 27 mars, anniversaire de la rencontre à Compiègne, un autre le 2 avril, jour du mariage religieux dans le Salon carré du Louvre transformé pour l'occasion en chapelle.

Fournisseur des régalia et des parures du pouvoir, la Maison est aussi réputée pour ses garde-temps qui se distinguent par leur créativité. C'est le cas de la montre commandée pour l'une de ses nombreuses maîtresses par le roi Jérôme, le plus jeune frère de Napoléon. Placé à vingt ans à la tête du royaume de Westphalie, un État tampon entre la France et la Prusse, aujourd'hui en Allemagne, il est marié dans la foulée à Catherine de Wurtemberg, nièce de l'impératrice de Russie Maria Feodorovna et cousine de la reine Victoria, elle aussi cliente de la Maison. Livrée en 1809, la montre

Ceinture dite gothique de l'impératrice Marie-Louise centrée d'un camée antique d'époque hellénistique, période Nitot, 1813, or, perles fines, agate et onyx. Paris, collections Chaumet.

est le fruit d'une collaboration entre Marie-Étienne Nitot et Abraham-Louis Breguet, le père de l'horlogerie moderne qui a aussi bien la confiance de Louis XVI que du tsar Alexandre Ier. Il s'agit d'une montre à tact en émail bleu posé sur un or guilloché offrant une double lecture de l'heure : de manière classique, en ouvrant le boîtier pour découvrir le cadran et ses aiguilles ou, plus discrètement, en effleurant du doigt le couvercle sur lequel une flèche pointe vers les pièces de touches, douze gros diamants ronds indiquant les heures, douze petites perles les demies (p. 395). L'histoire dit que le prince de Talleyrand, homme politique grand pourvoyeur d'aventures alimentant la chronique galante de l'époque, utilisait la montre à tact en temps voulu pour prendre congé de sa compagne.

En digne successeur de son père, François-Regnault Nitot met l'extraordinaire créativité de la Maison au service de créations horlogères somptueuses. En 1806, le joaillier est appelé pour le mariage d'Eugène de Beauharnais, le fils d'une première union de Joséphine. Le jeune homme épouse Auguste-Amélie de Bavière – Napoléon ayant fait le nécessaire auparavant pour rompre les fiançailles de la jeune fille avec Charles II Frédéric de Bade. Lors des préparatifs, alors que Nitot demande les noms à faire graver dans l'alliance, l'Impératrice découvre l'émouvante décision de son mari d'adopter Eugène qu'il a nommé vice-roi d'Italie. Cinq ans plus tard, François-Regnault Nitot livre à Auguste-Amélie, devenue vice-reine d'Italie, une merveilleuse paire de bracelets-montres en émeraudes et perles, la première connue de l'histoire de la Maison, entrée dans ses collections patrimoniales (p. 382). Les garde-temps se portent alors à chaque poignet, l'un indiquant les heures et les minutes, le second le calendrier. En 1813, l'impératrice Marie-Louise commande au joaillier une montre de col au chiffre de l'Empereur en diamants et émail, le dos de son couvercle gravé d'une abeille dans un entourage d'étoiles. La souveraine renouvellera son choix pour un présent destiné à Fanny Soufflot, la compagne de jeu de son fils.

CI-DESSUS
Montre à tact de Jérôme
Bonaparte, roi de
Westphalie, Breguet, Nitot
et fils, 1809, or, argent,
diamants, perles et
émail, signée à l'intérieur
« Breguet n° 615 ». Paris,
fondation Napoléon.

CI-CONTRE
Dessin d'une montre à tact
(dont le décor correspond
à une montre commandée
par Napoléon III), atelier de
dessin Fossin, vers 1850-
1860, gouache, lavis et
rehauts de gouache. Paris,
collections Chaumet.

PAGE DE GAUCHE
Montre de col au chiffre
de Marie-Louise, période
Nitot, 1811, or jaune,
diamants et émail. Paris,
collections Chaumet.

LES FOSSIN,
LA RESTAURATION
ET LA MONARCHIE
DE JUILLET

Acculé à la capitulation au nom de la paix en Europe, l'empereur Napoléon Ier fulmine pendant quelques jours au château de Fontainebleau, décapitant avec sa badine des massifs entiers du jardin de Diane, avant d'officiellement renoncer au trône, le 6 avril 1814. Dans une ultime allocution à sa garde, il affirme que « la France elle-même a voulu d'autres destinées ». Une fois le souverain exilé, François-Regnault Nitot ne peut envisager de servir un autre pouvoir. Il cède son fonds à son chef d'atelier, Jean-Baptiste Fossin. Avec lui s'ouvre un nouveau chapitre dans l'histoire prestigieuse de la Maison. Comme elle avait été la complice de l'Empire, elle devient celle de la Restauration avec le retour des rois Bourbons, Louis XVIII et Charles X, tous deux frères de Louis XVI. Installé au 78, rue de Richelieu, Jean-Baptiste Fossin séduit la nouvelle aristocratie et la haute bourgeoisie proches du pouvoir. C'est ainsi que Caroline de Bourbon-Siciles (ci-contre), la belle-fille de Charles X, l'une des femmes les plus influentes de l'époque, accorde à Fossin le glorieux titre de « Joaillier des enfants de la France ». Veuve à vingt-deux ans, la jeune femme n'en brille pas moins sur la vie parisienne. L'impressionnant cortège des invités se hâtant au Quadrille de Marie-Stuart, fête costumée qu'elle donne en 1829 dans son pavillon de Marsan, au palais des Tuileries, l'illustre à merveille. Grande cliente de la Maison, la duchesse de Berry raffole des nouveautés, avec un net penchant pour les bijoux dits gothiques. En pleine époque romantique, preux chevalier et vers de troubadour sont en vogue, tout comme les couronnes de tresses autour de la tête prolongée d'une ferronnière, cette fine chaîne ornée d'une perle ou d'une pierre de couleur portée bas sur le front.

L'engouement pour le Moyen Âge se prolonge sous la monarchie de Juillet débutant en 1830 avec le règne de Louis-Philippe, qui sera le dernier roi de France. Jean-Baptiste Fossin et son fils Jules sont nommés « Joailliers de la Couronne ». Fournisseurs réguliers du souverain et de sa famille, ils créent pour eux aussi bien des bracelets lézard ou gothiques que des broches nœud ou une bague serpent. Les Fossin réalisent aussi l'essentiel de la corbeille de mariage du prince Ferdinand Philippe d'Orléans, le fils aîné du roi, avec la duchesse Hélène de Mecklembourg-Schwerin (p. 398). L'union fait alors grincer quelques dents, certains estimant que l'héritier du trône de France ne peut épouser une princesse d'un obscur petit État d'Allemagne, qui plus est lorsqu'elle est protestante et entend le rester – Ferdinand-Philippe étant catholique. Décrite par la comtesse de Boigne comme « une grande personne pâle, maigre, sans menton, sans cils », la future duchesse s'avère en réalité charmante et conquiert vite les Français, dont elle parle parfaitement la langue. Les trois noces, civile, catholique et protestante, sont à l'image du budget colossal d'un million voté par les Chambres. Célébrées au château de Fontainebleau, elles sont représentées sur le serre-bijoux en bronze et porcelaine que la Ville de Paris offre à la princesse – le meuble peut toujours être admiré à Fontainebleau dans la galerie des Fresques, aussi appelée galerie des Assiettes.

Portrait de Caroline de Bourbon, duchesse de Berry, Charles Rauch, 1827, huile sur toile. Château de Chambord.

PAGE DE DROITE,
À GAUCHE
Sainte Hélène, impératrice,
Jean-Auguste-Dominique
Ingres, 1842. Carton pour
les vitraux de la chapelle
Saint-Ferdinand, peint en
l'honneur d'Hélène de
Mecklembourg-Schwerin.

PAGE DE DROITE,
À DROITE
Projet de bracelet-montre
de style néo-gothique en or
partiellement émaillé, atelier
de dessin Chaumet, dernier
tiers du XIXᵉ siècle, crayon
graphite, encre, gouache et
rehauts de gouache. Paris,
collections Chaumet.

CI-DESSUS
Projet de montre
châtelaine d'inspiration
gothique, atelier de dessin
Chaumet, vers 1890-1900,
crayon graphite, encre,
gouache et rehauts de
gouache sur papier teinté.
Paris, collections Chaumet.

EN HAUT
*Le Mariage du prince
Ferdinand-Philippe
d'Orléans et la duchesse
Hélène de Mecklembourg-
Schwerin*, Eugène Louis
Lami, aquarelle, 1837.
Chantilly, musée Condé.

CI-CONTRE
Projet de pendentif
composé d'une montre
reposant sur deux
cornes d'abondance
entrecroisées et retenues
par un nœud de ruban,
atelier de dessin Chaumet,
vers 1890-1900, encre,
gouache et rehauts de
gouache sur papier teinté.
Paris, collections Chaumet.

S. HELENA
IMPERATRIX

LES MOREL
ET LE SECOND
EMPIRE

Renversé en 1848, Louis-Philippe doit abdiquer. L'histoire entre la Maison et le pouvoir se poursuit néanmoins sous le Second Empire qui commence le 2 décembre 1852 avec l'empereur Napoléon III. Jules Fossin est le témoin privilégié de l'amour naissant entre Louis-Napoléon Bonaparte et Eugénie de Palafox y Portocarrero, entrés dans l'histoire comme l'empereur Napoléon III et l'impératrice Eugénie – sa mère, la comtesse de Montijo est grande cliente de la Maison. Épris de la jeune aristocrate espagnole, l'Empereur l'invite à Compiègne fin 1852 à une « série », le terme désignant la réunion d'une centaine d'invités durant quatre à six semaines, loin des contraintes de l'étiquette parisienne. Au programme, chasses, excursions, jeux, concerts, pièces de théâtre et bien sûr bals. Lors d'une promenade dans le parc, la jeune femme s'émerveille devant un trèfle sous la rosée. Elle reçoit le lendemain, lors d'une tombola, de la part de l'Empereur une broche d'émeraudes et de diamants au motif de la plante, la souveraine en commandant à la Maison une seconde (voir p. 177) qu'elle porte sur de nombreux portraits de cour (ci-contre). Fossin réalise également les anneaux du mariage qui sera célébré le 30 janvier 1853 à la cathédrale Notre-Dame de Paris. De nombreux joyaux de la corbeille, tels que diadèmes, bracelets, broches de corsage et d'épaule, solitaires, ferrets de diamants, aigrettes sont aussi l'œuvre du joaillier.

Comme Joséphine, la grand-mère de Napoléon III, fut l'impératrice de la mode, Eugénie a belle allure et sait en jouer. Fervente admiratrice de Marie-Antoinette, elle raffole des dentelles, des fourrures et des robes de bal chargées de passementeries, perles, franges, paillettes, glands et ruchers, ce qui lui vaut le méchant surnom de Fée Chiffon (p. 403, en bas à gauche). Perspicace quant aux mœurs impitoyables de la cour, la jeune souveraine prend des leçons de maintien avec la tragédienne Rachel (p. 403, à droite), cliente de la Maison Fossin et ancienne maîtresse de Napoléon III. Sociétaire du Théâtre-Français touchant les plus gros cachets de la profession, elle est la première grande actrice française à effectuer une tournée en Amérique. Auprès d'elle, Eugénie apprend tout le répertoire des saluts, de l'audience officielle aux adieux familiers, en passant par la révérence. Aussi attachée aux fastes de l'Empire qu'aux gemmes, la souveraine affiche une très nette prédilection pour les émeraudes. Comme en témoignent les 114 bijoux de sa cassette personnelle dispersés aux enchères, à Londres, en 1872. Au tout début du XXe siècle, le comte Guido Henckel von Donnersmarck confie à la Maison 11 émeraudes en forme de gouttes d'une rare beauté à monter en diadème pour sa femme. Les pierres proviennent très probablement de cette dispersion londonienne, même si l'histoire ne dit pas comment elles sont arrivées dans les mains du riche aristocrate prussien. En dix-sept ans de règne, la Maison, que Fossin transmet à son chef d'atelier Jean-Valentin Morel, puis à son fils Prosper, fournit à l'Impératrice de nombreuses parures. La virtuosité de l'atelier est telle qu'elle lui vaut d'ailleurs une médaille d'or à l'Exposition universelle de 1855 à Paris.

Portrait de l'impératrice Eugénie, Édouard Louis Dubufe, 1853, huile sur toile. Musée national du Château de Compiègne.

CI-CONTRE
L'Impératrice Eugénie,
Franz Xaver Winterhalter,
1854, huile sur toile.
New York, The Metropolitan
Museum of Art. Eugénie
est habillée comme
Marie-Antoinette.

PAGE DE GAUCHE
Montre et chaîne de la
duchesse de Luynes,
période Morel, vers 1850,
or, argent, rubis, jaspe
sanguin, diamants, perles
fines et émail. Paris,
collections Chaumet.

EN HAUT
Dessin de la montre
destinée à la duchesse
de Luynes, Jean-Valentin
Morel, vers 1850, crayon
graphite, gouache et
rehauts de gouache. Paris,
collections Chaumet.

CI-DESSUS
Portrait de Rachel, célèbre
actrice du Theâtre-Français
et cliente de Fossin, milieu
du XIXᵉ siècle, huile sur
ivoire. Patrimoine comte
Charles-André Colonna
Walewski.

CI-DESSUS
Montre châtelaine au
chiffre de l'impératrice
Eugénie, période Fossin,
1853, or, diamants taille
rose, perles fines et émail.
Rueil-Malmaison, Châteaux
de Malmaison et de
Bois-Préau.

PAGE DE DROITE
Montre châtelaine au
monogramme MS, période
Morel, vers 1860, or, jaspe
sanguin, diamants, rubis,
argent et perles fines.
Paris, collections Chaumet.

En 2019, la vente aux enchères de l'écrin d'une descendante de Nicolas François Silvestre Régnier, duc de Massa, permet à Chaumet d'acquérir une montre réalisée par Jean-Valentin Morel pour ce haut fonctionnaire fait pair de France en 1816 (p. 405). Il s'agit du premier garde-temps masculin historique racheté par la Maison. À travers lui s'exprime toute la virtuosité joaillière mise au service de l'horlogerie. Le cadran dévoile une minuterie en lapis-lazuli, les chiffres romains venant se nicher dans des pastilles en jade sur un fond de jaspe sanguin. Inscrites dans l'art de la couleur cher à la Maison, ces pierres dures viennent scander les créations horlogères de chaque époque, en marqueterie pour le prince Anatole Nokolaievitch Demidoff de San Donato ou en jaspe sanguin sur la montre pendentif de la duchesse de Luynes, Jeanne d'Amys de Ponceau (p. 402), deux créations du XIXe siècle. On retrouve les pierres dures sous les couvercles ouvragés des récentes montres à secret dans lesquelles excelle Chaumet. L'aventurine noire ou bleue vient ainsi souligner les motifs symboliques du blé ou du laurier. Dévoilées en 2019, les douze montres *Pierres de Rêve de Chaumet*, possèdent également des cadrans sculptés dans des gemmes narratives : jaspe rouge, jaune ou mokaïte, rhodonite, une pierre rose tendre veinée d'inclusions noires, opale dendritique, lapis-lazuli ou encore shattuckite, du nom de la mine de cuivre de Shattuck, dans l'Arizona, où le minéral bleu turquoise est découvert au début du XXe siècle (ci-dessous). Comme une invitation au voyage, chaque montre rapproche les « pierres de rêve » racontées par l'écrivain chinois Lin Yutang et les pierres à images dont Roger Caillois disait : « Elles séduisent par une beauté propre, infaillible, immédiate, qui ne doit de compte à personne. »

CI-CONTRE
Montre *Les Pierres de Rêve de Chaumet* à mouvement mécanique suisse à remontage automatique, 2019, or blanc, diamants, chrysocolle et bracelet en cuir d'alligator.

PAGE DE DROITE
Montre *Hortensia* à mouvement suisse à quartz, acier, diamants et laque.

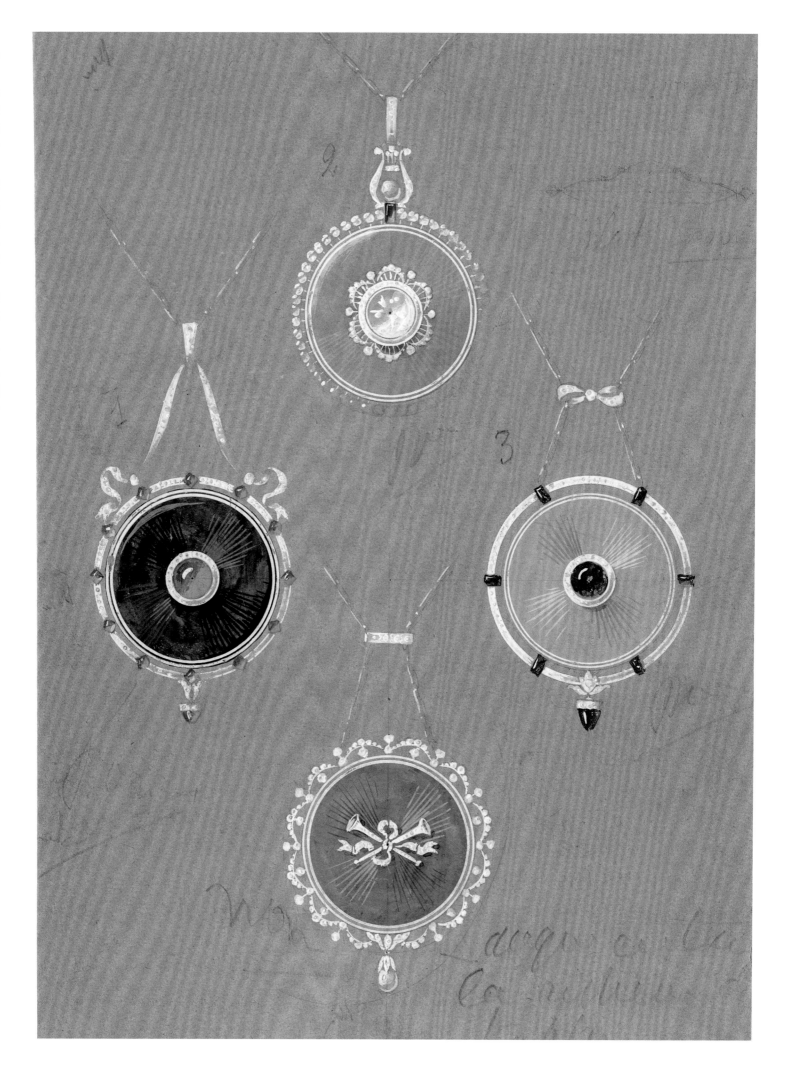

JOSEPH CHAUMET
ET LE XXᴱ SIÈCLE

En 1875, Blanche, l'une des filles de Prosper Morel auquel Jules Fossin a cédé la Maison treize ans auparavant, épouse Joseph Chaumet. Le jeune joaillier de vingt-trois ans bouillonne d'idées et d'ambition. Il prend officiellement la direction de l'entreprise à laquelle il donne son nom en 1889. Grâce à lui, Chaumet fait une entrée triomphante dans le XXᵉ siècle. Comme ses prédécesseurs Nitot, Fossin et Morel, Joseph Chaumet côtoie les grands de ce monde. Lorsque le prétendant au trône de France, Louis Philippe Robert, duc d'Orléans s'apprête à convoler, en 1896, les dames de France royalistes, menées par la duchesse de Luynes, s'adressent naturellement à la Maison chez qui se fournissait le roi Louis-Philippe, l'arrière-grand-père du futur marié. Joseph Chaumet reçoit ainsi la commande d'une couronne en diamants à fleurs de lys, l'emblème de la royauté française depuis le Vᵉ siècle (p. 201). L'heureuse élue, qui va alors sur ses trente ans, est l'archiduchesse Marie-Dorothée de Habsbourg-Lorraine, elle aussi arrière-petite-fille de Louis-Philippe. Plus diplomatique que passionnel, le mariage a lieu à Vienne, les Orléans étant interdits de territoire français. Le duc d'Orléans a déjà passé outre, ce qui lui a valu quatorze mois de prison – dans deux pièces meublées où il reçoit les visites de soutien de la soprano Nellie Melba et de la danseuse la Belle Otero, toutes deux clientes de Joseph Chaumet. Le duc, qui est richissime, fréquente aussi la Maison, venant y choisir pour le mariage de sa nièce un diadème à motifs rubans avec aigrette émeraude, optant pour une pièce plus sobre destinée à sa femme. Sa générosité ne suffit pas à faire oublier son âme d'explorateur qui le fait sillonner la planète entière, de l'océan Arctique à l'Argentine, tandis que la duchesse se montre de plus en plus casanière. Inéluctable, la séparation persiste au-delà de la mort, lui reposant dans la chapelle royale Saint-Louis de Dreux, elle à Alcsùt, dans sa Hongrie natale.

Mariés le 22 février 1914 en l'église du palais impérial Anitchkov à Saint-Pétersbourg, le prince Félix Youssoupoff et la princesse Irina Alexandrovna Romanov ont tout pour être heureux : ils sont jeunes, beaux et riches. La Maison, qui a depuis longtemps la confiance des Romanov, la famille régnante sur la Russie depuis 1613, est chargée de réaliser la corbeille de mariage. Joseph Chaumet se surpasse, livrant cinq parures en diamants, perles, rubis, émeraudes et saphirs plus belles les unes que les autres. Elles s'ajoutent notamment aux vingt-neuf diamants offerts au jeune couple par le tsar. Trois ans plus tard, les bolchéviques prennent le pouvoir, la famille impériale est exécutée et les Youssoupoff s'enfuient à bord d'un cuirassé envoyé par le roi d'Angleterre pour sauver ses cousins russes. Cachée sous l'escalier de son palais moscovite, une grande partie des bijoux de la famille est malheureusement découverte en 1925. Délestées de leurs pierres dont on ignore la destinée, les pièces sont fondues (voir p. 118). C'est donc avec beaucoup d'émotion que Chaumet fournit en 2021 le diadème de Victoria Romanovna pour son mariage avec le grand-duc Georges Mikhaïlovitch, tsarévitch du trône de Russie. Célébré en la cathédrale de Saint-Isaac, il s'agit des premières noces impériales depuis plus de cent ans (p. 98-99).

Projets de montres pour dames à décor d'émail guilloché et serties de pierres précieuses, atelier de dessin Chaumet, vers 1900-1910, crayon graphite, gouache, lavis et rehauts de gouache. Paris, collections Chaumet.

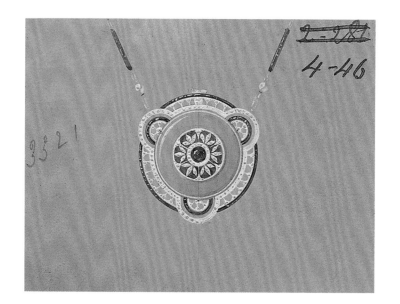

CI-DESSUS
Montre de revers dite « Régence », période Chaumet, 1924, platine, cristal de roche dépoli, émeraude, diamants et émail. Paris, collections Chaumet.

EN HAUT
Étude pour une montre de col, atelier de dessin Chaumet, 1910, crayon graphite et rehauts de gouache. Paris, collections Chaumet.

CI-CONTRE
Portrait d'Élise Dosne-Thiers par Jean-Baptiste Mauzaisse, huile sur toile, 1832.

PAGE DE DROITE
Montre châtelaine d'Élise Dosne-Thiers, épouse d'Adolphe Thiers, premier président de la Troisième République, période Morel, 1873, or, argent, diamants, saphirs et rubis. Paris, collections Chaumet.

La virtuosité des créations horlogères Chaumet se confirme tout au long du XXᵉ siècle. Une châtelaine pour la Première dame Élise Dosne-Thiers (p. 410-411) est gravée de la colonne Vendôme que son mari a fait de nouveau ériger – elle avait été mise à terre par la révolution de 1871. Excellant dans les bijoux de sentiment, des bracelets acrostiches à la collection *Liens* (voir p. 182), Chaumet imagine des montres disant l'attachement avec poésie, telles que cette pièce *Forget-Me-Not* de 1908 au bracelet fleuri de myosotis (p. 413, en haut) ou cette proposition à décor de rose et de pensée de 1911. Détournés des poches masculines, les modèles gousset s'accrochent aux vêtements des femmes, à l'image de cette montre à revers dite « Régence » de 1924 (p. 410, à gauche). Mais la Maison pense toujours aux hommes. En 2003, elle lance *Dandy*, une ligne au design illustrant l'art du trait emblématique du style Chaumet. Mariant l'allure et l'esprit, la montre possède un boîtier coussin inspiré des proportions du Régent, cet impressionnant diamant de 140 carats confié par Napoléon Iᵉʳ à Marie-Étienne Nitot pour le sertir sur son épée consulaire (voir p. 386). Décoré d'un motif bayadère inspiré d'une publicité des années 1920, le cadran affiche aiguilles et index bâtons, à l'exception du « 12 » rappelant l'adresse historique de la place Vendôme où la Maison s'est installée en 1907. Animée d'un mouvement mécanique suisse, la collection propose heure, minute, seconde et date réglables par la couronne cannelée du remontoir sertie d'un saphir à 40 facettes. Imaginée en 2021 pour les deux cent quarante ans de Chaumet, la montre *Infiniment 12 – Reverie Nocturne* célèbre également la place Vendôme. Sous une voûte nocturne réalisée en émail Grand Feu par la très réputée émailleuse suisse Anita Porchet, le cadran offre un décor miniature gravé et peint à la main dans l'or blanc et la nacre illuminé par des étoiles en diamants (p. 414).

Grandes clientes des bijoux de la Maison, mais aussi de ses garde-temps, l'impératrice Joséphine et sa fille Hortense lui ont inspiré deux collections contemporaines. Lancées en 2010, les premières montres-bijoux *Joséphine Aigrette* couronnent le poignet d'un cadran inspiré par la taille poire dont raffolait l'Impératrice. Onze ans plus tard, en 2021, la ligne s'étoffe d'un design inédit. Coiffée du « V » de l'aigrette, un diamant serti en trompe-l'œil à douze heures, l'élégante montre dessinée sans boucles ni cornes possède une allure folle (p. 417). Dévoilées quatre ans plus tard, en 2014, les montres-bijoux *Hortensia* conjuguent la délicatesse de la fleur posée çà et là sur la lunette sertie de diamants à une sensualité haute en couleur avec un cadran sculpté en nacre blanche, en opale rose, en malachite ou en turquoise, à moins d'être laqué dans des nuances noires, taupe, roses, bleues (p. 407).

Qu'elles soient poétiques ou sensuelles, citadines ou « black tie », les montres Chaumet aiment parfois se frotter à quelques défis horlogers réunis dans les Complications Créatives. Sur l'une, des colombes en diamants donnent l'heure dans un ciel étoilé fait d'émail Grand Feu. Ce savoir-faire rare embrase également les cadrans d'un trio horloger racontant la Scala de Milan dans la collection de Haute Joaillerie *Chaumet est une Fête*, en 2017. Chaque garde-temps offre le spectacle enchanteur d'un tourbillon volant, cette invention d'Abraham-Louis Breguet pour compenser les effets de la gravité sur la régularité des montres de poche qui demeure un chef-d'œuvre d'ingéniosité. Trois ans plus tard, en 2020, la collection de Haute Joaillerie *Perspectives de Chaumet* dévoile une montre à heures sautantes sur un splendide cadran en marqueterie de lapis-lazuli, saphir et émeraude. Tout aussi spectaculaire, la montre à secret *Déferlante*, présentée en 2022, possède un couvercle serti de vagues de diamants taille carrés, brillant, baguette et princesse laissant jaillir un cadran d'or blanc gravé à la main racontant l'empreinte de l'eau sur le sable. En 2023, la collection de Haute Joaillerie *Le Jardin de Chaumet* dévoile un quatuor horloger à heures sautantes puisant dans la culture naturaliste de la Maison pour une lecture du temps autre.

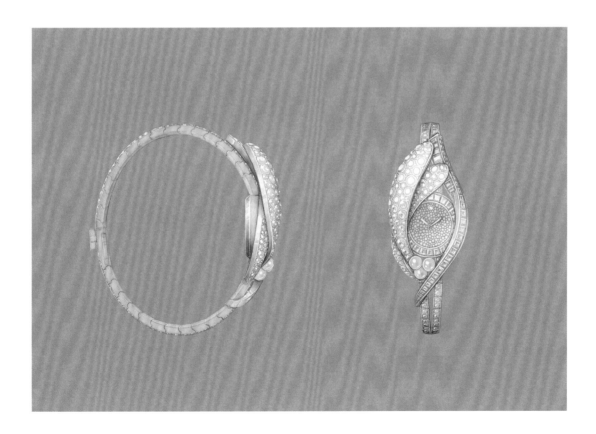

EN HAUT
Montre-bracelet aux myosotis, période Chaumet, 1908, or, platine, diamants, perles fines et émail. Paris, collections Chaumet.

EN BAS
Gouaché de la montre *Gui* (or blanc, diamants et perles fines), collection *Le Jardin de Chaumet*, 2023, studio de création Chaumet, gouache et rehauts de gouache sur papier teinté. Paris, collections Chaumet.

EN HAUT, À GAUCHE
ET À DROITE
Montre à secret *Lacis*
à mouvement mécanique
suisse à remontage
automatique, collection
Perspectives de Chaumet,
2020, or blanc, diamants,
aventurine et bracelet
en satin.

CI-DESSUS
Véritable œuvre d'art,
la montre *Infiniment 12
- Rêverie Nocturne*
rassemble plusieurs
artisanats d'art, réalisés
un à un, à la main.

CI-CONTRE
Montre *Infiniment 12
- Rêverie Nocturne* à
mouvement mécanique
suisse à remontage
automatique, 2021, or
blanc, diamants, émail
Grand Feu, micro-
mosaïque et bracelet en
cuir d'alligator.

Publicité Chaumet mettant
en scène la collaboration
avec Vacheron Constantin,
publiée dans la revue
Plaisir de France,
décembre 1968. Paris,
collections Chaumet.

« LES PLUS GRANDS ÉVÉNEMENTS
— CE NE SONT PAS NOS HEURES
LES PLUS BRUYANTES, MAIS NOS
HEURES LES PLUS SILENCIEUSES. »

FRÉDÉRIC NIETZSCHE, *AINSI PARLAIT ZARATHOUSTRA*, 1883

Montre *Joséphine Aigrette*
à mouvement suisse à
quartz, or blanc, diamants
et bracelet en satin.

INVENTIVE

« VOUS POUVEZ, MESSIEURS, EN
PRENANT LES OBJETS EN MAIN VOUS
RENDRE COMPTE DE LA SOUPLESSE
QUE NOUS AVONS IMPRIMÉE À
CHACUNE DES PIÈCES AINSI QUE
DE LA LÉGÈRETÉ DES MONTURES
ET DE L'HARMONIE DES LIGNES. »

JOSEPH CHAUMET AUX MEMBRES DU JURY DE L'EXPOSITION
INTERNATIONALE DE SAINT-LOUIS, 1904

Tel un palimpseste, ce manuscrit dont la première écriture
a été grattée pour écrire un nouveau texte, le savoir-faire
joaillier de la Maison se transmet de chef d'atelier en chef
d'atelier depuis sa création, en 1780. À côté des gestes
ancestraux, les technologies modernes s'invitent lorsqu'elles
peuvent contribuer aux signatures de Chaumet que sont la
légèreté, le mouvement et les pièces transformables, mais
aussi le nœud, le trompe-l'œil et le travail de l'or. Des articles
louangeurs parus dans le *Journal des dames et des modes*,
la publication de référence en matière de tendances lancée en
1797, aux posts « multi-likés » des réseaux sociaux, la virtuosité
de la Maison demeure et s'accorde aux époques.

LA LÉGÈRETÉ

Uniques par leur abondance, avec 66 000 dessins, près de 66 000 négatifs dont 33 000 sur plaques de verre et plus de 350 créations de joaillerie, d'horlogerie et d'orfèvrerie, les archives de la Maison offrent un éventail époustouflant dans l'art de la légèreté. Capturés sur le vif, les éléments de la nature rivalisent de grâce et de poésie.

Au début du XXᵉ siècle, lorsque l'atelier adopte le platine, ce métal plus résistant que l'or, la technique du « fil de couteau » consistant à réduire à l'extrême l'épaisseur des montures pour ne laisser voir que les pierres allège encore davantage des créations pour laquelle la Maison est déjà largement réputée. Le fil de couteau se prête particulièrement au collier serre-cou, accessoire incontournable de la Belle Époque. Créé pour la reine Alexandra de Danemark qui souhaitait cacher une cicatrice, ce bijou rigide enserrant le cou est vite renommé « collier de chien ». Louis XV faisait bien porter à son King's Charles Filou un collier en or serti de diamants, tandis que sa maîtresse, Madame de Pompadour, n'allait nulle part sans Mimi, son épagneul habillé d'un collier en argent massif. En 1906, le serre-cou articulé dit « Rohan » (p. 424) annonce les pièces seconde peau. Dix ans plus tard, l'atelier livre une aigrette soleil rayonnant (p. 222) dont les tranches visibles des fils de couteau s'illuminent de diamants sertis millegrain démultipliant l'éclat des pierres. Également pertinente dans le registre céleste que dans le festif, la technique signe les créations contemporaines. C'est le cas de ce collier de la collection de Haute Joaillerie *Chaumet est une Fête* dont le montage en fil de couteau fait danser autour d'une morganite de 29,77 carats et d'une tanzanite de 10,07 carats, toutes deux taillées en coussin, une pléiade de pierres de couleur, topazes impériales, grenats Umba, chrysobéryl et diamants champagne (p. 429). En 2020, la Maison réinvente cette signature avec le diadème *Lacis* (ci-contre et p. 99), nouvelle démonstration de maestria joaillière où les fils, fins comme un cheveu, tissent une résille de diamant exceptionnelle de délicatesse et de lumière.

Jamais gratuite, la prouesse reste au service des pierres et du confort. Obsédés par la souplesse, les artisans de la Maison imaginent ainsi régulièrement de nouvelles techniques d'emmaillement. À l'image de ces 900 lingots d'or du collier *Ondulation* de 2020 (p. 443) épousant parfaitement la naissance du décolleté ou ce collier *Gulfstream* de 2022 (p. 240) de la collection de Haute Joaillerie *Ondes et Merveilles de Chaumet* ayant nécessité 600 cannetilles réalisées au 1/10ᵉ en ne cassant que deux limes, une fierté supplémentaire pour l'artisan. L'infinie délicatesse des créations tient aussi aux sertissages virtuoses. Du serti neige habillant les feuilles de houx d'une broche de 1890 (p. 428) au serti réduit à trois griffes de la broche *Déferlante* de 2022 (p. 427, en haut), l'atelier se distingue par son inventivité. Bien souvent, le dialogue constant avec le studio de création conduit à des techniques inédites. À l'image du diadème de la collection de Haute Joaillerie *Torsade de Chaumet* dont les diamants taille rose sont sertis à l'envers,

Diadème *Lacis*, collection *Perspectives de Chaumet*, 2020, or blanc et diamants.

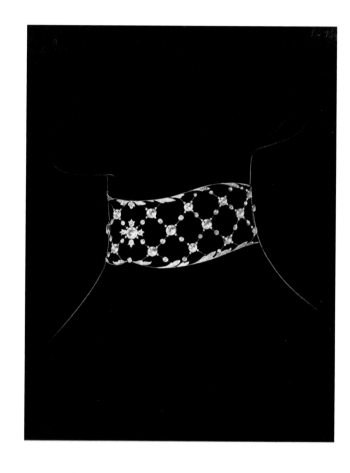

EN HAUT, À GAUCHE
Madame de Pompadour,
François Boucher, 1759,
huile sur toile. Londres,
Wallace Collection.

EN HAUT, À DROITE
Projet de serre-cou
à forme (vue de trois
quarts), atelier de dessin
Chaumet, vers 1900-1910,
crayon graphite, gouache
et rehauts de gouache
sur papier teinté. Paris,
collections Chaumet.

CI-CONTRE
Collier serre-cou articulé
dit « Rohan », période
Chaumet, 1906, platine et
diamants. Paris, collections
Chaumet.

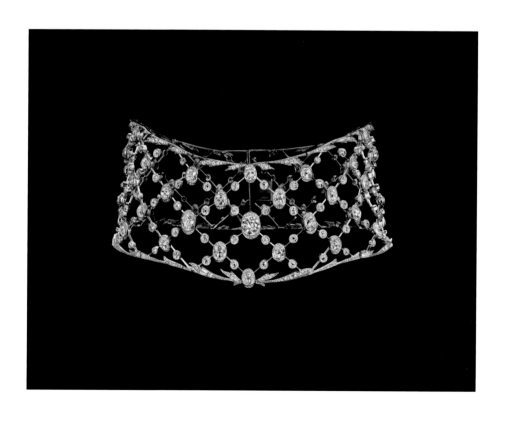

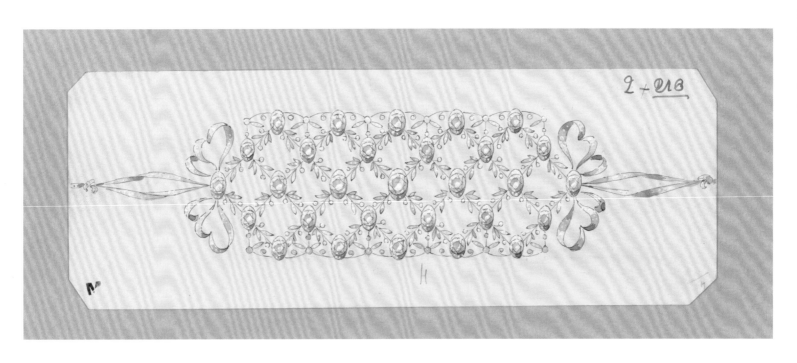

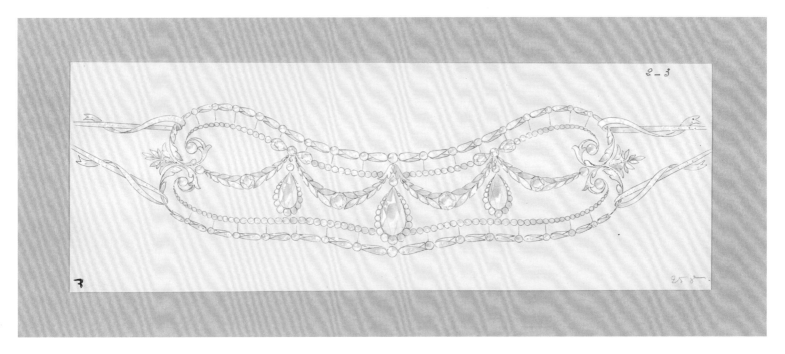

EN HAUT
Projet de serre-cou à
décor de nœuds et de
motifs floraux, atelier de
dessin Chaumet, vers
1900-1910, encre, gouache
et rehauts de gouache
sur papier teinté. Paris,
collections Chaumet.

EN BAS
Projet de serre-cou,
atelier de dessin Chaumet,
vers 1900-1910, encre,
gouache et rehauts de
gouache sur papier teinté.
Paris, collections Chaumet.

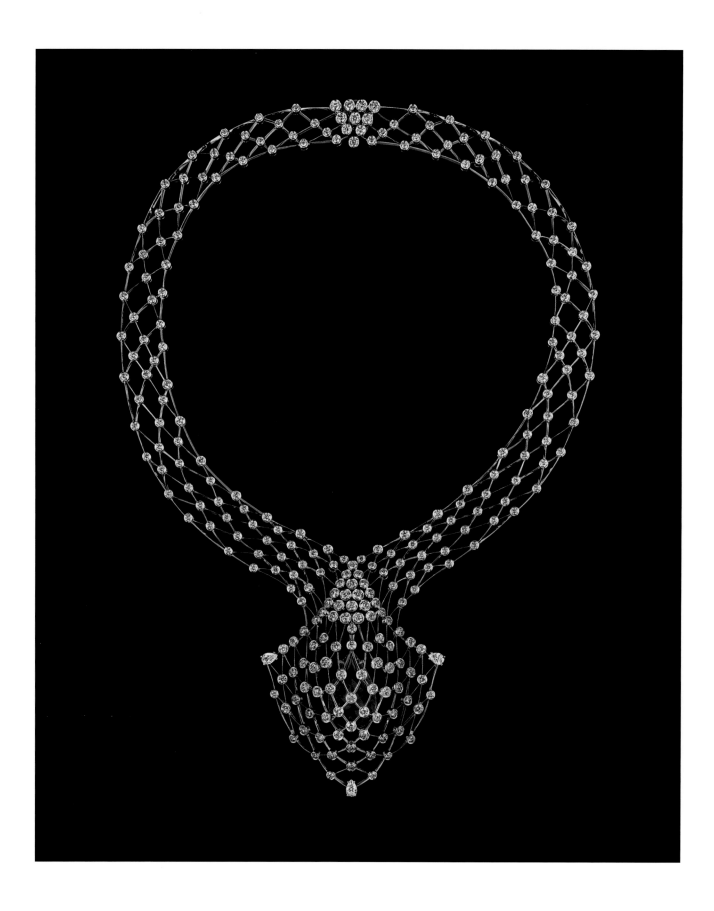

Collier *Lacis*, collection
Perspectives de Chaumet,
2020, or blanc, diamants et
rubellite.

EN HAUT
Une pièce de la collection
Déferlante de Chaumet,
en cours de sertissage.

CI-CONTRE
Les volutes de diamants de
la collection *Torsade de
Chaumet.*

afin d'éviter un volume apparent (p. 427, en bas). Chaque technique a ses spécificités, le serti festonné fait ressortir la douceur d'une courbe, le serti en chaton d'illusion souligne la modernité d'un motif. Régulièrement, la frontière entre sertisseur et magicien s'efface. Lorsque l'artisan « pousse un grain », selon la formule consacrée désignant le fait de percer le métal pour soulever un copeau et obtenir un serti grain filé fluide ou encore lorsqu'il sertit les diamants navette sur plusieurs niveaux et selon différentes orientations pour raconter la mer caressée par la houle sur un collier entièrement articulé illuminé par un diamant poire de 7,18 carats amovible. La magie est aussi omniprésente dans la parure *Rhapsodie transatlantique* (p. 429) dont le serti aléatoire dit bulles de champagne fait pétiller les pierres comme un spectacle de l'Upper West Side, au Metropolitan Opera de New York.

CI-DESSUS
Broche feuilles de houx, période Chaumet, vers 1890, or, argent, perles fines et diamants. Paris, collections Chaumet.

PAGE DE DROITE
Collier *Rhapsodie transatlantique*, collection *Chaumet est une Fête*, 2017, or blanc et or jaune, morganite, chrysobéryl, topaze impériale, tourmaline rose, tanzanite, grenats, diamants. Collection privée.

LE MOUVEMENT

En devenant joaillier de l'impératrice Joséphine, qui fut une botaniste reconnue, mais aussi une passionnée d'oiseaux – la volière installée dans le parc de la Malmaison le long de la rivière anglaise accueillant aras, cacatoès, perruches, aigrettes, faisans et colibris –, la Maison fait sienne cet attrait pour la nature vibrante, comme surprise dans l'instant. Flore, faune, ciel, mer, paysages sont saisis avec agilité pour donner naissance à des pièces prodigieuses de réalisme vivant avec celles et ceux qui les portent. Des aigrettes colibris (ci-contre) ou broche hirondelle et papillon des années 1890 au martin-pêcheur aérodynamique des années 1970 digne du Maglev (p. 302), le mouvement anime chaque création.

L'art du trait qui définit la Maison insuffle au motif une tension souvent génératrice d'oxymore joaillier. Le diadème épi de blé de 1811 (p. 258) possède ainsi la poésie d'un champ ondoyant sous le vent et la puissante symbolique de l'emblème impérial voulu par Napoléon. Devenu un motif récurrent constamment réinventé selon l'air du temps, l'épi de blé s'invite dans la collection de Haute Joaillerie 2023 *Le Jardin de Chaumet*. Sculpté dans un or cuivré annonçant la moisson, il coiffe décolleté, poignet, oreille et main de sa force esthétique et symbolique (voir p. 269). La justesse des dessins de la Maison est telle qu'ils séduisent tout particulièrement les connaisseuses. À l'instar de Romaine Brooks, une héritière du début du XXᵉ siècle devenue une peintre recherchée qui commande à Chaumet un pendentif à pampilles dont le motif acéré comme des griffes fait l'unanimité auprès des invitées du salon de sa compagne, Natalie Barney, une autre Américaine richissime installée à Paris.

Un siècle plus tard, l'élan créatif demeure. Imaginée comme une ode à la vie et au mouvement, la collection de Haute Joaillerie *Torsade de Chaumet* fait virevolter les spirales d'or blanc serti de diamant colorées de rubis et de saphirs qui rythment diadèmes, colliers cravates, sautoirs, bagues et broches (p. 14-15). Avec la collection de Haute Joaillerie 2022 *Déferlante*, Chaumet confirme son audace. Saisie dans son élan, la vague se dresse, prête à bondir sur le rivage. Sculpté dans 44 éléments d'or blanc, le diadème de la parure, dont le décor ne présente aucune répétition, associe la force de l'eau déchaînée et sa grâce (p. 68 and p. 331, en bas). Pour cela, 1 600 diamants aux multiples tailles, brillant, carré, princesse et baguette sont sertis en groupés montés par bande, un grand serti filet descendu faisant jaillir une frange d'écume. Prêts à relever tous les défis, le studio de création et l'atelier font couramment fusionner anciennes techniques et innovations. Le montage en trembleuse de la broche de la reine Hortense, vraisemblablement réalisée par la Maison vers 1807, prodigue la grâce d'un bouquet d'hortensias (p. 340), tandis que le devant de corsage transformable figurant un bouquet de roses, tulipes et volubilis, monté lui aussi en trembleuse, vaut en 1851 à Jean-Valentin Morel la médaille du conseil, la plus haute récompense décernée par l'Exposition universelle de Londres. L'impulsion créative

Aigrette colibri transformable en broche, période Chaumet, vers 1890, or, argent, rubis et diamants. Paris, collections Chaumet.

caractérise tout autant le XXIᵉ siècle. Les rubis sang de pigeon, grenats rhodolites et tourmalines rouges taillés sur œuvre pour le collier transformable *Aria Passionata* (ci-contre) racontent les drapés des rideaux de velours du théâtre de La Scala de Milan. En 2018, la Maison, toujours curieuse d'expériences inédites, donne carte blanche aux élèves du cursus joaillier de la prestigieuse Central Saint Martins de Londres pour réaliser le diadème du troisième millénaire. Le lauréat, Scott Armstrong, qui a depuis rejoint le studio de création de Chaumet, traduit le jardin à la française imaginé à Versailles par André Le Nôtre pour Louis XIV en courbes et lignes franches associant la légèreté et le mouvement chers à la Maison (p. 325).

CI-DESSUS
Projet de broche diamants et saphir, atelier de dessin Chaumet, vers 1950, crayon graphite, lavis et rehauts de gouache sur papier teinté. Paris, collections Chaumet.

PAGE DE DROITE
Gouaché du collier *Aria Passionata*, or rose, rubis, grenats rhodolites, tourmalines rouges et diamants, collection *Chaumet est une Fête*, 2017, studio de création Chaumet, gouache, et rehauts de gouache sur papier teinté. Paris, collections Chaumet.

LE NŒUD

Loin du redoutable nœud gordien noué sur le char de Gordius, le roi légendaire de Phrygie, le nœud de Chaumet s'enlace avec allégresse.

Indissociable des guirlandes romantiques de Fossin, volontiers associé à une perle en pendentif lorsqu'il est en papillon (p. 437), il dessine diadème et aigrette couronnés d'une feuille de chêne ou d'un épi de blé à l'aube du XXᵉ siècle. En broche articulée ou devants de corsage, souple ou serré, ajouré, frangé, il n'en finit pas d'inspirer la Maison (voir p. 188-189).

En 1913, deux diamants taille poire de plus de 46 carats s'accrochent en décalé à un collier lacet négligé dont le dessin charme le maharadjah d'Indore (p. 126, en haut à droite). C'est aussi l'époque du nœud écossais (p. 106, 108) dont raffolent les clientes. Chaumet le réinvente en 2017, pimentant sa collection de Haute Joaillerie d'une parure à motif tartan digne du festival de Glyndebourne (ci-contre). L'excentricité anglaise rencontre la virtuosité parisienne avec la bague cocktail pleine de rythme, la broche tout en volume, la montre joaillière inédite et le somptueux collier à motif transformable.

Broche *Pastorale anglaise*, collection *Chaumet est une Fête*, 2017, or blanc, laque, émeraudes, rubis, saphirs, saphirs jaunes et diamants. Collection privée.

LES PIÈCES
TRANSFORMABLES

Rivalisant de technicité, les pièces transformables, qui sont une signature de la Maison depuis sa fondation, répondent à une même volonté, combler la cliente.

Les pierres montées en chute et les motifs en pendentif passant du collier à la bague ou à la broche sont un prérequis, stimulant l'esprit de défi qui anime depuis toujours l'atelier du *12 Vendôme*. Le diadème épis de blé dit « Crèvecoeur » en offre un bel exemple (p. 268). Réalisé en 1810, remis au goût du jour un siècle plus tard, en 1910, ce joyau naturaliste entièrement démontable a récemment rejoint la collection patrimoniale de la Maison. Conservée dans son écrin d'origine, la pièce possède toujours les outils et éléments nécessaires à sa transformation. Lui aussi transformable en devant de corsage, broche et ornements de cheveux, le diadème Leuchtenberg (p. 62-63) sort des ateliers en 1830. Composé de huit éléments, monté en trembleuse, serti de 698 diamants et de 32 émeraudes, il s'inscrit dans l'excellence que cultive Chaumet.

Collier transformable en diadème, bandeau devenant serre-cou, diadème se démontant à volonté pour se porter en devant de corsage, l'atelier multiplie les prouesses joaillières. Ces dernières suivent les envies de l'époque. Au XXIe siècle, un bijou de tête se divise en deux broches, un sautoir se raccourcit en ras-du-cou, une bague sertie d'un magnifique diamant de plus de 6 carats se porte avec ou sans son motif de vagues, tandis que le diadème *Mirage* de la collection de Haute Joaillerie *Perspectives de Chaumet* offre pas moins de trois portés différents, avec ou sans son diamant poire de 5,07 carats, avec ou sans son motif en saphirs bleus (p. 72-73).

Aussi attachée à son extraordinaire patrimoine qu'attentive aux attentes de l'époque, la Maison excelle dans les réinterprétations. En 2023, le diadème *Pensée* de la collection *Le Jardin de Chaumet* s'orne d'une fleur amovible à pistil de diamant jaune pouvant se piquer en broche. La pièce s'inscrit en héritière du diadème fleurs de pensée des années 1850 (p. 440-441) dont chaque motif peut se porter seul, en broche ou en ornement de cheveux.

Diadème de la marquise japonaise Kikuko Maëda transformable en devant de corsage, 1920, positif d'après négatif sur plaque de verre. Paris, collections Chaumet.

CI-DESSUS
Diadème fleurs de pensée
transformable en broches,
période Fossin, vers 1850,
argent, or et diamants.
Paris, collections Chaumet.

PAGE DE DROIT
Broches du diadème
transformable fleurs de
pensée, période Fossin,
vers 1850, argent, or et
diamants. Paris, collections
Chaumet.

L'OR

Indéfectible complice de la Maison, l'or se prête à toutes les finitions. Martelé, torsadé, ajouré, gravé, poli miroir, travaillé en volutes, en maille seconde peau ou en alvéoles, il se met au service des pierres et des personnalités. Des joyaux impériaux aux dernières-nées de la collection de Haute Joaillerie 2023 *Le Jardin de Chaumet*, l'atelier honore sa réputation d'orfèvre. Les broches spectaculaires des années 1880-1890 faisant s'affronter chimères, aigle et serpent (p. 445, en haut à gauche) ont une généreuse descendance avec les parures solaires des années 1970, telles que ces fleurs en or sauvage et or blanc poli vif. Cette période d'avant-garde est particulièrement propice aux explorations de l'or et de nouvelles formes. Mues par une créativité foisonnante, les grandes figures de la Maison que sont René Morin et Pierre Sterlé y plongent avec bonheur, proposant des bijoux plus fous les uns que les autres, à l'image de cette paire d'ornements d'oreilles digne de *Star Trek* (p. 445, au centre) ou de ce collier liane jouant des contrastes entre l'or poli miroir et l'or sauvage (voir p. 444).

Derrière l'éclat de chaque pièce, une manchette deux ors veinée comme une écorce de chêne ou un collier « Y » en or rose serti semi-clos de la collection *Bee My Love*, transparaît le minutieux travail de la polisseuse (p. 446-447). Jouant délicatement de ses fils de soie, de coton et de son furet, elle fait rayonner le noble métal sans jamais compromettre les proportions du bijou. Ciselé dans l'or blanc pour dessiner des nuages vaporeux traversés d'or jaune, un collier serti de 5 037 pierres sur lesquelles rayonne un saphir coussin jaune « Golden Yellow » poétise le cou (p. 287). L'année suivante, en 2020, Chaumet confirme sa virtuosité avec la collection de Haute Joaillerie *Perspectives de Chaumet*. Entre pans coupés de la place Vendôme, déconstructivisme et « skylines », les rubans d'or jaune ouvragés scandent broche, bague transformable, boucles d'oreilles, manchette et colliers magnétiques (voir p. 375 et ci-contre). Lorsque la Maison dédie une nouvelle fois dans son histoire une collection complète à la mer, *Ondes et Merveilles de Chaumet*, la parure évoquant les galets léchés par l'eau appelle de nouvelles prouesses. Les vaguelettes de diamants sont serties dans l'or blanc avant de fusionner avec l'or rose texturé, de manière que les pièces soient lisses comme un galet sur le sable poli par le ressac (p. 249).

Collier *Ondulation*, collection *Perspectives de Chaumet*, 2020, or jaune, tourmaline indicolite et saphirs jaunes.

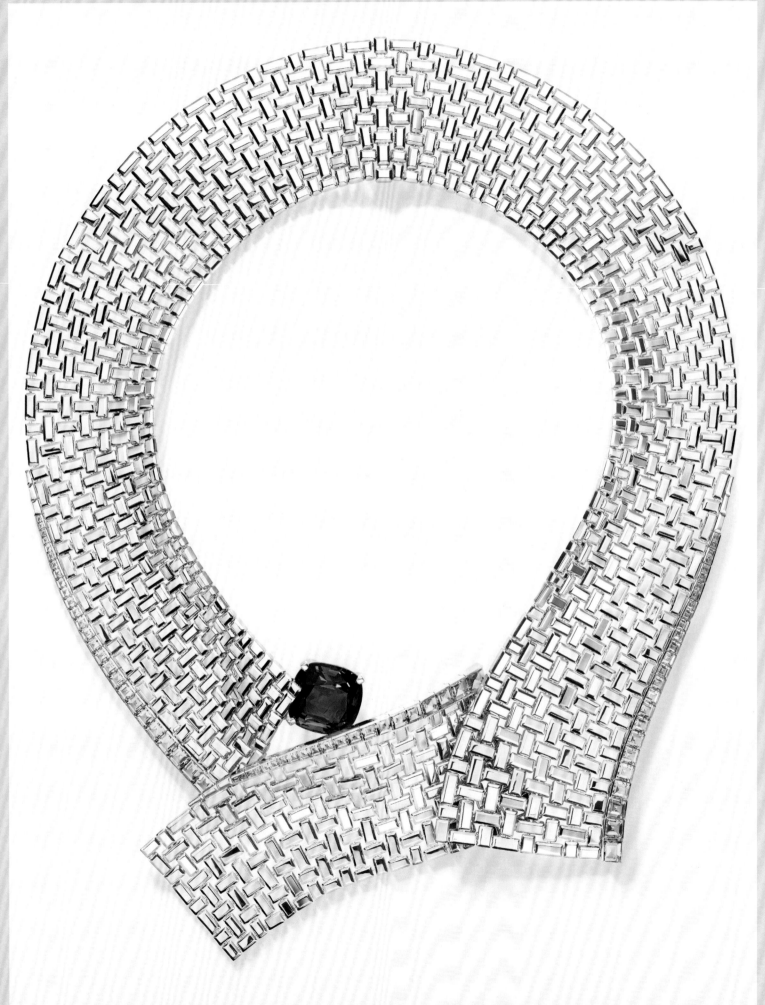

EN HAUT, À GAUCHE
Broche aux chimères,
période Chaumet,
vers 1890, en or ciselé,
diamants et rubis. Paris,
collections Chaumet.

EN HAUT, À DROITE
Ornements d'oreilles,
Chaumet, 1970, or jaune.
Paris, collections Chaumet.

CI-CONTRE
Projet de bracelet en or,
atelier de dessin Chaumet,
1973, crayon graphite, lavis
et rehauts de gouache
sur papier teinté. Paris,
collections Chaumet.

PAGE DE GAUCHE
Collier torque liane,
Chaumet, 1970, or jaune
poli arcade et or blanc poli
miroir. Paris, collections
Chaumet.

CI-DESSUS
Sertis un à un, les diamants fusionnent avec l'or poli miroir délicatement ouvragé sur les pièces *Bee My Love*.

CI-CONTRE
La manchette *Bee My Love,* tout en souplesse.

PAGE DE GAUCHE
Sur les pièces *Bee My Love,* les alvéoles de diamant et d'or poli miroir se succèdent à l'infini.

447

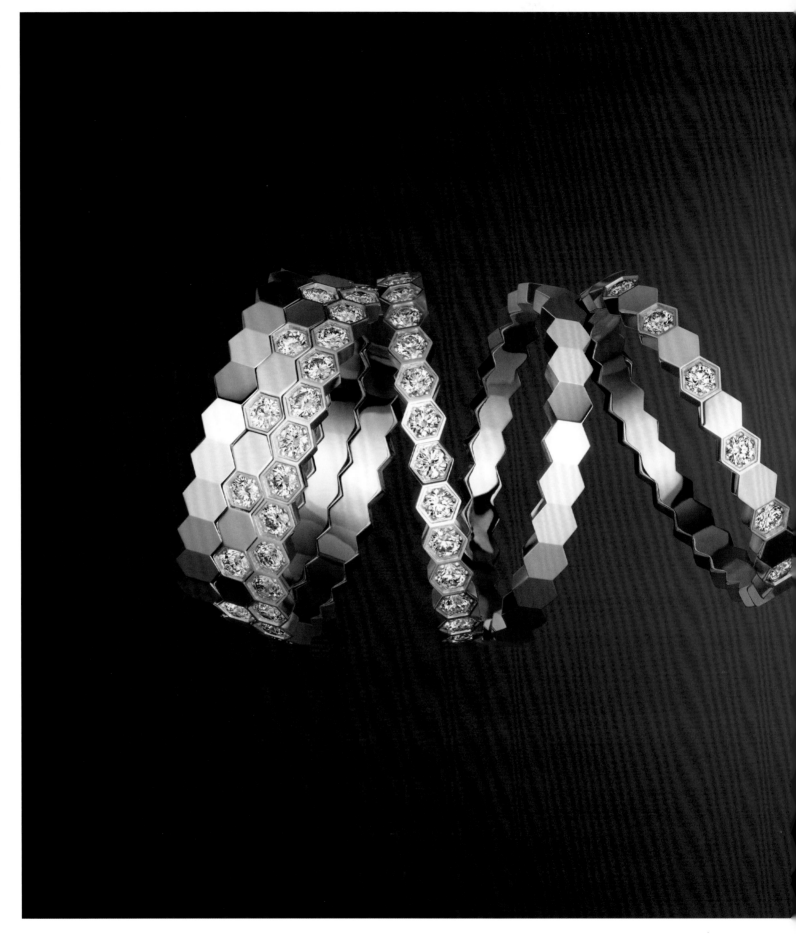

Bagues *Bee My Love*, or
jaune, or rose, or blanc et
diamants.

LES RÉCOMPENSES

1819
–
EXPOSITION DES ARTS
ET DE L'INDUSTRIE, PARIS,
MÉDAILLE.

1851
-
EXPOSITION UNIVERSELLE
DE LONDRES,
MÉDAILLE DU CONSEIL.

1900
–
EXPOSITION UNIVERSELLE
DE PARIS,
MÉDAILLE D'OR.

1904
–
EXPOSITION UNIVERSELLE
DE SAINT-LOUIS,
MÉDAILLE D'OR.

1905
–
EXPOSITION UNIVERSELLE
DE LIÈGE,
MÉDAILLE D'OR.

LE JOURNAL LE MIEUX INFORMÉ C'EST
Le Petit Journal
QUATRE MILLIONS de lecteurs

Exposition universelle de 1900. La Porte Principale

1906
–
EXPOSITION UNIVERSELLE
DE MILAN,
MÉDAILLE D'OR.

1925
–
EXPOSITION INTERNATIONALE
DES ARTS DÉCORATIFS DE PARIS,
GRAND PRIX.

1935
–
EXPOSITION UNIVERSELLE
DE BRUXELLES,
GRAND PRIX.

Carte souvenir de
l'Exposition universelle
de Paris, 1900. Musée des
Beaux-Arts de la Ville de
Paris, Petit Palais.

LE TROMPE-L'ŒIL

Aussi friande de mode que vigilante quant à son devoir de représentation, l'impératrice Joséphine raffole des perles et des pierres taillées en poire qui lui évoquent les gouttes de rosée. Complice de la souveraine jusqu'à sa disparition, en 1814, la Maison a naturellement intégré cette taille dans son répertoire stylistique, au point de lui dédier la collection *Joséphine*. De même, la technique de serti en trompe-l'œil, notamment appliquée sur le diadème Habsbourg Radziwill (p. 339), est devenue l'une de ses signatures en matière de savoir-faire joaillier. Variation d'un serti grain, elle consiste à réunir plusieurs diamants dans une forme de poire pour donner l'illusion d'une seule pierre. Employé en 1919 pour les motifs en forme de goutte conversant avec les fuchsias fleurissant sur le diadème de mariage de la future princesse de Bourbon-Parme (voir page suivante), le trompe-l'œil reste d'actualité un siècle plus tard sur le collier *Joséphine Aigrette Impériale*, irrésistible de légèreté au cou du top canadien Coco Rocha voltigeant sur le tapis rouge du Festival de Cannes en 2022 (ci-contre).

Le top model Coco Rocha au Festival de Cannes portant des pièces *Soirs de Fête*, mai 2022.

454

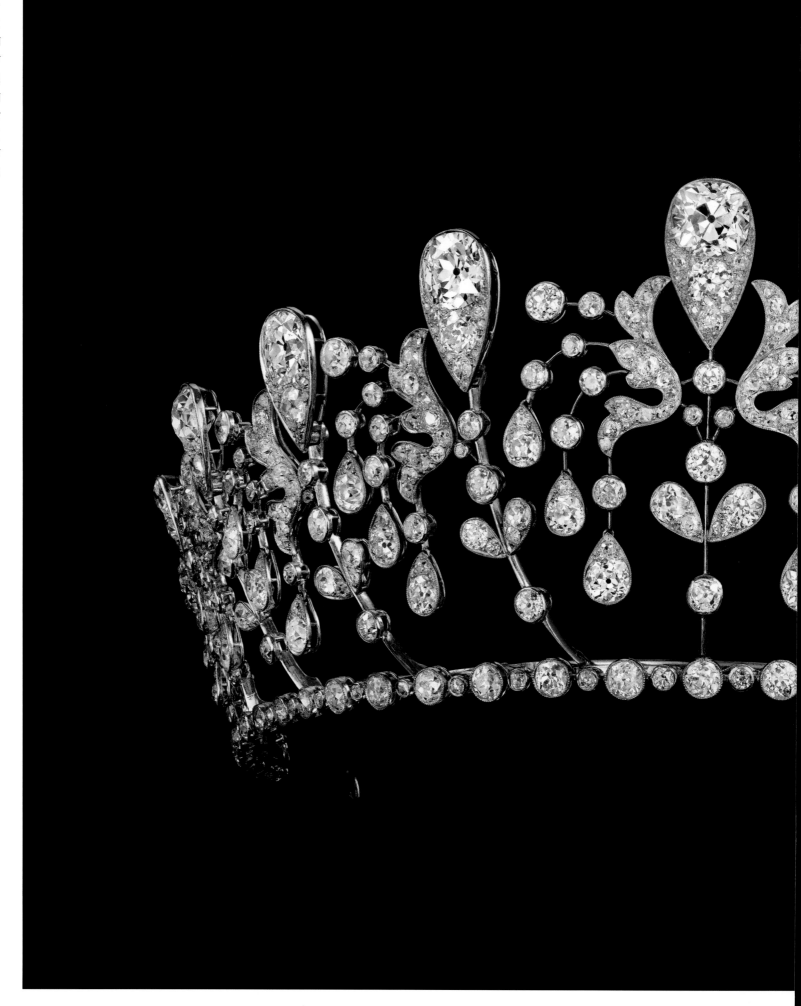

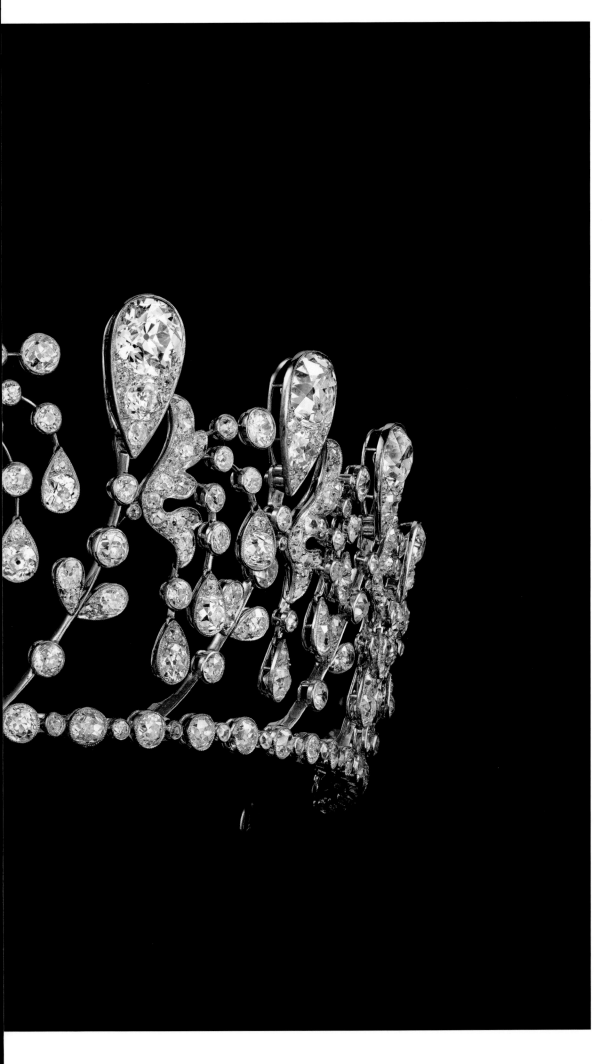

Diadème aux fuchsias,
période Chaumet, 1919,
platine et diamants. Paris,
collections Chaumet.

VISIONNAIRE

« TOUS MES EFFORTS TENDRONT À
RECHERCHER LES PROCÉDÉS DE PLUS
EN PLUS COMMODES ET PRATIQUES
POUR PERMETTRE À CHACUN DE SE
FORMER UNE OPINION CERTAINE SUR
LA NATURE DES PIERRES QUI FONT
L'OBJET DE NOTRE COMMERCE. »

JOSEPH CHAUMET, « LE RUBIS », DISCOURS ADRESSÉ À LA CHAMBRE
SYNDICALE DES NÉGOCIANTS EN DIAMANTS, LAPIDAIRES ET BIJOUTIERS-
JOAILLIERS, 21 JUIN 1904

PAGE DE GAUCHE
Le magasin Chaumet 1881
Heritage, Hong Kong,
Chine.

DOUBLE PAGE
PRÉCÉDENTE,
À GAUCHE
Diadème *Firmament
Apollinien*, collection
La Nature de Chaumet,
2016, or blanc, diamants et
saphirs. Collection privée.

En 1793, le fondateur de la Maison, Marie-Étienne Nitot,
sauve les joyaux de la Couronne de France, contribuant ainsi
à préserver un patrimoine inestimable. Depuis, la notion
de conservation est au cœur de la Maison. Au point qu'elle
possède aujourd'hui des archives uniques au monde.
Remarquable par sa richesse et sa qualité, avec notamment
un fonds de 66 000 dessins dont les plus anciens remontent
au début du XIXᵉ siècle et un fonds photographique relatant
toute l'activité de Chaumet de la fin du XIXᵉ siècle aux années
1980, ce patrimoine témoigne d'un esprit de clairvoyance
précurseur. Les pierres, qui demeurent les héroïnes, reçoivent
ainsi leurs premiers certificats d'authenticité délivrés par
Chaumet au tout début du XXᵉ siècle, en 1904 pour les rubis.
Visionnaire, le procédé entérine l'engagement et l'intégrité
chers à la Maison.

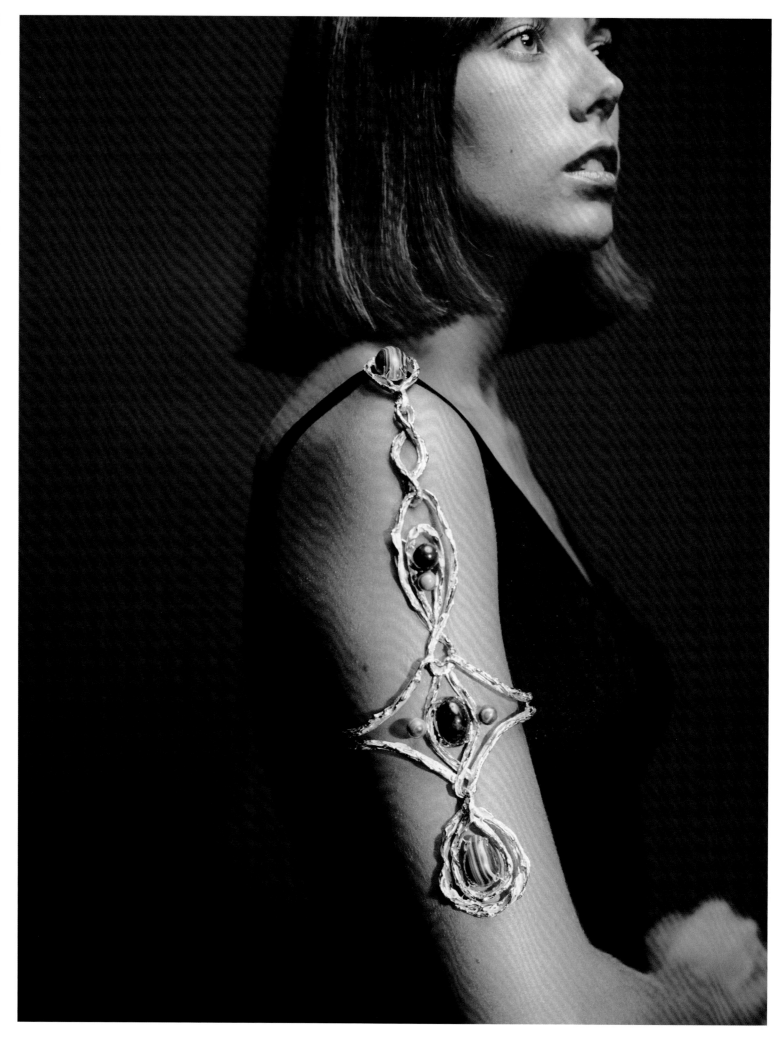

Comment rester dans l'air du temps depuis deux cent quarante-trois ans ?
Voilà un cas d'étude digne des grandes écoles. Depuis sa création, en 1780,
Chaumet est à l'écoute de ses contemporains, scrutant les humeurs de
l'époque pour toujours accorder ses propositions. L'audace n'est jamais loin,
tout comme son corollaire, l'innovation.

La grâce naturaliste des créations de Fossins s'accompagne ainsi de deux
brevets : l'un concerne un procédé d'incrustation de pierres fines serties de
filets d'or pour des pièces décorées de mosaïques, le second propose une
technique d'émaillage du vermeil – Joseph Chaumet se penchera lui aussi
sur la question, en faisant breveter une technique d'application de l'émail en
1909. Auparavant, c'est avec une broche trèfle en émail vert translucide (p. 177)
commandée par la future impératrice Eugénie – déjà cliente de Fossin depuis
1843 – que Prosper Morel, dont l'innovante habileté a déjà fait succomber
la reine d'Angleterre Victoria, se met au service du nouveau couple impérial
et de ses fastes.

Avec Joseph Chaumet, les bases d'un joaillier moderne sont établies. Revenue
place Vendôme – elle s'y était une première fois installée vers 1812 –, la Maison
se dote d'un atelier de lapidaire dédié à la taille de diamants et de pierres
de couleur pour lesquelles plusieurs brevets de montage sont déposés.
Un laboratoire photographique permet de conserver une trace de toute
l'activité, des pierres sur papier et bijoux confiés par les clients aux projets de
dessins, mises sur cire et pièces de joaillerie exécutés par l'atelier. Plusieurs
centaines de milliers de prises de vue sont ainsi réalisées (voir p. 362). Vers
1890, lorsque les pierres synthétiques, notamment le rubis, puis les perles
de culture venant d'être mises au point au Japon arrivent sur le marché
parisien, Joseph Chaumet ouvre un laboratoire d'études et de vérification
doté des nouveaux procédés que sont la radiographie, la spectroscopie
et la microphotographie. Il n'est alors pas question d'exclure ces nouveaux
moyens scientifiques, mais d'informer et de clarifier les données auprès de
la clientèle. Désormais capable de déceler les imperfections et les fraudes,
tout en identifiant les origines géographiques des gemmes, la Maison, déjà
consciente des enjeux liés à la traçabilité, délivre alors les premiers certificats
d'authenticité de pierres (voir p. 234-237 et p. 463).

Un siècle plus tard, en 2005, lorsqu'est créé le Responsible Jewellery
Council (RJC), un organisme de certification veillant à soutenir des pratiques
responsables pour les diamants, l'or et les métaux, de la mine à la vente
en boutique, l'adhésion tient de l'évidence. Chaumet figure d'ailleurs dans
les premières sociétés à être certifiées conformes au draconien Code
de pratiques de l'institution. Depuis, tous les trois ans, la Maison passe
avec succès les contrôles prouvant l'intégrité et la durabilité de sa chaîne
d'approvisionnement.

Pionnière en matière d'éthique, la Maison l'est aussi lorsqu'il est question
d'« empowerment ». Assise par la confiance de l'impératrice Joséphine,
l'histoire de Chaumet s'écrit en effet dans l'intimité avec les femmes.
Princesses, philanthropes, épouses de magnats, actrices, cheffes d'entreprise,
toutes ces personnalités libres, investies et inspirantes décuplent la créativité de
la Maison. Dans les années 1970, quand un vent de conquêtes nouvelles souffle
sur le monde, avec Rosella Bjornson, première femme pilote de ligne au Canada
et Jacqueline de Romilly, première femme professeure au Collège de France
– créé en 1530 –, Chaumet ouvre le 17 juin 1970, au 12 Vendôme une boutique
d'un nouveau genre, L'Arcade (voir p. 36-37). « Vous pouvez en franchir le
seuil, vous promener parmi les vitrines, les prix sont affichés et une hôtesse,
jolie et souriante comme il se doit, est là pour vous renseigner et vous
montrer les bijoux [...] cela crée une ambiance détendue, jeune et agréable ! »

Photographie d'un
mannequin portant un
ornement de bras en or
sauvage et pierres dures,
période Chaumet, 1973,
positif d'après un négatif.
Paris, archives Chaumet.

Projet de collier en or sauvage et
en or blanc poli, atelier de dessin
Chaumet, vers 1970, crayon
graphite, gouache, lavis et rehauts
de gouache sur papier calque.
Paris, collections Chaumet.

PAGE DE DROITE
Deux photographies des
certificats d'identité et
d'authenticité d'un rubis naturel
de Birmanie daté du 9 juillet
1904, laboratoire photographique
Chaumet, 1904, positif d'après un
négatif sur plaque de verre. Paris,
collections Chaumet.

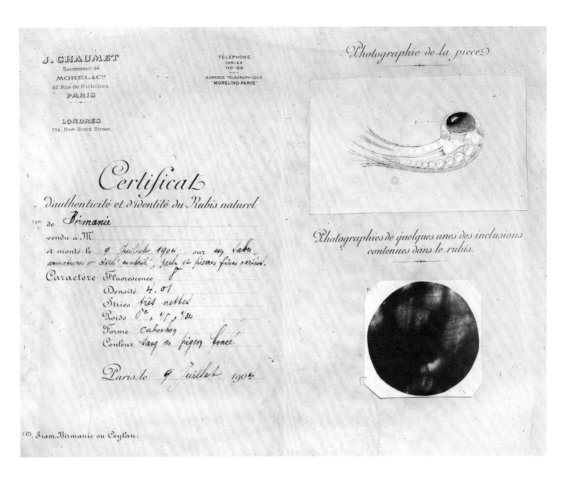

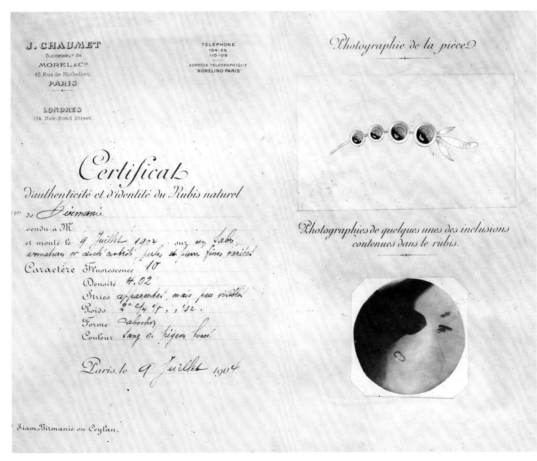

EN HAUT
Vue d'un des
ateliers de joaillerie
Chaumet, laboratoire
photographique Chaumet,
vers 1910, positif d'après
un négatif sur plaque de
verre. Paris, collections
Chaumet.

AU CENTRE
Avant le sertissage,
le joaillier réalise les mises
à jour qui accueilleront
les pierres.

CI-CONTRE
Vue du Salon des
Perles avec les
enfileuses de perles
au travail, laboratoire
photographique Chaumet,
vers 1920, positif d'après
un négatif sur plaque de
verre. Paris, collections
Chaumet.

EN HAUT
Benoit Verhulle, treizième
chef d'atelier de la Maison,
en train d'observer les
finitions du diadème
Torsade de Chaumet avant
sa livraison.

AU CENTRE
L'atelier de Haute
Joaillerie du *12 Vendôme*.

CI-CONTRE
Sélection des perles fines
une à une pour réaliser
une parure harmonieuse
et régulière.

s'enthousiasme le célèbre magazine *Marie France*. Les équipes commerciales féminines font ainsi leur entrée dans les mœurs joaillières.

En 2020, lorsque la Maison décide de restaurer entièrement son hôtel particulier pour fêter ses deux cent quarante ans (voir également p. 26), c'est une femme, Patricia Grosdemange, qui pilote les travaux, main dans la main avec le directeur général de Chaumet, Jean-Marc Mansvelt. Le *12 Vendôme* renoue ainsi avec les trois dimensions essentielles dans lesquelles la Maison a toujours été pionnière. D'une part, la préservation du patrimoine avec les trésors issus de ses archives et de sa collection de 350 pièces de joaillerie, d'horlogerie et d'orfèvrerie (voir également p. 320-321). D'autre part, la transmission de la virtuosité Chaumet au sein de l'atelier de Haute Joaillerie. En 2016, Benoit Verhulle est intronisé chef d'atelier, le treizième que compte la Maison depuis 1780. Embauché vingt-six ans auparavant par le dixième chef d'atelier, formé par les suivants, il veille aujourd'hui sur le territoire d'expression de Chaumet. Grâce aux gestes transmis de génération en génération depuis plus de deux siècles et demi, chaque nouvelle création enrichit l'extraordinaire patrimoine de la Maison. Chacune contribue aussi à sa modernité, au sens étymologique des mots, *patrimonium* signifiant « héritage du père », *modo* désignant ce qui est récent et bénéficie des derniers progrès de la science et de la technique. Enfin, le magasin du *12 Vendôme*, où se déploie la nouvelle identité déjà adoptée à Dubaï, Madrid et Hong Kong, consacre la troisième raison d'être du lieu, l'accueil des clients dans un esprit de partage. Institué par Marie-Étienne Nitot il y a plus de deux siècles, il définit une Maison qui a toujours su être de son temps et dans son temps.

CI-CONTRE
Appairage des pierres d'une pièce de Haute Joaillerie de la collection *Ondes et Merveilles de Chaumet*.

PAGE DE DROITE
Une à une, les pierres sont serties sur les montures en or des pièces de Haute Joaillerie de la collection *Ondes et Merveilles de Chaumet*.

CHRONOLOGIE

1780
—
COLLABORATEUR DU JOAILLIER DE MARIE-ANTOINETTE, MARIE-ÉTIENNE NITOT FONDE LA MAISON.

1802-1804
—
JOAILLIER DE NAPOLÉON IER, LA MAISON CRÉE L'ÉPÉE DU SACRE ET DEVIENT, DÈS L'ANNÉE SUIVANTE, LE FOURNISSEUR ATTITRÉ DE L'IMPÉRATRICE JOSÉPHINE, PUIS DE MARIE-LOUISE.

1810-1850
—
À LA PÉRIODE ROMANTIQUE, LA MAISON CÉLÈBRE LE TRIOMPHE DE LA NATURE.

1811
—
LA MAISON CRÉE UNE PAIRE DE BRACELETS-MONTRES POUR LA BELLE-FILLE DE L'IMPÉRATRICE JOSÉPHINE.

1812
—
LA MAISON S'INSTALLE AU 15, PLACE VENDÔME. CET HÔTEL PARTICULIER DEVIENDRA L'HÔTEL LE RITZ.

1815
—
JEAN-BAPTISTE FOSSIN, CHEF D'ATELIER DE NITOT, PREND LA TÊTE DE LA MAISON AVEC SON FILS JULES.

1848
—
JEAN-VALENTIN MOREL, ANCIEN CHEF D'ATELIER DE JULES FOSSIN, OUVRE UNE SUCCURSALE À LONDRES.

1861
—
PROSPER MOREL, FILS DE JEAN-VALENTIN MOREL, SUCCÈDE À JULES FOSSIN.

1889
—
JOSEPH CHAUMET PREND LA TÊTE DE LA MAISON ET LUI DONNE SON NOM.

1907
—
LES ATELIERS ET LE MAGASIN S'INSTALLENT AU 12, PLACE VENDÔME, DANS L'HÔTEL BAUDARD DE SAINTE-JAMES.

1920
—
LA MAISON ÉPOUSE LE STYLE ART DÉCO DES ANNÉES FOLLES.

1928
—
MARCEL CHAUMET SUCCÈDE À SON PÈRE.

1970
—
CRÉATION DE L'ARCADE.

1977
—
CHAUMET CRÉE LA COLLECTION *LIENS*.

1999
—
LA MAISON INTÈGRE LE GROUPE LVMH.

2010
—
EN HOMMAGE À L'IMPÉRATRICE JOSÉPHINE, LA MAISON CRÉE DES COLLECTIONS QUI PORTENT SON PRÉNOM ET RAPPELLENT LES DIADÈMES QU'AFFECTIONNAIT LA SOUVERAINE.

2011
—
LE RESPONSIBLE JEWELLERY COUNCIL ANNONCE LA CERTIFICATION DE CHAUMET. CHAUMET CRÉE LA COLLECTION *BEE MY LOVE*.

2017
—
CHAUMET S'EXPOSE À LA CITÉ INTERDITE À PÉKIN.

2018
—
L'EXPOSITION « LES MONDES DE CHAUMET – L'ART DE LA JOAILLERIE DEPUIS 1780 » EST PRÉSENTÉE AU MITSUBISHI ICHIGOKAN MUSEUM À TOKYO.

2019
—
L'EXPOSITION « CHAUMET EN MAJESTÉ – JOYAUX DE SOUVERAINES DEPUIS 1780 » EST PRÉSENTÉE AU GRIMALDI FORUM À MONACO.

2022
—
CHAUMET PRÉSENTE L'EXPOSITION « VÉGÉTAL – L'ÉCOLE DE LA BEAUTÉ » AU PALAIS DES BEAUX-ARTS DE PARIS.

Ornement de tête *Blé*, collection *Le Jardin de Chaumet*, 2023, or jaune et diamants. Bague *Blé*, collection *Le Jardin de Chaumet*, 2023, platine, or jaune et diamants.

BIBLIOGRAPHIE SÉLECTIVE

Gustave Babin, *Une pléiade de maîtres-joailliers (1780-1930)*, Paris, imprimerie de Frazier Soye, 1930.

Vivienne Becker, *Chaumet. L'art du diadème*, Paris, Assouline, 2016.

Joseph Chaumet, *Le Rubis. Communication faite aux chambres syndicales des marchands de diamants et lapidaires, joailliers et bijoutiers, réunies le 21 juin 1904*, Paris, imprimerie Petit, 1904.

David Chokron, *Chaumet. Heures précieuses*, Paris, Assouline, 2019.

Bérénice Geoffroy-Schneiter, *Les Mondes de Chaumet*, Paris, Assouline, 2018.

Henri Loyrette (dir), *Chaumet. Joaillier parisien depuis 1780*, Paris, Flammarion, 2017.

Florence Montreynaud, *Le XXe siècle des femmes*, Paris, Nathan, 1992.

Sophie Motsch, *Chaumet. Joyaux des couronnes*, Paris, Assouline, 2018.

Jérôme Neutres, *Chaumet. L'art du trait*, Paris, Assouline, 2019.

Clare Phillips et Natasha Fraser-Cavassoni, *Chaumet. Divines. Diadèmes de légende*, Londres, Thames & Hudson, 2020.

Domizio Sassetelli, *Les Ciels de Chaumet*, Paris, Assouline, 2019.

Diana Scarisbrick, *Bijoux de tête. Chaumet de 1804 à nos jours*, Paris, Assouline, 2002.

Christophe Vachaudez, Stéphane Bern *et al.*, *Chaumet en majesté. Joyaux de souveraines depuis 1780*, Paris, Flammarion, 2019.

Julie Verlaine, *Chaumet. Figures de style*, Paris, Assouline, 2018.

Rémi Verlet, *Dictionnaire des joailliers, bijoutiers et orfèvres en France, de 1850 à nos jours*, Paris, L'École des arts joailliers, 2022.

SOURCES

p. 116 : « beaucoup plus grand étalage de vêtements... »
Les Mondes de Chaumet, p. 10

p. 116 : « les cinq parures... »
Chaumet en Majesté, p. 238

p. 118 : « l'idée de déshabiller une de ces dames... »
Jean Cocteau, *Portraits-souvenir 1900-1914*, Paris, Grasset, 1935

p. 278 : « l'assemblage ingénieux de topazes... »
Chaumet, joaillier parisien depuis 1780, p. 245

p. 327 : « a fait ainsi preuve... »
Chaumet, joaillier parisien depuis 1780, p. 89

p. 366 : « ils ne m'appartiennent pas »
Véronique Ovaldé, *Disons que je suis une forêt*, Paris, Flammarion, 2019

p. 385 : « Les dieux se détournent... »
Sappho, Fragment 81

p. 397 : « une grande personne pâle, maigre, sans menton, sans cils »
Louise-Eléonore-Charlotte-Adélaide d'Osmond, comtesse de Boigne,
Récits d'une tante, mémoires de la comtesse de Boigne née d'Osmond,
Paris, Émile-Paul Frères, 1922
<https://www.gutenberg.org/files/30912/30912-h/30912-h.htm>,
consulté en juillet 2023

p. 406 : « Elles séduisent par une beauté... »
Roger Caillois, *L'Écriture des pierres*, Genève, Albert Skira, 1970, p. 9

REMERCIEMENTS

La Maison Chaumet remercie chaleureusement son amie et auteur Gabrielle de Montmorin, sans qui ce livre n'aurait pas pu voir le jour. Elle remercie également ses collaborateurs qui accompagnent fidèlement la Maison. Cet ouvrage singulier et pluriel est le témoignage du respect porté à tous ceux qui construisent son histoire et sa renommée avec passion depuis plus de deux cent quarante ans.

Les éditions Thames & Hudson remercient tout particulièrement Jean-Marc Mansvelt et Raphaël Mingam, ainsi que Claire Gannet, Michaël Lepage, Violaine Bigot et Thibault Billoir de l'équipe Patrimoine, et Isabelle Vilgrain, Hélène Yvert et Apolline Descombes de l'équipe Contenus, dont l'aide précieuse a permis à ce livre de prendre vie.

Chaumet, Paris

Directeur de la publication
Jean-Marc Mansvelt

Directrice contenus et publications
Isabelle Vilgrain

Chef de projet contenus
Hélène Yvert

Assistante chef de projet contenus
Apolline Descombes

Thames & Hudson Ltd, Londres

Responsable de publication
Adélia Sabatini

Éditrice et responsable de projet
Flora Spiegel

Responsable de fabrication
Susanna Ingram

Direction artistique
The Bon Ton

Toutes les images proviennent des archives de la maison Chaumet sauf indication contraire.

h = en haut ; b = en bas ; c = au centre ; g = à gauche ; d = à droite.

8 © Julia Hetta/Art + Commerce ; **10** Photo Francesco Riccardo Iacomino/Getty Images ; **13** © The Saul Steinberg Foundation/Artists Rights Society (ARS), NY/DACS, Londres 2023 ; **15hg** Photo Tim Graham/ Getty Images ; **22hg** Photo adoc-photos/Corbis via Getty Images ; **22bd** Everett Collection Historical/ Alamy Stock Photo ; **23bd** Photo © Stéphane Muratet – Chaumet ; **23bg** Médiathèque du patrimoine et de la photographie, Charenton-le-Pont (ND091130A). Photo Ministère de la Culture – Médiathèque du patrimoine et de la photographie, Dist. RMN-Grand Palais/Paul Nadar ; **25, 27** Photo © Stéphane Muratet – Chaumet ; **28** © Federico Berardi @ Margot de Roquefeuil/direction artistique IIIrd Man ; **29c** © Tous droits réservés ; **31-41 (toutes les images)** Photo © Stéphane Muratet – Chaumet ; **42-44 (toutes les images)** © Photo Julien Falsimagne – Chaumet ; **45** Collection Françoise Deville – Michel Bury ; **46-47 (toutes les images)** © Photo Julien Falsimagne – Chaumet ; **49** Illustration © Emilie Ettori www.emilieettori-illustration.com ; **50** © Julia Hetta/Art + Commerce ; **52** Mannequin Stella Tennant @ Viva Model Management. © Richard Burbridge/Art + Commerce ; **54 (dans le sens des aiguilles d'une montre, depuis en haut à gauche)** © Cédric Bihr – Chaumet ; Photo12/Universal Images Group via Getty Images ; Photo Henry Clarke. Galliera/Paris Musées ; © Tous droits réservés ; Photo Pascal Le Segretain/ Getty Images ; Rosendal Palace, Stockholm, Maltesholm Castle, Kristianstad ; **55 (dans le sens des aiguilles d'une montre, depuis en haut à gauche)** Photo © Julien Martinez Leclerc. Mannequin Anna de Rijk @ Viva Model Management ; Photo Pool Benainous/Duclos/Travers/Gamma-Rapho via Getty Images ; © Yevonde Portrait Archive/ILN/Mary Evans Picture Library ; © Tous droits réservés ; Photo © Patrick Robert/Sygma/Corbis/Sygma via Getty Images ; Musée national des châteaux de Malmaison et Bois-Préau, Rueil-Malmaison, prêt de la Manufacture de Sèvres ; **56** © Nils Herrmann/© DR ; **58hg** Musée national du Château de Compiègne. Photo RMN-Grand Palais (domaine de Compiègne)/Agence Bulloz ; **58hd** © Nils Herrmann/© DR ; **60** © Robert Doisneau/Gamma Rapho ; **61** © Nils Herrmann/ © DR ; **62-63** © Nils Herrmann – Chaumet ; **64** © Laurent Menec ; **65** Photo © AGIP/Bridgeman Images ; **67** Woburn Abbey Collection ; **68** © Cedric Bihr – Chaumet ; **69** © Claessens & Deschamps – Chaumet ; **71** © Nils Herrmann/© DR ; **72** Photo © Julien Martinez Leclerc. Mannequin Anna de Rijk @ Viva Model Management ; **74** © Nils Herrmann – Chaumet ; **77** © Nils Herrmann/© DR ; **78-79** © Julia Hetta/Art + Commerce ; **80** © Stéphane Muratet – Chaumet ; **82h, 82b** © Julien Falsimagne – Chaumet ; **85** © Qatar Museums / General Collection, Doha – Qatar (PJM.TI.0483); **86** © Cour grand-ducale/Vincent Everaerts/ Tous droits réservés ; **87g** © Tous droits réservés ; **87d** Photo FilmPublicityArchive/United Archives via Getty Images ; **92** Photo © Julien Martinez Leclerc. Mannequin Anna de Rijk @ Viva Model Management ; **96** Photo Fine Art Images/Heritage Images/Getty Images ; **98hg** Heritage Image Partnership Ltd/Alamy Stock Photo ; **98hd** Photo General Photographic Agency/Getty Images ; **98b** Photo Sergey Mihailicenko/ Anadolu Agency via Getty Images ; **101** © Tous droits réservés ; **102** © Julia Hetta/Art + Commerce ; **104, 106, 109h** © Tous droits réservés ; **109bg** © National Portrait Gallery, Londres ; **111** © Nils Herrmann – Chaumet ; **112** Archives of American Art, Smithsonian Institute, Washington, DC ; **115** Photo Ullstein Bild via Getty Images ; **117** © Cyrill Matter @ Talent and Partner/direction artistique IIIrd Man ; **118** Süddeutsche Zeitung Photo/Alamy Stock Photo ; **120h** Konstantin Kalishko/Alamy Stock Photo ; **124** Collection particulière/Sotheby's ; **128** Collection particulière ; **129bd** © Khatarina Faerber ; **131** © Viviane Sassen ; **134, 135hg** © Tous droits réservés ; **135hd** © Nils Herrmann – Chaumet ; **136, 137** Photo Masayuki Saito. Courtesy La Boite Tokyo ; **140** © Tous droits réservés ; **141h** © Photo Julien Falsimagne – Chaumet ; **141bg, 141bd** © Nils Herrmann – Chaumet ; **142hg** History/Bridgeman Images ; **142hd, 142b** © Tous droits réservés ; **143** Signal Photos/Alamy Stock Photo ; **144** © Tous droits réservés ; **146** AF Fotografie/Alamy Stock Photo ; **148hd** Photo © Patrick Robert/Sygma/CORBIS/Sygma via Getty Images ; **148b** The Stapleton Collection/Bridgeman Images. Georges Lepape © ADAGP, Paris, et DACS, Londres 2023 ; **149** Philipp Jelenska/Trunk Archive ; **151, 152, 154** © Julia Hetta/Art + Commerce ; **156** © Cédric Bihr – Chaumet ; **158bl** © Tous droits réservés ; **159** © Simone Cavadini @ Talent and Partner/direction

INDEX

BIOGRAPHIE DE L'AUTEUR

Gabrielle de Montmorin est historienne et journaliste. Elle a collaboré à des magazines tels que *Le Point*, *Air France Magazine* et *Madame Figaro* et écrit aujourd'hui régulièrement des sujets joailliers dans *Les Échos Week-End*, *Les Échos Série Limitée* et *Point de Vue*. Auteur d'un ouvrage sur le service dans le luxe, *Luxury Attitude* (2013), elle a pris part à la mise en mots de l'exposition « Végétal – l'École de la beauté » au palais des Beaux-Arts à Paris en 2022.

En couverture : Diadème *Déferlante*, collection *Ondes et Merveilles de Chaumet*, 2022, or blanc et diamants, photographié par Cédric Bihr.

L'édition originale de cet ouvrage a paru en 2023 au Royaume-Uni sous le titre *The Spirit of Chaumet*, chez Thames & Hudson Ltd, Londres

L'Esprit Chaumet © 2023 Thames & Hudson Ltd, Londres
Texte © 2023 Gabrielle de Montmorin

Graphisme : The Bon Ton avec Valentine Ammeux

Cet ouvrage a été reproduit et achevé d'imprimer en août 2023 par l'imprimerie C & C Offset Printing Co. Ltd pour Thames & Hudson Ltd.

Dépôt legal : 4ᵉ trimestre 2023

ISBN 978-0-500-02663-2

Imprimé en Chine

FSC
www.fsc.org
MIXTE
Papier | Pour une gestion forestière responsable
FSC® C008047